體驗經濟時代

The Experience Economy

約瑟夫‧派恩B. Joseph Pine II &詹姆斯‧吉爾摩James H. Gilmore◎著

夏業良、魯煒◎譯

消費是一個過程，當過程結束後，體驗的記憶將恆久存在。

THE EXPERIENCE ECONOMY by B. Joseph Pine II and James H. Gilmore
Copyright © 1999 by B. Joseph Pine II and James H. Gilmore
Complex Chinese translation copyright © 2003 by EcoTrend Publications,
a division of Cité Publishing Ltd.
Published by arrangement with Harvard Business School Press
through Bardon-Chinese Media Agency
ALL RIGHTS RESERVED

經營管理 19

體驗經濟時代

作　　　者	約瑟夫・派恩（B. Joseph Pine II）&	
	詹姆斯・吉爾摩（James H. Gilmore）	
譯　　　者	夏業良、魯煒	
總 編 輯	林博華	
責 任 編 輯	林博華	

發 行 人　　涂玉雲
出　　版　　經濟新潮社
　　　　　　台北市中正區信義路二段213號11樓
　　　　　　電話：(02) 2356-0933　傳真：(02) 2395-9069
　　　　　　經濟新潮社部落格：http://ecocite.pixnet.net
發　　行　　英屬蓋曼群島商家庭傳媒股份有限公司城邦分公司
　　　　　　台北市中山區民生東路二段141號2樓
　　　　　　客服服務專線：02-25007718；25007719
　　　　　　24小時傳真專線：02-25001990；25001991
　　　　　　服務時間：週一至週五上午09:30-12:00；下午13:30-17:00
　　　　　　劃撥帳號：19863813；戶名：書虫股份有限公司
　　　　　　讀者服務信箱：service@readingclub.com.tw
香港發行所　城邦（香港）出版集團有限公司
　　　　　　香港灣仔軒尼詩道235號3樓
　　　　　　電話：(852) 25086231　傳真：(852) 25789337
　　　　　　E-mail: hkcite@biznetvigator.com
馬新發行所　城邦（馬新）出版集團 Cite(M) Sdn. Bhd. (458372 U)
　　　　　　11, Jalan 30D/146, Desa Tasik, Sungai Besi,
　　　　　　57000 Kuala Lumpur, Malaysia
　　　　　　電話：(603) 90563833　傳真：(603) 90562833
印　　刷　　宏玖國際有限公司
初 版 一 刷　2003年9月1日
二 版 一 刷　2008年1月25日

城邦讀書花園
www.cite.com.tw
ISBN：978-986-7889-66-9　　　　　版權所有・翻印必究

售價：380元　　　　　　　　　　　Printed in Taiwan

〈出版緣起〉

我們在商業性、全球化的世界中生活

經濟新潮社編輯部

跨入二十一世紀，放眼這個世界，不能不感到這是「全球化」及「商業力量無遠弗屆」的時代。隨著資訊科技的進步、網路的普及，我們可以輕鬆地和認識或不認識的朋友交流；同時，企業巨人在我們日常生活中所扮演的角色，也是日益重要，甚至不可或缺。

在這樣的背景下，我們可以說，無論是企業或個人，都面臨了巨大的挑戰與無限的機會。

本著「以人為本位，在商業性、全球化的世界中生活」為宗旨，我們成立了「經濟新潮社」，以探索未來的經營管理、經濟趨勢、投資理財為目標，使讀者能更快掌握時代的脈動，抓住最新的趨勢，並在全球化的世界裏，過更人性的生活。

之所以選擇「**經營管理—經濟趨勢—投資理財**」為主要目標，其實包含了我們的關注：「經營管理」是企業體（或非營利

組織）的成長與永續之道；「投資理財」是個人的安身之道；而「經濟趨勢」則是會影響這兩者的變數。綜合來看，可以涵蓋我們所關注的「個人生活」和「組織生活」這兩個面向。

這也可以說明我們命名為「**經濟新潮**」的緣由——因為經濟狀況變化萬千，最終還是群眾心理的反映，離不開「人」的因素；這也是我們「以人為本位」的初衷。

手機廣告裏有一句名言：「科技始終來自人性。」我們倒期待「商業始終來自人性」，並努力在往後的編輯與出版的過程中實踐。

〔推薦序一〕

歡愉的智慧
——體驗經濟的核心競爭力
李仁芳

Sorrow Is Wisdom.

……

A Thing of Beauty Is A Joy Forever.

── John Keats

The Mark of The Developed Intellect Is That It Can Accommodate
Two Contradictory Ideas At The Same Time.

── F. Scott Fitzgerald

二十一世紀第一個十年的產業台灣，首要議題是什麼呢？

從「製造優勢」的台灣，如何迅敏精悍地轉進「設計創新」
的台灣，從「沙，用力擰也會擠出水來」、「追根究底合理化」，
仰賴紀律、勤奮勞動力作競爭條件的「苦力經濟體」，朝向靠創
造力與創新等智慧資本取勝的「體驗經濟體」——應該是千禧年
跨世紀之後第一個十年，產業台灣的首要議題吧！

能跳脫資金優勢、原料優勢與製造優勢的舊思維（「苦力經
濟」的中心信仰），而奮力掌握想像力、靈感巧思與創造力的智

價優勢新思維者（「體驗經濟」的中心信仰），在新世界終將掌控產業權勢舞台新中央。

在智價新世紀的體驗經濟創新經營中，產業經濟與企業經營已經有了嶄新的關注焦點。

雖然以往對資金、原料與生產作業效益的追求沒有停歇，但是今天「體驗經濟」企業額外關注追求的，是一種微妙、較難掌控、但絕對重要的新趨勢——那就是公司創造力的管理流程——這個流程的焦點在於公司有意識地以服務為舞台，以產品為道具，使顧客融入其中，而產生出畢生難忘的「體驗」。

具備創意再生能力的體驗型企業，經營方式**源自創意與文化積累，融入知識與美學**，向顧客展示體驗，不僅是要娛樂顧客，還要使他們參與其中，學習新穎而多元的體驗活動，感動顧客心靈，創造生活愉悅的價值，使顧客轉變成吮蜜的小孩，吻出生命中春天的甜度。

任何具有說服力的體驗，其**甜美之處，是將娛樂、教育、逃避現實、審美這四大領域融入原本尋常的空間**——就像仙女魔棒的一點——將之轉換成一個讓顧客產生記憶的地方，一個有助於創造記憶的戲劇性場景，一個生命經驗中的新舞台……

日本京都嵐山—嵯峨野一帶有一家傳到第三代的頂級京料理懷石料亭——吉兆。料亭入口在渡月橋下大堰川上游川邊。

一進門，大氣開闊的庭園中，青竹翠綠，金陽點點，清風徐來，令人自然寬懷飄逸起來。

前菜呈現在扇形細磁淺盤上，盤面還書寫著俳句詩文。

扇形器皿又盛放在極嬌艷鮮紅的漆器圓盤上，圓盤下則是一方光可鑑人的黑亮光滑漆盤。

一對玉筷端莊地斜靠在綠葫蘆造型的小靠座上，筷子上底面朝上覆蓋著一個喝清酒的小淺杯。

穿著西陣織秀麗錦鍛和服的女侍從你左後方侍候上菜，輕聲細語，柔軟的關西京腔，每次上前一定在你左後方兩步稍停，鞠躬行禮，再趨前上菜或倒酒，一樣細語呢喃，執禮恭謹。

深情在睫，孤意在眉。京女雅豔，果然不同凡響。

這場服務表演一開場，就有令人印象深刻的體驗——

首先，優雅的 「京女」女侍，用極細緻的京磁杯上櫻花茶，讓客人清涼解熱，舒緩心情。要上頂級的大吟釀清酒時，女侍卻示意客人自行翻轉玉筷上的酒杯。

客人一邊懷疑何以女侍這次沒有體貼入微地替客人服務，一邊翻轉杯子，卻眼睛一亮，驚喜地發現艷紅的漆器酒杯杯底沾粘著一瓣雪白的櫻花花瓣。

女侍看到客人又驚又喜的眼神，這才笑容可掬地上前輕輕倒出溫到恰好溫度的大吟釀清酒到客人酒杯中，溫暖微冒酒煙的大吟釀清酒將雪白的櫻花瓣漸漸浸潤浮起，就像皮膚白晰的京女在透明無色的溫泉中恣意泡湯……

在這樣的料亭中用饌，桌上的顏色、氣味、嗅覺、聽覺、觸覺、口感、視覺、氣泡……客人的感官、官能都被動員起來。

如果你有幸，再能與心愛的人在「吉兆」共餐，體驗慢慢吃、慢慢愛的 Art de Vivre，你肯定是地球上最幸福的一個人。

這個幸福的代價大約是台北「新都里」「備前」套餐價格的三倍。

如果你問去過吉兆，體驗過這種幸福享受的人說：

「值得嗎？」

他們一定意猶未盡、誠懇而熱切地回答說：

「絕對值得!」

眼神中還閃現著歡愉的回憶。

如果你就原材料收費，你就是初級產品企業；

如果你就有形產品收費，你就是商品企業；

如果你就你的活動收費，你就是服務企業；

如果你就你與顧客相處的時間收費，你就是體驗企業；

如果你就顧客所獲得的榮耀與喜悅（Glory & Delight）收費，你就是轉型企業。

無論從就業貢獻或從 GDP 的成長率或從消費者物價指數上漲率各面向觀察，

初級產品（原料）部門比不上工業產品部門；

工業產品部門比不上服務部門（第三產業）；

服務部門又比不上體驗部門（第四產業）。

　　台北一家「探索潛藏在植物與身體深處的能量和美感」的芳香療法機構——「肯園」，很可能是台灣「體驗經濟」的先驅者。

　　走向肯園的巷道，在徐徐的微風中，兩邊的行道樹款擺起舞，在跳躍不已的光影與樹影之間，同時傳來陣陣似曾相識的香氣。

　　進入肯園，首先，豐富的植物種類，造就了兩個綠色世界，各色草木自在地盤踞這兒的前庭後院，給人帶來驚豔的視覺印象——建築與室內設計大量的「留白」，通透的空間感源自大量採用玻璃隔間所營造的效果，到處的**陽光、空氣、花**……

　　室內、室外加起來超過三十種的植物，多數富含香氣，像是前庭的白花緬梔、白玉蘭，到手香、薄荷、馬櫻丹，桂花等等。

　　肯園對客人運用精油，因為精油的「**氣味比聲音、影像更能振裂心弦。**」

　　肯園也對客人運用按摩，「因為身體的動作不僅是肌肉骨骼的伸展而已，更是**靈魂的收縮與舒張。**」

　　肯園人本身也進修舞蹈、書法、素描等課程，因為「覺得按摩的時候，**自己的手像是在跳舞，身體就是它的舞台。**」

　　通透、自由的肯園空間，但又充盈著人間的溫暖。那是源自此空間中活動的人們所散發的熱力，加上植物吞吐碳氧的能量，以及各角落到處可見的蠟燭薰燈，**融合而成的一股人間暖意。**

　　然而體驗型企業要如何為創意與創新理出空間？如何將體驗型企業打造成一個創新之泉不斷湧現的組織平台？這樣的平台又需要形塑怎樣的文化氛圍？

　　事實上，創新需要動員內心深處最深刻的理智與情感資源。如果企業文化氛圍只鼓勵組織成員追索 Know What、Know How，以至於 Know Why 的知識上的好奇心，但文化氛圍中卻缺少對同仁 Care Why 的支持，與對同仁本人和顧客 Care 的溫暖與慈心，這樣的智價創新企業競爭力是不能持久的。

　　創意空間設計者誠品吳清友不只關切台灣買書人的瀏覽閱讀空間，也為工作夥伴提供了明心見性、開闊大氣的創意辦公環境。

　　最新鮮的洞察力來自最天真的心靈。

　　最具創新震憾力的靈感（inspiration）孕育自最溫柔的胎床。

　　新的聲音與新的視野的孕育，需要溫暖與紀律、歡愉與智慧間適當的拿捏與平衡。

　　成熟睿智心靈的最佳表徵，就是能安逸自在地同時諧調兩種看似相互矛盾的意念。

　　就高附加價值的體驗經濟而言，無論是高創造力的國家經濟、產業聚落或企業組織，其最微觀、最基本的組成單元還是歸結到高創造力的個人。

　　對這群「不同凡想」（Defy the crowd, Defy the rule）的高創

造力個人綜合觀察，可以看到他們共通的氣質——

自在、專注、熱情、以及，歡愉。

日本富士通公司前會長Taiyu Kobayashi說：「在安逸的環境中，一個人很難敏銳地思考。智慧是由站在斷崖邊緣並掙扎著求生存的人身上擠出來的，缺少這種掙扎，我們將無法趕上IBM。」

看起來小林會長似乎在強調創新需要紀律與智慧，但其實創新更需要溫暖（Care）與歡愉。**創新力高強的組織平台與文化中充盈著溫暖的光影與歡愉的氛圍。**

溫暖孕育熱情，歡愉才會自在——

創新需要自在。

自在需要專注。

專注需要熱情。

熱情則帶來歡愉並引領你朝向發現之旅。

發自內心深處，澎湃不由自已的熱情引領創新者朝向發現之旅勇往前進，向沒有海圖的未知海域探索與學習。

就像凱撒的豪語：「讓骰子擲定，我橫渡盧必孔。」

他，一意前航。

對創新者而言，每一個工作天都有新的期待，新的發現，每天都充滿了生活與工作上創新的驚喜。

千禧年跨世紀之交，台灣各界「知識經濟」、「智價經濟」

的呼聲響徹雲霄。

　　但是很少聽人提起「體驗經濟」、「美學經濟」的組織平台與文化該如何佈建。

　　很少人思考，習於仰賴紀律、勤奮勞動力的產業台灣「苦力經濟體」，如何落實轉向仰賴自在、歡愉、熱情與創造力的產業新台灣「體驗經濟體」。

　　我們一向喜歡高談策略、理性、知識與智慧。但也一向很少知覺到孕育「體驗經濟」創造力的組織平台所亟需的溫暖光影與美麗空間。

　　是的，策略是智慧，但智慧有時是憂鬱的。美麗才是歡愉。

　　對創新經營的組織平台與文化孕育來說，美麗的事物是永恆的歡愉，是自在與專注之泉，更是激發創新與創造力的永不止熄的熱情之火。

　　知識與智慧是「知識論」的範疇，體驗與歡愉則屬「美學」的領域，但是我們不禁覺得──

　　其實，歡愉也是一種智慧，一種非常有益於體驗型創新的智慧。

　　原來，美學與知識，歡愉的體驗與智慧的追尋，在孕育體驗型創新的組織平台與文化中正是一個母親的兩個孿生兒女。

　　　　　　　　　　（本文作者為政治大學科技管理研究所教授）

　　　　　　　　　　jflee@nccu.edu.tw

　　　　　　　　　　http://tim.nccu.edu.tw/jflee

〔推薦序二〕

體驗，是為了創新想像力！

孫瑞穗

序曲：沒有體驗，無法想像，所以我們試著走出房間

著名的法國文化理論家賀龍・巴赫德（Roland Barthes）在論述他的快感理論時曾經提到他喜愛的休閒活動之一，就是去巴黎城裏的酒吧看脫衣舞秀。他說：

> 一個脫衣舞孃最性感的時刻，莫過於在她脫光之前的表演過程。

第一次讀到這句話時，覺得他用這個例子來說明領會快感莫過於享受過程，簡直妙極了。我一方面拍案叫絕，一方面卻也對他所描繪的境界感到遲疑。

為什麼呢？很簡單，因為我沒看過，缺乏「體驗」。

在一般日常生活裏，被排除了可以「看」脫衣舞的「權力」的女性，在她的想像世界裏不容易也不會有那個「可以通過視覺來享受快感的位置」。相反地，她可能更因為身為女性常被社會要求去扮演那個脫衣舞孃的角色，一個取悅他人目光的客體，而

被限制住了其他可能的經驗與感受。

社會位置往往直接限制住了我們在現實中的體驗,而體驗的限制,往往是讓人在展開想像時遲疑和不確定的主要原因。然而,我們多少看過服裝表演秀,所以大概可以「試著去揣想」巴赫德所說的愉悅境界。為了享受愉悅,我們必須逾越被社會限定的性別位置,勇敢地從自己的皮膚走出去。

為了增加體驗,我們走進戲劇化的生活場景

體驗就是體驗,體驗無法被概念取代。正因為體驗中隱含了一個不可化約的,物質的身體。它是我們感受力的基礎,儲存著我們的生命記憶和經驗,因而成為活化想像力背後潛在的智庫。

當一群青少年打扮得跟漫畫上的人物一樣走出書本時,他們一面享受彼此造就的立體「動畫」,也同時生動地組成讓你我賞心悅目的城市街景。而當上班族脫下工作西裝,撩起褲管和衣袖,走到田裏去採草莓吃的時候,不但因為勞動之後得到的水果吃起來特別香甜,也因為身體親臨而可以更接近家鄉的土地。當歌迷走進約翰藍儂博物館,看著小野洋子和藍儂的家居生活照,摸著披頭四的黑膠唱片,七○年代裏反叛青年與文化解放運動的情懷變得更具象了。樂迷和影迷再也不能在抽象的音樂或影像中滿足了,他們必須看到主角為他們現場演出,在酣暢淋灕的汗水與淚水中達到感官的全面滿足。

當我起身走進了酒吧,可以讓一位猛男舞弄他的身體來取悅我並讓我領會到一種觀看快感時,我所處的性別位置已經變得不

一樣了。這便是增加體驗之後，為身體和視野所開拓出來的可能性。而當我的感受位置有所改變，體驗越來越多元時，體驗會協助我去開展身體，開拓感受力，並回過頭來豐富我的生命經驗。

尤其是，當讀者脫離那被沉重工作擠壓之後幾近衰竭的感官，那被教律和傳媒日以繼夜轟炸規訓而來的意象之後，適當而多元的體驗，讓我們得以從千篇一律的勞動生活中逃逸。不同的是，這回逃逸的，不只是吃喝，還是玩樂。逃到故事裏去尋找自我，那個被工作壓抑得不成人形的自我。

體驗經濟，是一種創意市場，帶動新樂活運動

體驗經濟其實正是一種創意產業，是八〇年代以來歐美因為全球經濟危機之後的轉型經濟類型之一。它也是一種新的商品消費趨勢，引發新的樂活運動。

本書的作者們，一個來自管理學界學者，一個來自市場管理顧問，都是歷經九〇年代美國加州網絡經濟泡沫化危機的市場前線行動者。在這一波新經濟危機之後想對管理界和商業界傳達一種新商品市場理念，那就是，消費商品從今而後不能只是販賣商品實體而已，而是要把鎂光燈轉到「提供商品與服務的過程」。因此，提供消費和服務的一方，必須重新關照消費者的身體感受，重新安排消費過程中的種種細節，讓消費者可以感受到新的文化經驗，因而領悟新的消費意義。

換言之，購買的人，不只是想「買東西」而已，他們想要「買個感覺」，「買個故事」，甚至「買個認同感」。因此，商品提

供者需要安排許多故事情節，循循善誘，讓消費者如同走上充滿故事和象徵的舞台上，自我表演，自我享受。

更有趣的是，這個消費新趨勢不但會改變消費者的「消費方式」，而且還會回過頭來改變「商品的生產模式」。主題遊樂園是最具代表性的，比如說我們熟悉的迪士尼樂園。它讓一個成年人，也可以回歸小孩的天真，親身進入童話世界，或者乾脆躍身冒險世界，與海盜廝殺作樂。

主題遊樂園後來漸漸變成消費地景中非常重要的概念，也漸漸影響城市中的各種個人消費空間。一個強調養生的休閒中心，一個泰國按摩院，或一座日本式溫泉鄉，都會提供不同的服飾，道具，音樂，語言，燈光和地景，讓你如同進入時光隧道，也學習新的異國文化。而提供休閒服務給城市觀光客的鄉野民宿，他們的日常生活本身就是活生生的劇場。

揭開文化重組的序幕：換你來演出

新的體驗經濟不但改變服務過程和消費習慣，也讓消費者有機會通過消費來學習。它因此也使得「文化」這個元素，在消費過程中扮演了前所未有的關鍵性角色。這不但是既有傳統文化演出的機會，而且也是重組新興文化的契機。不管是傳統的，前衛的，詭異的，邊緣的，越界的，人們在消費中渾身解數地演出。

我記得啟蒙主義重要的哲學家狄卡爾曾為現代生活下了一個重要的註腳：「我思，故我在。」

通過體驗經濟洗禮後的二十一世紀中的我們，在想像力被新體驗所開創後，可以改口這麼說了：

「我消費，故我在。我，就是我所消費的。而快活，就在消費過程中。」

（本文作者為台灣藝術大學文化創意產業學程教師、
台北市文化產業與政策交流平台【文創藝站】主筆）

目　次

推薦序一　歡愉的智慧　李仁芳 005

推薦序二　體驗，是為了創新想像力！　孫瑞穗 ... 013

序　幕　開始行動 023

第1幕　歡迎進入體驗經濟 029

　　一種新的價值來源 031

　　各種經濟形態的價值 036

　　初級產品／商品／服務／體驗／讓東西活起來／將商
　　品嵌入體驗品牌中／去生產體驗所需的商品／讓產品
　　更感性／使產品稀有／建立一個產品俱樂部／籌畫一
　　個展示產品體驗的活動

　　經濟價值遞進 058

　　開始行動吧 063

第2幕　設定舞台 067

使體驗更豐富 071
教育的體驗／逃避現實的體驗／審美的體驗
體驗豐富性 083

第3幕　演出必須繼續 093

為體驗設定主題 095
以正面線索使印象達到和諧 104
淘汰負面因素 108
提供紀念品 110
重視給顧客的感官刺激 113
你屬於哪種產業，要看你針對什麼收費 117

第4幕　讓你也參與進來 127

自動升級 129
大量客製化 132
顧客到底需要什麼？ 136
一種更難忘的衡量標準 139

第5幕　減少顧客犧牲 143

　　尋找獨特性 145

　　建立學習關係 148

　　針對各種犧牲做回應 151
　　協作性客製化：探索式體驗／適應性客製化：實驗式
　　體驗／裝飾性客製化：滿足式體驗／透明性客製化：
　　規避式體驗／選擇正確的途徑

中場休息　一種全新的體驗 163

　　使顧客驚喜 165

　　別錯過了這個…… 169

第6幕　工作就是劇場 173

　　表演的藝術 177

　　進行商業演出 184

　　你是說表演嗎？ 187

　　進入角色 191

　　有意圖的表演 197

第7幕　表演的四種形式 203

劇場的四種形式 208

即興式劇場／舞台式劇場／搭配式劇場／街頭式劇場

一次改善一個片段 230

第8幕　現在該你來表演 233

在工作場所建立舞台 235

製作人的角色 239

導演的角色 241

把戲劇變成表演，把策略變成產品 243

劇作家／編劇／技術人員／舞台工作人員

公司可採納的選角方式 258

確認劇中人 264

第9幕　顧客就是你的產品 267

再論經濟價值遞進 270

轉型和體驗的差異 276

引導轉型 283

分析渴望／推出轉型體驗／跟進實施

綜合行動 288

第10幕 尋找你在現實世界中的角色 293

將智慧融入工作中 296

你屬於哪種產業，要看你針對什麼收費：

再加上關懷 302

工作就是劇場：第二幕，第一場 305

滿載而歸 3 09

你打算怎麼做呢？ 314

謝　幕 意猶未盡 317

致　謝 321

專文推薦 汪丁丁 329

註　釋 341

編後記 391

開始行動

本書將提供一個方法，可以擺脫單純的價格競爭——
那就是體驗經濟。

庫存出清！九折、八折、七折、六折、全面五折！買一送一、一年無息貸款、保證價格最低、跳樓大拍賣！凡此種種，概括為一句話，就是商品化。

本書將提供一個可以擺脫過於簡單的價格競爭的方法。雖然顧客喜歡特價商品，但是那些依賴低價促銷的企業正在逐步消亡。大量生產產品和服務形成的規模經濟，促成了相應的成本節約和價格不斷下降，所以低價競爭策略在過去多年行之有效，的確，已有幾十年之久。但是對每一個產業來說，這個競爭機制都不能再保持企業價值的成長和企業的營利。這一點大家都知道，可是我們又做了哪些努力呢？

我們這本書，是為那些希望增加企業價值的人而寫——我們充分意識到同類的書籍已經汗牛充棟，使企業高層和經理人目不暇給。我們持續改善、企業再造、削減規模；我們也曾信奉時間競爭和「一對一」式的未來；如今我們已經分散化、資訊化、數位化，甚至大量客製化（mass customization）——也或許是自我組織或跨越鴻溝等等。每一個著眼於未來競爭的企業，都在倡導客戶中心論、客戶驅動論、客戶焦點論，客戶這個、客戶那個等等。天底下還有什麼新鮮事呢？

有，就是這個：體驗（Experiences）正是一種已經存在但不曾被清楚表述的經濟產出類型。不用服務（services），而用體驗來解釋企業所創造的價值，可以開創獨特的經濟拓展的可能性——就像是在工業基礎衰退時，把服務看做是獨特而合法的經濟產物，而創造了生機蓬勃的經濟基礎一樣——因此，一個新的基

礎正在浮現。我們應當忽略「資訊是新經濟的基礎」這一熟悉的口號，其實資訊還不能構成新經濟的基礎，因為資訊並不是一種經濟產物（economic offering）。我們的朋友約翰・巴羅（John Perry Barlow）喜歡說：資訊想要自由。只有當企業以資訊服務的形式建構它時，換句話說，只有當企業提供資訊類商品，或者提供體驗的資訊時，資訊才真正能創造經濟價值。是經濟產物——而不是各種情報——構成了真正的買賣交易。

如第1幕所示，把體驗視為一種獨特的經濟產物，提供了開啟未來經濟成長的鑰匙。經濟悲觀論者傑瑞米・里夫金（Jeremy Rifkin）正確地指出，正如過去由於技術創新和勞動力提高，企業需要更少的工人來生產產品，和更早之前農場需要更少的農工收穫農產品一樣，未來的企業將需要更少的人員提供服務。那些譴責農業和製造業工作機會減少的人們斷言，社會提供的工作總數將快速下降，這種看法是錯誤的。只要政府不去規定哪些是合適的經濟產物而加以提倡或保護，讓市場保持自由競爭，建立在新的經濟產物基礎之上的未來經濟浪潮，將會提供充足的機會，創造更多財富和新工作。

認識到這一顯著變化並對此有效因應（兩者都是需要的）的企業，將預先阻止商品化，並創造新的經濟價值。（這不是說所有的公司都必須利用體驗才能獲利，提供商品化產品的企業也可以獲利，至少在上升期可以，但是要當心衰退期！）在對那些已經成功轉換到體驗經濟（Experience Economy）的公司的研究中，我們得到兩個框架，第2幕和第3幕闡述如何使用這兩個框

架,以展現具有吸引力和令人信服的體驗。對於還沒有準備好這樣做的企業來說,可以走的第二條路是:透過理解大量客製而自動地把產品轉換為服務,把服務轉換為體驗。大量客製的內容在第4幕、第5幕中有清楚的描述,信奉大量客製的原則,並由此幫助顧客在與你及你提供的產品互動時盡量減少顧客的損失,這是產品製造者和服務提供者在進入體驗經濟時首先要做到的。

這一新經濟還需要新的工作模式。在任何企業中的每一個層次,員工需要理解在體驗經濟中,每項業務都是一個舞台,因此,工作就是劇場。這聽起來似乎有些怪異,但卻是真的。第6幕展示了這種情況,即當一個客戶碰巧通過你的業務舞台,而員工們正在演出,並且運用相關的表演技能。第7幕敘述四種形式的劇場,並說明分別應用於何種情況。而第8幕,是為舞台上的角色設定基本要求,而這些角色均是進入體驗經濟的企業所必備的。所有的員工,從董事會的高級主管到第一線的員工,都能夠在這一幕中看到自己角色的新面貌。在人力資源和組織發展部門的員工,尤其該認真仔細地閱讀這一幕,以獲得新經濟變革所應具備的洞察力。

當然,並不是所有的人都認同我們正在轉向「體驗經濟」,或者認為這種發展並不一定好。想想拉斯維加斯吧!這是美國的「體驗之都」(雖然奧蘭多、洛杉磯、曼哈頓,甚至勃蘭森〔Branson〕、密蘇里,都會在任何民意投票中贏得它們應有的票數)。事實上,有關拉斯維加斯的一切,從機場裏的吃角子老虎,到與脫衣酒吧相鄰的賭場;從主題酒店、飯店到歌舞、馬戲

和魔術表演；從重建古羅馬輝煌的集會式商場，到遊樂場、令人興奮的賽馬、錄影廳及吸引20歲左右青少年的各種狂歡式的遊戲，都是經過設計的體驗。

當然，拉斯維加斯的體驗也存在著另一面：到處泛濫的酒精飲料、毒品、色情夜總會以及性交易。不幸的是，正如其他消遣娛樂一樣，這些負面的東西也都是體驗經濟的一部分。誠然，當我們轉入這一新經濟時，由於肉欲體驗獲得之便利和誘惑性的展示，有些人（或許更多人）會做出不明智或不道德的選擇。上面提及的大部分體驗，雖然很誘惑人並令人印象深刻，但顯然不太光彩。再者，許多人有理由反對迪士尼世界（Disney World）人為的矯揉做作、各種動感景觀的虛擬本質以及網際網路技術導向的冷漠與疏離。（雖然這些「人造的」體驗，在某種程度上被一連串真實的體驗所彌補，包括在黃石國家公園露營、沿著大峽谷〔Grand Canyon〕騎驢而下、在科羅拉多河上乘著愛斯基摩獨木舟順流而行，以及更時尚的諸如玩直排輪、滑雪板、空中滑板等「極限運動」。）

儘管歷次的經濟變遷，在工作條件、健康、預期壽命及生活水準等方面都帶來極大的改善，但是這些變遷並非沒有失序和負面影響，對於這一點，從服務經濟轉變到體驗經濟的過程中應該也不例外。上面提及的這些問題，都是真實存在而值得商榷的。但很清楚的是，我們不能從已經圍繞著我們的體驗經濟中退卻。無論是值得稱讚的還是有害的，是崇高的還是敗德的，是天然的還是人造的——這些都需要我們在共同創造這一新經濟型態時做

出抉擇。

　　譴責歷次經濟變遷的人，也就是在兩個世紀前譴責工業革命、在過去二十年裏譴責服務經濟的人，並不能阻止經濟產物價值升級的發展進程。因此我們相信，不該將道德考量置於企業是否該轉變到提供體驗產品之上。如果整個社會都在尋求持續的經濟繁榮，就必須展示體驗，以便為經濟增添足夠的價值，創造足夠的就業機會（產品與服務已不再足夠）。因此，道德考量，必須轉置於應該展示何種體驗之上。

　　像一般人一樣，企業的經理人最終必須關心人類的終極目標。這就是我們在第9和第10幕要討論的，也就是當體驗達到商品化，和第五個（也是最後一個）經濟產物──轉型──走到台前時，商業世界會是什麼樣子。請別錯過這最後兩幕和謝幕，因為，無論你的企業現狀如何，它都對你有深遠的意義。當我們確信自己在恰當的時機做出正確的事情的時候，為什麼要從我們所倡導的信念中退卻呢？

　　希望所有的讀者，都能從本書中發現對下面問題的清晰而富於魅力的描述──即企業所面臨的策略選擇的新競爭局面。但是我們更希望你能自己找到這些工具，開始展示具有魅力的體驗，並且為你的客戶（現在的或未來的）實現具有關鍵意義的轉型。

歡迎進入體驗經濟

無論什麼時候,當一家公司有意識地以服務為舞台、以商品為道具,使消費者融入其中——「體驗」就出現了。農產品是可加工的,商品是有實體的,服務是無形的,而體驗是難忘的。當消費者購買體驗時,他是在花時間享受企業所提供的一連串身歷其境的體驗。

「商品化」（commoditization）。沒有一家公司想把這個詞應用到它的產品或服務上，只要一提到商品化，就會使高階主管和企業家從上到下產生不寒而慄的感覺。差異不見了，毛利跌到谷底，而顧客看到的總是價格、價格、價格！真讓人厭煩！

然而，讓我們來看一種真實的產品：咖啡豆。通常收穫咖啡豆或者在期貨市場上買賣咖啡豆的公司，每磅的營收（在寫作本書時的行情）大約是1美元多，約合1~2美分一杯（取決於品牌以及包裝分量的大小）。如果是在一般性的小餐廳、街頭咖啡店或酒窖（bodega）裏煮咖啡豆，那麼就要賣到0.5~1美元一杯了。

因此，具體價格取決於咖啡在何處或在何種行業出售。咖啡可以是三種經濟產物——初級產品（commodities）、商品（goods）或服務（services）——的任何一種，不同的產物價位不同。如果在一家五星級飯店或義式咖啡館（espresso bar）裏提供同樣的咖啡，顧客會非常樂意支付2~5美元的價格，因為在那一場景中，無論是點菜、沖煮，還是細細品味一杯咖啡，都溶入了一種提升的格調或劇場的氛圍。上升到這種第四層次價值（見圖1-1）的企業，將為消費者提供不同的體驗，而不是單純賣咖啡；從初級產品上升了三個層次，而增加了它的價值（以及價格）。

舉個例來說明。一位朋友在剛剛抵達義大利威尼斯時，詢問他下榻酒店的門僮，他和太太在哪裏可以品嘗到該地最好的咖啡，他們被毫不猶豫地引到位於聖馬可廣場（St. Mark's Square）的弗羅里安咖啡店（Cafe Florian）。不一會兒，他們倆就在威尼

斯早晨清新的空氣中啜飲熱騰騰的咖啡，完全沉浸在舊世界古城最壯觀的景色和喧鬧之中。一個多小時後，我們的朋友拿到帳單，發現這一體驗的花費超過15美元一杯。「這咖啡真的值這麼多錢嗎？」我們問道。「絕對值得！」意猶未盡的他們誠懇而愉快地回答。

圖 1-1　咖啡的價格

（圖表縱軸：$ 6.00、$ 5.00、$ 4.00、$ 3.00、$ 2.00、$ 1.00）
（圖表橫軸：初級產品　商品　服務　體驗）

一種新的價值來源

　　體驗是第四種經濟產物，它從服務中被分出來，就像服務以前從商品中被分出來一樣，但是，體驗是一種迄今為止尚未得到廣泛認同的經濟產物。體驗始終環繞著我們，而顧客、商人和經濟學家把它們歸為服務業，與乾洗服務、汽車修理、批發零售和電話服務混在一起。當某人要購買一種服務時，他購買的是一組按自己的要求實施的非物質形態的活動；但是當他購買一種體驗時，他是在花時間享受某一企業所提供的一系列值得記憶的事件——就像在戲劇演出中那樣——使他身歷其境。

　　體驗一直是娛樂業的中心，從戲劇、音樂會，到電影、電視

節目都是如此。但是在過去幾十年，娛樂的選擇數量爆炸性地擴張，從而產生出許多新的體驗。這種體驗的擴張，可說是從華特·迪士尼（Walt Disney）以及他所創立的企業開始的，他不斷把新層次的體驗效果運用到卡通片（他革新了同步錄音、彩色片和三維立體背景、立體聲、有聲電子動畫〔audio-animatronics〕等等），而聲名大噪。此後，他在1955年在加州開設迪士尼樂園（Disneyland）——一個生動而令人回味無窮的卡通世界，使他的事業達到巔峰。在1966年辭世之前，迪士尼還憧憬規畫了1971

體驗與服務的差別，就好像服務與商品的差別一樣

年在佛羅里達州揭幕的華特·迪士尼世界（Walt Disney World）。迪士尼並不是在創立另一個娛樂公園，而是在創造世界上第一個主題公園。這類公園使客人（guests，而不是「顧客」〔customers〕或「客戶」〔clients〕）流連忘返的不僅是消遣，而是參與一系列尚未展開的故事。

對每一位客人來說，演員表中的成員（而不是「員工」）演出的是具有完整視覺、聽覺、味覺、嗅覺和觸覺的作品，創造出一種無與倫比的體驗。❶ 今天，華特·迪士尼公司（Walt Disney Company）繼承創業者的精神，應用其體驗方面的專業，不斷地「設想」新的產物。這些產物包括從迪士尼學院（Disney Institute）到迪士尼俱樂部（Club Disney）演出中心，從百老匯表演到迪士尼航線（Disney Cruise Line），並且以它自己的加勒比島嶼（Carribean island）完整再現其整體魅力。

迪士尼曾經是唯一的主題公園擁有者，現在它在每一經營路

線上都有 20 個以上的競爭對手，這些路線有傳統的，也有實驗性的。新的技術鼓勵全新的體驗，比如說互動遊戲、網站、「以動畫為基礎的吸引物」、3-D 電影和虛擬實境。目前，為了提供更深入的體驗所需的強大處理能力，推動了電腦業商品和服務的需求。1996 年 11 月 Comdex 電腦資訊展上，英特爾董事長安德魯·葛洛夫（Andrew Grove）宣稱：「我們要用比單純製造和銷售個人電腦（即商品）更深入的方式來審視我們的業務，我們要做的是資訊（即服務）的傳遞，以及宛如生活現實的互動式體驗。」的確如此。

許多傳統的服務業，現在都在與這些「新體驗企業」競爭，並且也變得更富於體驗性。在諸如硬石餐廳（Hard Rock Cafe）、好萊塢星球餐廳（Planet Hollywood）、跳水（Dive!）和布巴甘普蝦食公司（Bubba Gump Shrimp Co.）一類的主題餐廳中，食物變成是所謂「美食」（eatertainment）體驗的道具。還有諸如「FAO 史瓦茲」（FAO Schwarz）、「喬丹的家具」（Jordan's Furniture）和「耐吉城」（Niketown）一類的商店，透過有趣的活動和促銷事件（有時稱為「shoppertainment」或「entertailing」）來吸引消費者。

這並不意味著體驗只依賴於消遣娛樂，消遣娛樂只是體驗的一個面向。每當企業吸引消費者，與他們建立一種個人化、值得記憶的聯繫，都是在展示一種體驗。許多的餐飲體驗，與娛樂或企業名流的關係並不大，反而更接近混合了喜劇、藝術、建築、歷史或大自然的餐飲，比如說「龐普鴨和環境」（Pomp Duck and

Circumstance)、「銥」（Iridium）、「雪杉俱樂部」（Cypress Club）、「中世紀時代」（Medieval Times）和「雨林咖啡廳」（Rainforest Cafe）等等，❷在這些地方，餐飲業在更大感官盛宴的層面上提供了舞台，而吸引了消費者。

英國航空（British Airways）前董事長科林・馬歇爾爵士（Sir Colin Marshall）說過，「產品式的思考」誤以為「一個企業只有一種功能——對我們航空業來說，就是以最低的成本把乘客從A地準時送達B地」。他接著說，英國航空的做法是：「跨越職能的局限性，以提供體驗作為競爭利基。」❸英國航空將基本服務（旅行本身）當作是推廣獨特體驗的舞台，讓客人從長途旅行的緊張和焦慮中紓解、放鬆的獨特服務。

即使是最簡單的事，也可以成為令人難以忘懷的體驗。在芝加哥歐海爾機場（O'Hare Airport）的標準停車場（Standard Parking），每一層車庫都播放具有標誌性特色的音樂，並在牆上掛著當地體育明星的畫像——這層樓是芝加哥公牛隊（Bulls），那層樓是芝加哥白襪隊（White Sox）等等，就像一位當地人所說的：「你永遠也忘不了在那兒停車的感覺。」

我們來看一家零售超市，南加州的布里斯托美食家特別食品市場（Bristol Farms Gourmet Specialty Foods Markets），成功地將

企業提供一種讓客戶身在其中並且難以忘懷的體驗

「購物」這種常被視為家庭負擔的事情變得令人興趣盎然。這家高級連鎖超市就像經營劇院一樣經營自己的零售店，根據《商店》（*Stores*）雜誌的評論：「這兒有悅耳的音樂、活潑的娛

樂節目、獨特的景致、免費的點心、劇場般的音響效果、客串的明星和全體顧客的參與。」❹俄亥俄州亞克朗市（Akron）的西點市場（West Point Market; WPN），走廊布置了鮮花，休息室掛著名畫，貨架間縈繞著古典音樂。它的老闆羅素・維隆（Russell Vernon）這麼說：「這兒是我們的銷售舞台，天花板的高度、亮度和色彩，共同為我們創造了一個劇場般的購物環境。」❺消費者並不是體驗經濟中的唯一受益者。商業活動是由不同的參與者組成，因此在商業活動之間也可以是展示體驗的舞台。明尼蘇達州明尼亞波利的一家電腦安裝維修公司，取名為「雜耍特攻隊」（Geek Squad）。他們的服務人員穿白色襯衫，打黑色領帶，拎著黑皮箱，開著老爺車四處巡迴服務，把平凡的工作變成讓客戶難忘的經驗。

同樣地，很多公司邀請劇團來演出，使得很普通的會議變成即興的事件。（一個例子是明尼亞波利的人格互動公司〔Interactive Personalities, Inc.〕所展示的排演好的情景劇，它喚起觀眾油然而生的感覺，並且在即時互動下展示電腦創造的角色。）❻而B2B的銷售人員越來越注意銷售的地點和方式，例如1996年矽圖公司（Silicon Graphics）就在加州山景城（Mountain View）的總部開辦了他們的虛擬實境中心，這個中心能讓客戶和工程師一起即時的和3-D產品進行互動。參加者可以觀看、觸摸，甚至可以駕駛、開動和放飛多種模型。如同該公司前任董事長兼執行長邁克拉肯（Edward R. McCracken）所說：「這可說是體驗的極致：我們的顧客可以在產品生產之前，知道他們的產

品長什麼樣子,聽起來、摸起來怎樣。」

各種經濟形態的價值

上面提到的例子,從消費者到企業顧客,從主題餐廳到電腦維修服務,只是初步體現了在美國及其他已開發國家中新興的體驗經濟的優越性。他們是發展體驗經濟的先驅。

但是,為什麼是在現在這個階段發展體驗經濟呢?答案是,一方面因為技術的快速發展,增加了如此多的體驗;另一方面,因為競爭越來越激烈,驅使企業不斷追求獨特的賣點。但是最有力的原因在於經濟價值本身,以及它趨向進步的本性──從初級產品到商品再到服務和體驗。當然,體驗經濟迅速發展的另一個原因,就是財富的增加。

經濟學家蒂博·西托夫斯基(Tibor Scitovsky)指出:「看來,人們對於財富增加的反應,就是舉行更多的『節慶式』盛宴。人們總是增加在他們認為有意義的節日和宴會上所邀請的客人數目,並且作為一種慣例(比如星期天的晚宴)而沿用下來。」❼我們對於體驗經濟的投入也是一樣,我們到更具體驗意義的餐廳用餐,甚至飲用更多具有「節慶」意義的咖啡。

如表1-1所示,各種經濟產物從根本上是不同的,包括內涵上的不同。這說明了每一種新的經濟產物與它所替代的上一個產物相比,是如何創造出更大的價值。有些經理人總是宣稱他們公司是「賣產品的」,但實際上賣掉的不只是產品而已。

表1-1　各種經濟形態

經濟產物	初級產品	商品	服務	體驗
經濟模式	農業	工業	服務	體驗
經濟功能	採掘提煉	製造	提供	展示
產物的性質	可替換的	有形的	無形的	難忘的
主要特徵	自然的	標準化的	客製的	個性化的
供給方式	大批儲存	生產後庫存	按需求配送	在一段期間內展示
賣方	交易商	製造商	提供者	展示者
買方	市場	使用者	客戶	客人
需求要素	特點	特色	利益	獨特的感受

　　他們會這麼說，某種程度是因為他們沒有意識到具有更高價值的產物，與單純的產品之間的區別，而導致這種「自我實現式」的產品經營觀念。（如果一個分析家或評論家說你所經營的是產品，但實際上你認為不是，那你可能會被激怒。從另一方面看，你應該開始改進經營方式以獲得更高的價值了。）如果你擔心自己的經營方式會落伍，請看以下的簡單描述。如果你認為自己的商品永遠也不會落伍，那麼你應該再考慮一下，因為巨大的失敗（在價格上）常常是由於高傲的態度所致。

初級產品

　　真實的初級產品是從自然界發掘和提煉出來的材料，比如說動物、礦物、蔬菜等。人們在土地上飼養它們、挖掘它們或者在

土地上培植它們。在屠宰、開採或收割初級產品之後,企業一般進行加工或提煉以達到某種產品特性,然後在運到市場出售之前大批地進行儲藏。根據定義,初級產品是可以替換的(fungible),它們是天然性的。因為初級產品沒有差異,所以交易商主要是將它們出售到沒有名稱的市場上,在那些地方,企業以供需關係簡單決定的價格進行購買(企業當然要提供初級產品分類的分級標準,比如不同種類的咖啡豆或不同等級的油,但是在每一等級之內,初級產品是可以替換的)。每個初級產品交易商根據出售同樣產品的價格進行交易,當需求大大超過供給時,便帶來可觀的利潤;當供給超過需求時,就很難獲利。在短期內,初級產品的提煉成本與其價格沒什麼關係,而從長期來看,價格是由市場這隻「看不見的手」決定的,因為它鼓勵企業進入或離開這個市場。

農產品構成了農業經濟發展的基礎。幾千年來,農業為家庭和村落提供最基本的生活保障。18世紀農業經濟發展到巔峰的時候,美國的農業人口占總人口的80%,而現在農業人口不及總人口的3%。❽

後來發生了什麼事?大規模的產業革命——即後來的工業革命——徹底改變了人們的生活方式。它從農業開始,迅速蔓延到

初級產品是從自然界中發掘和提煉出來的可替換的材料

工業(例如亞當・斯密在1776年《國富論》中提到的縫衣針工廠)。借鑒了1750年代前後英國企業的成功經驗,1850年代發生了後來被稱為「美國製造系統」(American System of

Manufactures）❾ 的美國工廠集體的、快速猛烈的產業革命。由
於全世界的廠商紛紛模仿、學習這些技術，使得數百萬的手工業
作坊迅速走向機械化。這種先進的經濟形態以不可阻擋之勢，使
初級產品向商品轉化。

商品

把初級產品當作原材料，企業得以生產並儲存大量的產品
（有形的），而後這些產品又從商店、商場或以訂貨的方式賣給廣
大的消費者。由於在各種商品的生產過程中，初級產品確實發生
了本質的變化，基於生產成本和商品特性的不同，也就有了區別
定價。現在，在不同製造商之間存在著巨大的差異，從汽車、電
腦到軟性飲料，甚至包括小小的別針都是。因為這些產品可以立
即投入使用──開赴不同地點、編輯報表、飲用、還有把紙別在
一起，使用者重視這些商品的功能更甚於它們的材質。

一直以來，人們都是把農礦產品加工成有用的商品。❿ 但
是，這種落後的時間密集型生產方式和高成本的手工藝，長期間
阻礙了製造業成為經濟中的主體力量。這種情況一直到企業紛紛
引進標準化生產的技術之後才有所改進。人們紛紛走出農場，投
入工廠，到 1880 年代，美國已經取代英國成為世界上最主要的
工業化國家。⓫ 隨著大量生產的出現，1913 年 4 月 1 日，亨利‧
福特（Henry Ford）的第一條汽車裝配線在密西根州高地公園
（Highland Park）工廠建成並投入使用⓬，而這象徵著美國開始確
立世界第一經濟強國的地位。

隨著新發明不斷出現，生產特定數量產品所需的工人數量越來越少，工廠對工人的需求數量逐漸降低，最終導致失業的出現。另一方面，生產部門生產出來的產品越來越多，導致大量的產品積壓；同時對服務業的需求也大幅增加，導致服務人員的增

商品是公司標準化生產銷售的有形產品

加。在1950年代，服務業的從業人口首次超過勞動人口的半數，象徵著服務經濟超越了工業經濟（儘管這是後來才意識到的）。到今天，從事工業生產的人口占總人口只有17%，❸而被今天的經濟學者劃入服務業的從業人口則占了80%。

服務

服務是根據已知的客戶需求進行客製的無形活動。服務人員以商品為基礎，為特定的客戶服務（如理髮或檢查眼睛），或者為客戶指定的財產或物品服務（如修剪草坪或維修電腦）。客戶通常認為這樣的服務比商品更有價值。服務人員幫他們做他們想做又不願意自己做的事，而商品只是媒介。

就像初級產品和商品之間存在著交集一樣，商品和服務的區別也是模糊的。比如說：儘管餐廳出售的是有形的食物，但是經濟學家還是認為它屬於服務業，因為它不滿足商品標準化生產銷售的條件，更重要的是，餐廳是根據客戶的需求提供產品。速食店是早就準備好食物，可以說滿足了上述與服務有所區別的條件，按理說它應該比其他行業更接近商品製造，但是經濟學家還是把速食店（比如麥當勞）全部歸入服務業。

　　儘管服務業雇用了大部分的勞動力，製造業和農業的產出並未因此減少。現在，少數農民就可以生產出他們祖先無法想像的大量農產品，而寥寥幾條生產線的產量就足以讓亞當‧斯密大吃一驚，這得益於不斷發展的技術和營運方式的創新。要生產等量的農產品和工業產品所需的人力越來越少，所以服務業還是占據了國內生產毛額（GDP）的大部分。美國許多權威學者為了工業基礎薄弱而憂心了許多年，現在終於承認美國經濟確實取得了很大的發展，並且和其他已開發國家一樣，已經轉型為服務經濟。

　　隨之而來的是一個幾乎未被認知或議論的現象：在服務經濟中，每個人都想要享受服務。不論消費者還是企業，為了購買他認為更有價值的服務（在外用餐、享受美式自助餐），而努力縮減購買商品的開支（例如他們會去威名百貨〔Wal-Mart〕購物、向供應商殺價）。這正是很多製造商覺得他們的商品被「商品化」的原因。在服務經濟下，由於消費者察覺不到商品之間的差別，所以商品不可避免地和初級產品一樣面臨低價競爭，結果，消費者在購買商品時，考慮較多的變成是價格和便利的因素。

　　為了跳出商品化陷阱，製造商常常將服務和核心商品搭配銷售，這樣可以更完善地滿足消費者的需求。❶ 因此，汽車製造商擴大了他們的服務範圍以及保固期，並提供汽車租賃服務，製造商還直接為小經銷商管理存貨等等。開始的時候，製造商往往忽略了這些服務的價值，只想賣出更多商品；後來他們漸漸意識到，消費者更看重的是服務，於是他們開始對所提供的服務進行收費。最後，精明的製造商改變了傳統的商品觀念，而在很大程

服務是為特定顧客所演示的無形活動

度上更像是一個服務提供者。比如說：除了那些必須採用最尖端技術的客戶之外，誰還會購買手機呢？大多數消費者都會等待，相信不多久又會有一家服務提供商宣稱，為了鼓勵大家使用它的服務，一分錢就可以買到手機。

我們來看一下IBM。在1960和1970年代的全盛期，這個硬體製造商喊得最多的口號是：「IBM就意味著服務」，它對那些願意購買它的硬體產品的公司給予大量的無償服務。它規畫設施、編制程式碼、與其他公司的設備相容、為自家生產的機器提供維修服務。他們這些工作做得好到幾乎打垮了所有對手。

但隨著時間的推移，這一產業逐漸成熟，顧客對服務的要求超出了IBM能夠提供免費服務的能力（更別提司法部那次強迫IBM將其硬體與軟體切割開來的訴訟了），它開始明確要求客戶對其提供的服務付費。公司管理階層後來發現，曾經免費提供的服務，事實上是它最有價值的商品。今天，隨著它的電腦主機商品化，IBM的全球服務據點以兩位數的速度增加，這家公司不再為了出售商品而免費提供服務；事實上恰恰相反，如果客戶願意訂購IBM的全球服務系統來管理其資訊系統的話，IBM也願意購買客戶的硬體。IBM仍然在製造電腦，但它現在是一種服務業。同樣地，奇異公司（General Electric; GE）裏面利潤貢獻最高的是奇異資融（GE Capital），而三大汽車製造商透過財務運用所賺的錢，比製造汽車賺的還多。

放棄出售產品，甚至是買下別人產品以出售自己的服務，是

服務經濟達到一定水平的徵兆。如今這個水平以前被認為是不可想像的，也是很多人不願意見到的。事實上，直到幾年前還會聽到專家學者貶低服務業的聲音，不認同服務業正成為推動經濟成長的主要力量。他們認為，經濟的發展不能夠失去它的工業基礎，因而一種過分依賴服務業基礎的經濟方式將不會長久，它注定會失去其優越性還有國際上的優勢。這種觀點現在看來顯然錯誤。

更有甚者，原先迫使製造商在商品中添加服務的商品化陷阱，現在也正報復性地衝擊著服務業。電話公司只能以價格為訴求，推銷長途電話服務；飛機採取牛車一樣的方式運作，提供旅客大量的免費飛行獎勵；速食店都強調「價值」定價法。（事實上，麥當勞現在已經非常商品化了，以至於《經濟學人》雜誌創造出 Big Mac Index，以 Big Mac 的價格為指標，來比較不同國家地區的物價水準。❻）折扣策略在金融服務業引發了價格戰。網路券商不斷地降低手續費，有時收費竟低到 8 美元，而一個提供全面服務的經紀商手續費通常超過 100 美元。美國交易控股公司（AmeriTrade Holding Corp.）董事長喬·里克斯（J. Joe Rickets）曾經對《商業週刊》（*Business Week*）說：「我可以預見在未來，對於某位持有一定數量保證金帳戶的顧客，我們不會向他收手續費，我們甚至會為了獲得這個顧客，以每次交易為基準，向顧客付費。」❻ 這聽來很荒謬嗎？也許你還沒意識到，向全新且具有更高價值的新商品過渡的時候，必須放棄舊有的低價值商品。

事實上，無論對於產品或服務來說，網際網路都是迄今為止

迄今為止，人類所知的商品化的最大推動力量，就是網際網路

所知的商品化的最大推動力量。它淘汰了傳統買賣中很多人為的因素，它的無摩擦運作方式使人們透過無數的資訊源進行即時的價格比較，而且它快速執行的能力使顧客能夠從節約的時間和花費中獲益。在消費者日益覺得時間寶貴、商務活動日益受效率困擾的現代世界中，網際網路逐步將產品及服務的交易，轉變成一種虛擬實境的運作方式。❼ 正在將消費者與 B2B 的業務逐步推向商品化的網際網路公司有：

- www.appliances.com（電器）
- www.priceline.com（搭機旅行）
- www.narrowline.com（廣告空間）
- www.necx.com（電腦組件）
- www.getsmart.com（金融服務）
- www.insweb.com（保險）
- www.compare.net（消費性產品）
- www.energymarket.com（天然氣和電力）
- www.netmarket.com（家庭所需的幾乎所有商品與服務）

除了上述商品化之外，服務提供者面臨了商品製造商所不知的第二股逆向潮流：去仲介化（disintermediation）。諸如戴爾電腦（Dell Computer）、流線（Streamline）、USAA、西南航空（Southwest Airlines）等公司，他們不斷繞過零售商、經銷商和代理商，直接與最終用戶接觸，於是在這些仲介機構的就業機會減少了，也有破產和被購併的情形發生。

　　第三股潮流進一步削減了服務業的就業規模：陳舊的自動化怪物，今天打擊了許多服務業工作（電話接線生、銀行職員等等），這股衝擊的作用方式和強度，與20世紀技術進步對於製造業就業的衝擊如出一轍。今天，即使是專業的服務提供者也逐漸發現，他們所能提供的服務已經被「商品化」了——被嵌於軟體中，例如繳稅核算申報程式。❸

　　所有這些都導致同一個不可避免的結局：服務經濟已經接近極致，一種新的、剛出現的經濟正來到我們面前，它建立在一種完全不同的經濟產出基礎上，僅僅有產品和服務已經不夠了。

體驗

　　無論什麼時候，當一家公司有意識地以服務為舞台、以商品為道具、使消費者融入其中，這種剛被命名的新產出——「體驗」就出現了。農產品是可加工的，商品是有實體的，服務是無形的，而體驗是難忘的。體驗的購買者（我們將沿用迪士尼的習慣稱他們為客人〔guests〕）——重視的是，在一段時間內企業所提供的身歷其境的體驗。正如人們已經在產品上減少開支，而把更多的錢花在享受服務上一樣，現在他們重新審視自己在服務上花費的時間和金錢，以便讓出一部分用於更難忘的、也更有價值的——體驗。

　　企業（我們稱之為一個體驗策畫者）不再僅僅提供商品或服務，而是提供最終的體驗，充滿感性的力量，給顧客留下難忘的愉悅回憶。從前，所有的經濟產出都停留在顧客之外，然而體驗

在本質上是個人的。體驗事實上是──當一個人達到情緒、體力、智力甚至精神的某一水平時，意識中所產生的美好感覺。結果是，兩個人不可能得到完全相同的體驗，因為任何一種體驗，都是某個人本身心智狀態與那些事件之間互動的結果。

儘管如此，某些人仍會辯說體驗只是服務的一種，只是在當今快節奏的生活中為了驅使人們購買而產生的服務的變形。有趣的是，兩百多年前，受人尊崇的亞當・斯密曾經在《國富論》中，對於商品與服務的關係有相同的論斷，他認為服務幾乎是一種必要之惡──他稱之為「非生產性的勞動」，因為服務本身不是一種經濟產出，明確的理由是服務不能完全用清點的方式來衡量，因而不能像其他任何工作一樣創造出可觸摸到的物品。

體驗是使每個人以個性化的方式參與其中的事件

亞當・斯密沒有將其非生產性活動的論點局限於像家庭僕人這樣的平民，還包括了「對公共福利提供保護、保安和防禦」的「最高統治者」和其他「公務員」，以及許多現在看來比其他大多數人的勞動更有價值的職業（「牧師、律師、醫生、文學家等等」）。他進而列舉出當時的體驗提供者（「演員、滑稽演員、音樂家、歌劇演唱家、歌劇舞蹈家等等」），並且總結說：

　　這些最卑賤的人的勞動有一定的價值，這種價值同樣受制於規範其他勞動的規則。而那些所謂最高貴、最有用的勞動，卻無法生產任何東西，進而憑其購買或獲得等量的勞動。比如演員的朗誦，演說家的慷慨陳辭，或者音樂家的歌

唱，所有這些人的成果在生產進行的同時就耗盡了。❶

雖然體驗提供者的工作在表演的瞬間就消失了（這完全正確），但這種體驗的價值會給欣賞者留下深刻印象。❷ 大多數父母帶著他們的孩子到迪士尼世界，不是為了這一事件本身，而是為了讓家庭成員共享這令人難忘的經歷，這種經歷將成為其家庭日常交流的一部分。儘管這種經歷觸摸不到，人們仍然珍惜它，因為它的價值就在他們心中，並且歷久不衰。

當體驗展示者的工作消失時，體驗的價值卻彌留延續

那些擁有這種經濟價值的企業，不僅會在消費者心中占有一席之地，而且會得到他們應得的報酬。事實上，我們不該把通貨膨脹僅僅視為是企業將增加的成本轉嫁給消費者所造成的。消費者（及企業）的需求從初級產品到商品、服務、到現在的體驗的這種轉變，應該使標準的「市場籃子」（market basket）容納更高價值的商品。但是聯邦政府沒有跟上時代，直到1997年，服務占消費者物價指數（Consumer Price Index; CPI）的比例只有57%多一點，❸ 而在1995年以前，服務的價格甚至不包含在生產者物價指數（Producer Price Index）中。然而，如果我們審視一下消費者物價指數這一指標，如圖1-2所示，我們看到初級產品的消費者物價指數成長不及工業商品（這裏用新車表示典型的工業經濟產物），工業商品的成長不及服務，而服務的成長又比在政府統計中看得到的一種典型的體驗產業（娛樂活動如電影、音樂會、運動會等的門票價格）為低。❹

圖1-2　各種經濟產物的消費者物價指數

CPI 1982~1984 = 100

體驗(門票)
服務
各種經濟產物
商品(新車)

初級產品(能源)

資料來源：美國勞工統計局

　　值得注意的還有，初級產品的消費者物價指數變動會波及其他經濟產物。在市場力量主導的經濟中，商品化的商品和服務的出售者將面臨價格更大波動的可能性。❷❸另一方面，為客戶提供體驗的公司，以遠高於通貨膨脹率的速度提高其價格，這是因為消費者認為體驗的價值更高的緣故。

　　正如圖1-3所示，就業與名目國內生產毛額（nominal GDP）的統計也顯示了與消費者物價指數相同的結果。❷❹運用1959~96年的資料──這段期間關於產出的資料是可靠的──我們可以看到，相鄰的經濟產物的發展狀況相對類似。美國的初級產品產量在1959~96年以平均超過5%的成長率成長，但是就業人數事實上減少了。製造業產出的成長率超過初級產品產業，而就業人數

圖1-3 各種經濟產物的就業與名目GDP成長率

資料來源：美國勞工統計局；Labstat；《美國統計史：從殖民時期到1970年》
美國普查局；經濟分析局，國民收入與產品帳戶，未出版資料；
Strategic Horizons LLP and Diamond Technology Partners分析。

略有增加（儘管製造業就業的相對數量在此期間大幅下降）。服
務業就業人數的平均成長率為2.7%，而對GDP的貢獻成長率超
過了8%。可是從政府對服務業的統計資料中被分離出來的那些
體驗產業的成長則更快速，就業成長率差不多是服務業的2倍，
產出成長率略高於服務業。❷ 為什麼在就業人數的成長上，服務
業與「體驗」產業相差如此懸殊？這是因為「體驗經濟」仍處在
初期，還沒有經歷許多服務部門已經歷過的、如今盛行的自動化
過程。

難怪現在這麼多的企業，將已存在的產品和服務用體驗包裝起來，使之與眾不同。服務提供者在這方面有明顯的優勢，因為他們不專注於有形的商品，他們專注於改善顧客在購物或享受服務時所處的環境，或者使顧客迷戀於企業精心營造的溫馨氛圍，或者引導顧客參與其中，將服務轉化為難忘的體驗。

讓東西活起來

那麼一個製造商可以怎麼做？想要一步跨到體驗產業，對大多數頑固的製造商來說是很漫長的一段路，但是，製造商必須關注顧客使用他們商品時的體驗。[26]大多數的產品設計者，主要關注產品本身的內部技術性細節：它的「性能」如何。如果注意力轉移到顧客個人對產品的使用上呢？那樣焦點就會轉移到使用者身上：當他使用該產品時「表現」如何。

在體驗經濟中，人們嘗試做各式各樣的事情。出版過世界各地度假指南的福德旅行出版公司（Fodor's Travel Publications），最近出版了彼得‧古特曼（Peter Guttman）的「脫逃家剪貼簿」（escapist scrapbook），為旅行者描述了28種歷險方式。看一下這些多樣化的活動（有舊的，有新的，但都非常刺激）：船屋、水陸聯運、越野自行車、騎牛、乘雪橇、遠航、颶風追逐、峽谷漂流、護送車隊、觀察海豹、冰山旅行、捕捉海雀、駕駛賽車、熱氣球飛行、攀岩、探洞、乘筏衝浪、駕獨木舟、彎道旅行、紮營遠足、親吻鯨魚、美洲駝駄運、特技飛行表演、陸上帆船、重演歷史戰役、乘破冰船、極地耐寒和乘坐狗拉雪橇等。[27]

　　像巴斯戶外世界專門店（Bass Pro Shops Outdoor World）、娛樂設備公司（Recreational Equipment, Inc.; REI）、卡貝拉（Cabela's）這些零售商，就是銷售上述體驗中所需的用具，並且領導流行，使他們的零售店面本身就成為一種體驗。巴斯把室外環境「搬」進室內；娛樂設備公司建造起一座 55 英呎高的小山，讓顧客攀登以測試他們的用具；卡貝拉則展出一座 35 英呎高、充滿各種野生動物標本的小山。為了增加顧客的體驗，製造商必須明確地設計他們的商品──實質上就是將商品體驗化，即使對於很少涉足探險活動的顧客，也堅持這一點。當汽車製造商將焦點放在增加駕駛體驗時，他們必須這樣做。但是如果一個閥門製造商想要改進抽吸（水、氣等）的體驗、一個家具廠商想要改善坐的體驗、一個出版商想要提高閱讀體驗時，他們怎麼做？當一個電器製造商想改進洗衣的體驗、烘乾的體驗、烹飪的體驗時，他又會怎麼做？

　　某電器製造商的管理者已經從這個角度來思考。美泰克公司（Maytag）電器部門的總裁威廉・比爾（William Beer），要求他的員工創造出能夠帶給顧客驚喜的新發明。他對《產業週刊》（*Industry Week*）說：「如今，用餐的體驗無論在什麼地方都可能發生。有人在下班回家的車上用餐，有人在上班途中的車上用餐，有人在電視機前用餐。」因此比爾推論：「人們可能需要在汽車上或椅子的扶手上有一個冷凍用的小冰箱。」[28] 這種新發明能夠大大改善人們用餐的體驗，這在工業化時代的舊思維體系絕不會考慮到，因為舊思維關心的是電器裝置如何運作，而不是當

製造商必須讓他們的商品「體驗化」

使用者在用餐時會怎麼做。

許多產品包括不止一種體驗，這開啟了各種機會。例如，服裝製造商能夠關注穿的體驗、洗滌的體驗，甚至是懸掛、甩乾的體驗（而且，就像福特時代的人一樣，當需要時，他們應該勇於創造新名詞）。其他行業可能創造出公事包體驗、廢紙簍體驗，或者敷面的體驗。作為一個製造商，如果你開始以這種概念思考——使你的東西活起來——你將會為自己的產品添加服務，增加使用這些產品的價值，然後可能會對那些服務附加體驗，使得使用這些產品變得令人難忘。

任何產品都能夠活起來。讓我們看一種簡單的棒球。位於密蘇里州聖路易市的羅林斯體育用品公司（Rawlings Sporting Goods Company），是美國大聯盟指定的唯一一家棒球製造商，它設計了一種球，使得投捕練習更生動有趣。這種「雷達球」（radar ball）內部有一塊晶片，能夠顯示每一次投球的球速，零售價超過30美元，而普通的棒球每只售價通常不超過5美元。消費者買雷達球比普通球的花費要多得多。長久以來，關於球的物理速度的資訊都是透過雷達槍（radar gun），但雷達槍的價格約1,000美元，一般社團、高中或美國軍團（譯注：美國全國性退伍軍人組織）的球隊很少能負擔得起。雷達球使人們能知道球速，而費用是一般人能接受的。但它真正的價值在於：打球的兩個人之間產生新的互動。羅林斯利用簡單的資訊技術，使得打球變成更豐富的體驗。投球者依賴接球者來分享同樣的體驗，而不

是站在邊線上用雷達槍來測球速。多虧了羅林斯，現在你可以在某個後院聽著孩子喊說：「嗨，爸，剛才那個球有多快？」

可以想像，未來更高級的球能夠讓我們知道球在旋轉和下墜（曲球、滑球、指叉球）時的速度、出手時球離地面的高度、接球時球離地面的高度等等。（也許有一天孩子會問：「剛才那個球的曲線是幾度？」）這樣更高技術的改進將進一步增強打球的體驗。雷達球提供的各種資訊在技術上越複雜，價格就越高，你就越有可能不自己買，而是到娛樂場所去租用（就像一些運動員和週末運動愛好者並不擁有自己的投球機和打擊場，而是去Swings'n'Things之類的地方盡情享受這種體驗）。

資訊技術所提供的「使東西活起來」的方法只有一種，就是讓商品變成是「可體驗的」。在體驗經濟中，除了使東西活起來這種方法之外，製造商還可以透過一些相關途徑來擴大需求。

將商品嵌入體驗品牌中

創造一種強調體驗的品牌形象，顧客就會蜂擁而來，爭相購買、使用、擁有這種商品。[29]耐吉（Nike）將價值20美元的帆布膠底運動鞋變成價值100美元的越野訓練工具，就是最好的例子。英特爾公司用「Intel Inside」代表其科技能力（同時附帶悅耳、鮮明的音響和彩色的多媒體特徵）的行銷策略也是這樣。可口可樂（Coca-Cola）和百事可樂（Pepsi-Cola）不斷努力想超越對手，試圖說服消費者喝自己的可樂會有更好的體驗。同時，美國的每一家啤酒公司，都試圖超越可口可樂和百事可樂。汽車製

造商擅長將他們的運輸工具「體驗化」。透過製造商的種種努力，消費者得以沉浸於產品的體驗中。Infiniti汽車甚至為「完全所有權體驗」（Total Ownership Experience）這句話登記註冊商標。福斯汽車（Volkswagen）生產的充滿鄉愁的金龜車（Beetle）看來很成功，車主反映說隨便在哪條街都可以掉頭。但是在將自己的產品嵌入一種完全的體驗方面做得最成功的是哈雷－戴維森（Harley-Davidson），到目前為止，你見過哪家公司的標誌被使用者紋在身上的？

去生產體驗所需的商品

當體驗的需求增加時，對那些能滿足某種體驗之商品的需求也會相應增加，這包括能影響感覺的產品（例如有質感的材料、燈光和照明控制、音響、特殊的原料和香味），還有促成某些活動的道具。例如，在雨林咖啡廳中可發聲的電動仿真玩具，全明星咖啡館（All Star Cafe）中棒球手套狀的小屋，還有胡特斯（Hooters）中的小人服裝。而且不要忘記，體驗展示者所必須具備的最重要的一種產品，可能就是紀念品。畢竟，必須有人製作像帽子、T恤、杯子、填充動物玩偶、鑰匙圈、玩具和鋼筆等各式各樣的飾物，這些紀念品使客人將體驗的記憶長留心中。這些東西你都不生產？好消息！許多傳統的紀念品已經由於生產過剩而大量積壓，你完全有機會生產出新的獨具魅力的商品，取代那些缺乏想像力的一般貨。

讓產品更感性

　　為使你的產品更具體驗的價值，也許最直接的辦法就是添加某些要素，以增加顧客與它們相互交流時的感覺。一些產品充分利用它們的本質，予人愉快的感覺，像玩具、棉花糖、錄影帶、CD唱片、雪茄、酒類等等。適當地使用這些產品可以創造出一種感官體驗，❸ 企業可以突出任何一種產品的感官特徵，使其容易被感知。這必須弄清楚哪種感覺最能打動顧客，從而針對這種感覺重新設計產品，使其更有吸引力。例如，汽車製造商現在在每個模型上花費數百萬美元，使關門的聲音聽起來更舒服。出版商採用許多觸覺上的創新（具有凹凸感的字、摸起來沙沙響、沒有皺紋或特別光滑的紙面）和視覺技術（半透明的封面、誇張的字體、效果奇佳的照片和3-D圖形），大大提高書籍雜誌封面和內頁的品質。甚至連麥克筆也不再只有顏色上的區別，聖福特公司（Sanford）還為它們加上不同的味道（甘草味代表黑色，櫻桃味代表紅色等等）。

使產品稀有

　　當一家公司限制其熱門產品的產量時，就可以將擁有產品的特權轉化為一種體驗。讓我們來看看比妮娃娃（Beanie Babies），這是伊利諾州奧克布魯克（Oakbrook）的特伊公司（Ty, Inc.）生產的玩具。特伊公司費盡心思確保這種填充玩具的稀有性，它限制每種型號動物玩具的產量，停止生產某個熱門的品種，同時嚴

格限制每家店或經銷商手中任何類型玩具的存量。透過使產品更稀罕，特伊讓人們更渴望擁有一個自己的填充玩具的體驗。其他產品也可以採用同樣的方法。當耐吉的飛人喬丹運動鞋的下一個系列問世時，如果公司給每雙鞋打上編號，如#1、#2.……情況會怎樣？他們還可以嘗試開發次級市場，使商家可以用更高的價格經銷那些運動鞋。這樣，當新鞋生產出來時，耐吉就能根據市場情況，靈活定價（在日本，二手的飛人喬丹運動鞋被炒到400美元一雙）。耐吉和其他製造商可以建立一整套新的定價模式，這樣就可以從每種產品的生產中獲得最大價值。（飛人喬丹第23號鞋會炒到多少錢呢？）

建立一個產品俱樂部

排他性是稀有性的雙胞胎兄弟。如果建立一家俱樂部，顧客可獲得對產品的體驗，公司也可藉此收費。但是，這種產品俱樂部不應該沿襲音樂或讀書俱樂部幾十年來的做法，以免費或低價優惠引誘人們註冊，然後頻繁地向註冊者推銷各種商品，儘管俱樂部成員有接受或拒絕購買的權利，但是註冊條款中往往規定了俱樂部成員購買商品的最低數量。這樣的機制只是把商品推給顧客，根本不管他們是否需要。

位於伊利諾州布魯夫湖（Lake Bluff）的直效零售商公司（Merchant Direct），就以新的模式販賣酒精飲料及其他體驗性產品。這種模式遠比上述的做法更細膩。該公司第一家也是最大的俱樂部——泛美啤酒俱樂部（Beer across America），每個月向會

員郵寄一打特醇啤酒和一份名為*Something's Brewin'* 的通訊，每個會員還會收到一本叫《飲料》（*DRINK*）的生活季刊。該公司只瞄準那些能直接滿足人們欲望的產品，也開辦了大釀22俱樂部（Big Brew 22 club，針對黑啤酒愛好者）、國際酒窖俱樂部（International Wine Cellars club）、名酒專案俱樂部（Prestige Wine Program club）、雪茄事務俱樂部（Cigar Affair club）、咖啡需求俱樂部（Coffee Quest club），還有相對而言最具「體驗性」的Spa發現俱樂部（Spa Discoveries club），每月會員費從16.95~39.95美元不等。

這類俱樂部的成功祕訣就是：讓商品成為客戶「主動」需要的，而且渴望有個專家為他提升個人的體驗。下一步呢？要把俱樂部裏的會員合為一體，讓人們分享對最佳的體驗選擇的看法。這樣的交流有助於改善會員的選擇，甚至可以為會員量身訂做產品。

籌畫一個展示產品體驗的活動

許多廠商都在展示自己獨特的體驗，儘管採取的都不是很直接的方式，比如建立博物館、主題公園或者其他有助於銷售產品的輔助設施。坐落於賓州賀喜市（Hershey）的賀喜巧克力世界（Hershey's Chocolate World），與其他類似的地方相比，可能是最著名的。還有其他的，包括美國斯巴姆城（Spamtown USA，位於明尼蘇達州奧斯丁〔Austin〕的霍梅爾食品公司〔Hormel Foods〕的創意）、固特異輪胎世界（Goodyear World of Rubber，

俄亥俄州亞克朗）、克雷奧拉工廠博物館（Crayola Factory Museum，位於賓州伊斯頓〔Easton〕的畢尼與史密斯〔Binney & Smith〕的創意）和美國穀類早餐城（Cereal City USA，位於密西根州巴特克里克〔Battle Creek〕的家樂氏公司〔Kellogg Company〕的創意）。❸ 並不是每個生產商都能把多餘的空地建成憑票入場的博物館，但每一家公司都能將生產轉變成對工廠的小型旅遊，讓顧客將每天所消費的棒棒糖、盒裝穀物、瓶裝維他命等產品變成可回憶的事物。目標是把顧客吸引到從產品設計到生產、包裝、運輸的一整套流程之中，除了產品本身，顧客也同樣重視他們擁有這種產品的感覺。我們可以見證這樣的美好感覺：生產線上的全體員工聚集在一起，用歡呼某一筆交易成功的熱烈掌聲，歡送消費者開走全新的轎車。（更不用提福斯汽車的客戶，在緊鄰福斯汽車在德國窩夫斯堡〔Wolfsburg〕工廠附近於2000年新開張的汽車城主題公園取車時的感覺了。）露天市集銷售、拍賣會、跳蚤市場和類似的價格不固定的地方，可以為商品買賣者創造出特殊的經驗，儘管有些人不喜歡這種地方，但它們還是吸引了一批顧客。像AUCNET、OnSale、網路購物網絡（Internet Shopping Network）和eBay這樣的網路公司，都已將這種歷史悠久的商業模式移到網上，雖然它們可能又在走商品化的老路，但至少他們的顧客從購買中獲得了樂趣。

經濟價值遞進

麗貝卡‧派恩（Rebecca Pine）在給她父親的生日卡上寫道：「生命中最美妙的東西並非物品。」讓我們想一想每個人成長過程中一件普通的事情：慶生會。大多數人都會記得他們兒童時代的慶生會。那時候，媽媽總是樂於親手烤製生日蛋糕。這到底意味著什麼呢？意味著她必須親手處理材料，比如牛油、糖、雞蛋、麵粉、牛奶和可可。那時這些材料要多少錢？1毛、2毛或3毛吧。

當擁有貝蒂科洛克（Betty Crocker）品牌的通用食品公司（General Mills）和擁有鄧肯海恩斯（Duncan Hines）品牌的寶鹼公司（Procter & Gamble; P&G）這樣的企業幾乎壟斷了蛋糕添加劑、罐裝糖霜這些原料的生產的時候，商品與消費者的需要之間變得越來越不相關了。在1960和70年代，當這些商品迅速充斥貨架的時候，它們賣多少錢呢？並不貴，可能就是1~2美元，但畢竟要比那些麵粉、糖等初級原料貴一些。由於味道好、容易保存、調配方便、省時這些優點，商品價值增加，價格也隨之升高。

到了1980年代，許多父母完全停止親手烤製蛋糕，而只是打電話給超市或當地的麵包店訂一盒蛋糕，他們指定蛋糕的具體式樣規格以及糖霜的種類和顏色、取蛋糕的時間、蛋糕上的圖案和文字。這種客製服務要花費10~20美元，相當於使用不到1美

元的原料在家自製蛋糕的10倍費用，而許多父母卻認為訂蛋糕很划算，因為這樣他們可以集中心力於籌辦慶生會。

21世紀初的家庭會怎樣做呢？他們會把整個聚會交給察克乳酪公司（Chuck E. Cheese's）、發現地帶（Discovery Zone）、迪士尼俱樂部或創造力（Creativities）這樣的公司來舉辦。這些公司會為他們籌畫一種對生日氛圍的體驗，而這要花100~250美元，如圖1-4所示。為了伊麗莎白・派恩（Elizabeth Pine）的7歲生日，派恩家來到一個叫新龐德農場（New Pond Farm）的舊式農場。在那裏，伊麗莎白和她的14個朋友一起體驗了舊式的農家生活。他們用水洗刷牛的身體、放羊、餵雞，自己製造蘋果酒，還要背著乾柴爬過小山，穿過樹林。[32] 大家在伊麗莎白打開禮物之後相繼離去，等最後的客人走後，伊麗莎白的母親茱莉付給公司一張支票。當父親問起花費時，茱莉回答：「不包括蛋糕，只花了146美元。」

圖1-4　慶生會的價格

如圖1-5所示，這個慶生會的例子說明了經濟價值遞進（Progression of Economic Value）。[33] 每一階段的銷售方式——純粹的原材料（初級產品）、半成品（商品）、做好的

圖1-5　經濟價值遞進

蛋糕（服務）和舉行慶生會（體驗），都大大提升了商品的價值，因為消費者越來越發現這更接近他們真正想要的（在這個例子中，是指消費者希望有一個愉快、無需費力的慶生會）。由於各公司籌畫了形形色色不同的生活體驗，它們就更容易強調自己的獨創性，而不必按通常的競爭所形成的市場價格定價，而是基於它們所提供的獨特價值收取更高的費用。如果僅僅出售產品而不是提供生活體驗，那些自己烘焙蛋糕的母親只會付你幾毛錢的材料費，而舊式農場卻能以相對低的邊際成本（低價勞動力、低價飼料和一兩個小時的農場折舊費用）而獲得更高的利潤。❸❹

歐格登公司（Ogden Corporation）的例子正好可以說明經濟價值遞進的概念。這家價值數十億美元的公司可以追溯到剛起步

時的兩家小公司。❸ 第一家叫做聯合公司（Allied）成立於1888年，由兩個丹麥移民設立，他們為一個火車站提供服務，具體工作是維護設備的煤油燈（清理、加油和剪燈芯）；從這個微不足道的工作，他們得以處理19世紀最重要的一種初級產品；而後聯合公司轉變成清潔服務承包公司（為家庭、辦公大樓、教堂和劇場服務），與此同時開始發明和生產這方面的清潔用品。第二家是歐格登公司，成立於1939年，是一家公共事業公司，生產20世紀最重要的一種初級產品；後來，這家公司轉而從事廢水處理設備的生產（另一種重要初級產品）。與聯合公司一樣，歐格登公司開始了簽約承包服務，專門為洋基球場（Yankee Stadium）提供諸如設備清洗、食品服務、剪票和公告廣播等有助於提供獨特體驗的輔助性服務。（它甚至對於電影欣賞的體驗有長遠貢獻，1940年，公司第一次在電影院裏販賣爆米花。）1982年，兩家公司合併，成為一家高度多樣化的服務型企業。

進入1990年代，歐格登公司擔心在服務業中會日漸商品化，公司意識到消費者（不是那些歐格登提供服務的公司）會日益要求新的、多樣化的體驗。因此，歐格登決心創建自己的體驗產品，它開始投資收購和經營體育比賽、藝術演出和娛樂業的體育場和劇院（通常用合資方式），它甚至與藝術家簽約以利於管理、策畫音樂會、拍攝和製作電視影集、安排百老匯演出，還錄製唱片。公司也開始管理具有地方特色的娛樂專案，例如在世界貿易中心（World Trade Center）頂樓的「世界之巔」（Top of the World），遊客可以一覽紐約市景。1996年，歐格登購買了兩處以

大自然為主題的公園，就是位於佛羅里達州奧卡拉（Ocala）的「銀泉」（Silver Springs）和「荒野之水」（Wild Waters），而且透過一家財團在西班牙塞維雅市（Seville）建造了一個主題公園。

為了完全融入這些體驗產業，1996年，歐格登公司批准一項耗資1億美元的工程，開始建設擁有八大景觀的美國荒野體驗公園（American Wilderness Experience）。這些景點以野生動物、植被、自然氣息和不同地理環境的天然氣候為特色，遊客可以完全沉浸於自然風光。❸ 該公司的第一家美國荒野體驗公園於1997年末開張，它位於加州聖伯納迪諾（San Bernardino）的安大略磨坊購物中心（Ontario Mills Mall）。任何成年人只要購買9.95美元的門票，便可遊覽代表加州自然環境的五種不同景觀：紅杉林、鋸齒般蜿蜒不斷的山脈、沙漠、海濱和峽谷。在這些可供觀賞的景點中，棲息著超過160種野生動物，分屬於六十多個不同的種屬，包括蛇、短尾貓、蠍子、水母和豪豬。遊客在野地馳騁電影院（Wild Ride Theater），以觀賞影片的方式開始他們的遊覽。在那裏，人們透過各種動物的眼睛來體驗世界，像山中獅子一樣奔跑，像蜜蜂一樣嗡嗡叫。然後遊客乘車觀賞真正的野生動物，並可以和那些身著特別服飾的野生動物園管理人員就感興趣的問題進行交流。當然，除了美國荒野體驗專案本身為歐格登公司帶來豐厚收入外，其麾下的「荒野燒烤」（Wilderness Grill）餐廳和「自然的野性」（Naturally Untamed）零售店，也向遊客販售頗具特色的食品和紀念品而獲利。

開始行動吧

　　像美國荒野體驗這樣經營範圍極廣的主題公園，管理是很困難的，尤其當它正從B2B轉向對普通消費者行銷時，但是時間會證明歐格登公司有多麼成功。它計畫開發一家購物中心，向消費者提供一種令人緊張而價格昂貴的體驗，但如何將活生生的動物與能帶給人愉悅體驗的人工環境融合一體，並不是一件容易的事。（儘管有必要將烤肉的香味和動物隔遠一些，但是，美國荒野體驗公園和它以前經營的清潔服務可說相距不遠。）但是，像其他許多進入體驗經濟的企業一樣，歐格登公司已經意識到，商品化正在迅速消滅許多產品與服務的差別，降低產品和服務與消費者之間的相關性，並導致價格下降；而提供體驗，正是阻止商品化的最佳手段。

　　當然，沒有人能否定供需法則。企業如果不能提供持續的體驗產品，體驗的定價過高（相對於消費者得到的價值），或是盲目擴大自己無法負擔的專案，當然會面臨降價的壓力。例如，對慶生會的體驗服務很在行的「發現地帶」公司，因為策畫活動不成功，遊戲主持得不好，以及缺乏對家長體驗的考慮（畢竟家長才是付錢的人），曾經在困境中掙扎了好幾年。❸

　　更近的一件事是，由於雨林咖啡廳和好萊塢星球餐廳更新體驗業務的失敗，與往年同期相比，他們的營業額下降了。他們的問題都出在幾乎完全重複其體驗服務。甚至迪士尼樂園也遇到同

樣的問題，它的未來樂園在過去幾十年間變得明顯過時了。但是
迪士尼設法恢復原有的生氣，它於 1998 年 4 月在奧蘭多（Orlando）
的迪士尼世界設置了第四個，同時也是最大的
主題公園——動物王國（Animal Kingdom）。

當體驗經濟展開時，許多體驗展示者將不復存在

　　當體驗經濟在進入 21 世紀之際逐步顯露
出來時，更多的體驗經濟業者會發現，在這一
行簡直困難得無法生存。例如，我們很難想像今天的每一家主題
餐廳都能生存到新千禧年的那一天；但這樣的混亂狀態在任何經
濟變換中都會發生。以前，在密西根州東部有超過 100 家的汽車
公司在競爭，在密西根州西部有超過 40 家的穀類食品生產公
司，但現在生存下來的，僅有底特律的三大汽車公司和在巴特克
里克的家樂氏這些工業經濟中的強者。

　　在富有想像力的公司出現並推動經濟發展之後，工業經濟與
服務經濟獲得了前所未有的進展。許多公司紛紛倒閉，驗證了經
濟學家熊彼得（Joseph Schumpeter）所提出的包含商業創新要素
的「創造性毀滅的颶風」（gales of creative destruction）的力量，
這也正是體驗經濟的成長道路。那些放任其產品與服務報酬遞減
的公司，將被證明為過時的。為了避免這樣的命運，你必須學會
提供一種豐富的、具有壓倒性力量的體驗。

設定舞台

展示體驗不僅是要娛樂顧客,還要使他們參與其中。任何具有說服力的體驗,其甜美之處,是將娛樂、教育、逃避現實、審美這四大領域融入日常的空間,這像是一個產生記憶的地方,一個有助於創造記憶的工具。

在八月一個炎熱的夜晚，漫步街頭的你來到位於伊利諾州艾凡斯頓（Evanston）的戴姆普斯特（Dempster）和伊爾姆伍德（Elmwood）大街的拐角。你注意到一家叫做「區域網路競技場」（LAN Arena）的店，不知道它是幹什麼的，於是便走了進去。一個穿著T恤的新人類看到了你，他的徽章上寫著「法蘭西斯科指揮官」，一些表示歡迎的話從高高的講台上傳過來。你朝那個方向點點頭，並且婉謝他要向你解釋這個奇特環境的請求，自顧自地朝裏面走。

牆上光禿禿的什麼也沒有，地板也沒什麼光澤。一種夏日雨後淡淡的水泥地味道鑽進你的鼻孔，一些不太清晰的聲音從某個地方傳來，你很快注意到這地方的核心。在指揮官的講台前面，擺著14部電腦，它們都有很大的顯示器、標準鍵盤和排列整齊的周邊設備。有一半的電腦被顯然操作迅速、反應敏捷的人占據了──這就是指揮官所控制的領地。你現在知道自從你開門進來便一直感覺到的雜音是什麼了：滑鼠的點擊聲、鍵盤的敲打聲混合著搖桿的聲音。有六個傢伙聚精會神地盯著他們的螢幕，其中一個喊道：「滾開，你這油頭粉面的豬腦！」你條件反射地跳到一個柱子後面，卻馬上發現你錯了，這句話並不是沖著你來的，他在和某個角落裏油光毛髮的類人型的動物進行戰鬥。這時另外一個人咕噥著：「誰在那兒？小心！你還沒有安全！」第三個聲音有點下流，不斷重複著某個詞。

你走過去，希望能瞧一瞧這些人以及他們控制的機器，發現每一部電腦上都貼著名字：托比、費吉利、戈雷普、阿普，下面

的你也能猜出幾分：拉里、莫、克利。那聲尖叫來自伊斯特伍德，那個咕噥著的人所操縱的機器叫做巴達。你回頭瞄了一眼法蘭西斯科指揮官，第一次注意到在他身後的一個架子，上面整排的軟體盒子，更多的名字映入你的眼簾：暗黑破壞神（Diablo）、紅色警戒（Red Alert）、戰機 II（Warcraft II）、命令與征服（Command & Conquer）。哦，是這樣！他們正在玩電腦連線對戰的遊戲。「它叫作雷神之錘（Quake），」一直對你察顏觀色並猜想你可能對此感興趣的指揮官說道：「它是一種搶旗子的電子遊戲。」

你終於明白這地方的魅力，並獲得觀看這些玩家玩遊戲的權利。三對三，實際上這些對手彼此相距不到 20 公尺，他們透過區域網路在一個虛擬的空間裏戰鬥。每個人臉上都極度興奮，人機一體。最後，歡呼聲再次響起，這是勝利者消滅了他的最後一個對手。然而，失敗者很是失望，希望能重開一局。猶豫、焦慮、渴望，你告訴指揮官很想加入他們的戰鬥。於是，你坐在電腦前開始親自體驗這個遊戲。

以上是用第二人稱記述了某種電腦遊戲，它或多或少道出我們第一次親身體驗區域網路遊戲時的感受。這是一種新的空間，在 1990 年代後期遍布於各個城市。在這裏，人們付費後就可以透過電腦遊戲和有相同目的的對手競爭。指揮官法蘭西斯科·拉米雷斯是我們的主角，也是三位老闆中的一個。他解釋說，價格是每小時 5~6 美元，常客還可以選擇從 25~100 美元不等的年費制

價格，這樣可以享受一定的折扣，能在區域網路內保留一個目錄，同時能參加經常舉行的聯賽。他還透露，這家公司開業於1996年10月，當時大部分設備都是租的，到1997年底就已經獲得不錯的收益，因此，他計畫增開更多的店面。

儘管區域網路競技場具有很好的收益，但我們不禁覺得這些區域網路只是在走15~20年前風行的傳統錄影帶出租店的老路。當年那些由老闆自營的地方小店，現在被認為是歷史上很奇特的事——一個過渡性的解決方案，錄影帶出租店的衰敗，歸因於其他經營方式的創造性毀滅，和某些大公司不斷推出新的銷售佈局規畫。姑且不談行業合併的影響，在這個極度競爭的行業中，單單是百視達（Blockbuster Video）富有特色的連鎖經營，就囊括了一大塊市場。

同樣的，區域網路競技場也可能只是一種過渡，透過安排玩家坐在同一場所的模式，提供了從過去在家裏玩遊戲到將來玩連線遊戲的一個折衷方案。今天，區域網路競技場提供了一個即時的遊戲環境，一方面減少了在家裏玩同樣遊戲的花費和麻煩，另一方面，它比網際網路的速度快。但是同樣是今天，眾多的玩家已經在線上參與相同的雷神之錘的遊戲。隨著網路頻寬的擴大和費用的降低，激烈競爭的遊戲體驗將漸漸失去邊界。❶

當然，直接的、連線的、從家裏開始的方式，概括了遊戲體驗的前景。那麼社會性的互動呢？遊戲之外的真實遊戲，它對我們過去所有的娛樂是多麼的重要，對這些正在區域網路競技場中大聲叫喊的人也是一樣。這種對真實感受的需求，難道不能讓這

類電腦遊戲廳維持下去嗎？答案是：它們至少能繼續存在一段時間，也可能是永遠；但是與此同時，真實的音頻、視頻和觸覺技術將繼續朝某個方向發展，在數年以後，我們將能體驗到所有的感受——歡呼和憤怒，奚落和嘲弄，甚至是推擠的感覺——一切就像真的一樣。就像美國線上（America Online）的聊天室和即時訊息一樣，如果沒有人與人相伴的真實社會體驗，那麼任何網路遊戲都不是完美的。❷

即使上述說法成立，區域網路競技場這類有固定場所的、互動式的遊戲方式會不會被取代？或者會不會出現一個類似百視達的企業對這個遊戲產業加以整合，設計出一個更友善的介面來掩飾尚稚嫩的網路技術，給它生存的力量呢？答案當然是不確定。能確定的只有：並不是所有提供新體驗的公司在短期內都能成功；長期來說成功者將會多一些。只有一小部分能殺出重圍，但我們並不知道會是哪些。它們之所以能夠生存下來，是因為它們強調提供豐富的體驗，而不是什麼很厲害的商品或服務，它們使消費者對參與的事件留下深刻的記憶。這就意味著它們將不再犯常見的錯誤：把「體驗」等同於「娛樂」。

使體驗更豐富

因為有這麼多的例子表明，體驗是來自大眾傳媒經常掛在嘴上的娛樂產業，所以很容易推論，要將經濟價值升級到展示體驗，只需要在現有的商品和服務中增加一些娛樂成分就可以。這

展示體驗不僅是要娛樂顧客，還要使他們參與其中

只是一個大體上的理解。記住：展示體驗不僅是要娛樂顧客，還要使他們參與其中。

某種體驗可能從很多方面吸引客人，如圖2-1，我們來考慮其中最重要的兩個面向。第一個面向（橫軸）表示人的參與程度。這個軸的一端代表消極的參與者（passive），它意味著消費者並不直接影響表演，這樣的參與者包括交響樂的聽眾，他經歷這件事的方式純粹是作為觀眾或聽眾。軸的另一端代表積極的（active）參與者，這類消費者能影響事件進而影響產出的體驗。這樣的參與者包括滑雪的人，他們積極參與而創造了他們自己的體驗。甚至那些觀看滑雪比賽

圖2-1　體驗的國度

吸收

娛樂的　　　教育的

消極參與　　　　　　積極參與

審美的　　　逃避現實的

沉浸

的人也不是完全消極的參與者，因為他們的存在，就對其他人的
視覺和聽覺經驗產生影響。

另一面向（縱軸）描述了聯繫的類型，或者說是環境上的相
關性，它使消費者和事件成為一個整體。在軸的一端表示吸收
（absorption），即透過讓人了解體驗的方式來吸引人的注意力；
而在軸的另一端是沉浸（immersion），表示消費者變成肉體（或
具體）體驗的一部分。換句話說，如果體驗「進入」客體，比如
說是看電視，他是正在吸收體驗；另一方面，如果是客體「進入」
體驗，比如說玩虛擬實境的遊戲，那麼他就是沉浸在體驗中。

站在很遠的地方觀看肯塔基德比賽馬（Kentucky Derby）的
人，僅僅是吸收這場比賽的資訊。然而，一旦人們站在賽馬場
旁，眼前的景象、比賽的聲音、氣勢，就會使他們和周圍的狂熱
者一樣，全身全心地投入這場比賽。學生們在實驗室做物理實驗
要比聽課時更加投入，在戲院裏看電影，因為有很好的視聽效
果，也會比在家看錄影帶更能沉浸於體驗。

這些面向將體驗分成四個領域：娛樂、教育、逃避現實和審
美（如圖2-1），它們互相兼容，形成獨特的個人情境。大多數人
在他們視為是娛樂的體驗中，只不過是被動地透過感覺吸收體
驗，比如：觀看演出、聽音樂和閱讀輕鬆讀物

娛樂是透過感覺而被動地吸收

等。然而，儘管很多體驗能帶給人們娛樂，嚴
格來說它們不能算作娛樂，按照《牛津英文字
典》（*Oxford English Dictionary*）的定義，娛樂是「使人愉快並
吸引人的注意力的行為；消遣」。❸ 娛樂不僅是一種最古老的體

驗型態（「笑話」自從人類出現的同時就出現了），而且也是發展最完善的，而到今天成為最普通的、最親切的體驗。（亞當・斯密提到的「非生產性勞動者」都是娛樂提供者，包括「運動員、小丑、音樂家、歌唱家、舞蹈家等」）當體驗經濟加速的時候，人們將會看到比以往更新、更多的體驗，同時，幾乎沒有哪種體驗會完全排除使人們開心大笑的瞬間娛樂。但對於步入體驗經濟的企業來說還存在另一個機會，也就是將娛樂加進其他三種體驗的混合物中，它們是：教育的體驗、逃避現實的體驗和審美的體驗。

教育的體驗

和娛樂體驗一樣，在教育的體驗中，客體（或者說是學生）正在吸收對他來說並不是很清楚的事件。然而，和娛樂體驗不一樣的是，教育需要客體更多的積極參與。要確實擴展一個人的視野、增加他的知識，教育必須積極使用大腦（智育）和身體（體育）。就像史坦・戴維斯（Stan Davis）和吉姆・波德金（Jim Botkin）在《床下有怪物》（*The Monster Under the Bed*）這本書裏所說的：

> 用工業化的方式辦教育……〔使得〕教師成為演員，而學生成為消極的接受者。相反地，一種新出現的〔商業領導的〕教育模式，透過使學生成為積極的參與者而開啟市場的前景。焦點從提供者轉移到使用者，從教育者（老師）轉移到

學習者（學生），教育行為將逐漸著眼於積極的學習者，而不是老師（管理者）。在新的學習市場中，消費者、員工和學生都是積極的學習者，更準確地說，是互動的學習者。❹

賓州大學（University of Pennsylvania）第七任校長茱迪絲‧羅丁（Judith Rodin）也承認在教育中積極參與的重要性，她還認為學習不僅僅局限於課堂裏。她在1994年的就職演說中提到：「我們將設計一個全新的賓州大學研究生教育模式，它不僅牽涉到課程設置，還包括新型的住房、學生設施和導師制，期望在教室和宿舍之間、運動場和實驗室之間，創造出一個無縫的體驗。我將努力讓這一切在1997年秋季學生入學時成為現實。最後，2001年那一屆的學生將成為完整享受這一體驗──21世紀的賓州大學教育──的第一屆學生。」❺

儘管教育是一件嚴肅的事，並不代表教育的體驗不能是一件快樂的事。她提出「教育娛樂」，代表一種橫跨教育和娛樂兩方面的體驗。❻ 在加州聖荷西（San Jose）一個占地28,000平方英呎、叫做竹子島（Bamboola）的地方，就為10歲及以下的小孩提供一種教育體驗，那是有助於智力開發的自發性遊戲。花8.95美元的門票（1~2歲半的孩子3.95美元，陪伴他們的大人僅收1.95美元），孩子們在叢林花園和沙地裏挖掘，尋找化石、人類遺跡、甚至整副的恐龍骨骼。他們穿著老式的衣服，自己在互動式的廚房裏準備食物。他們還要攀岩，

透過教育體驗，客人在積極參與的同時，也吸收他面前展開的事件

玩各種各樣需要技巧的遊戲。❼ 蘭迪・懷特（Randy White）是
設計竹子島的密蘇里州堪薩斯城懷特哈奇森休閒與學習集團
（White Hutchinson Leisure & Learning Group）的領導人，他告訴
我們：「儘管竹子島充滿樂趣，但它真的是以某種方式幫助孩子
運用創意來學習。每個遊戲場所都能提供多種學習體驗，例如從
遊戲中學到數學概念、從迷宮圖中學到拼圖技巧、甚至從水盆裏
學到物理定律。」

逃避現實的體驗

值得記憶的第三種體驗是逃離現實的體驗，它們要比娛樂和
教育的體驗更令人沉迷。事實上，它們與純娛樂體驗完全相反，
逃避者完全沉溺在其中，同時也是更積極的參與者。❽ 典型的逃
避體驗所要求的環境包括主題公園、賭場、虛擬實境的耳機、聊
天室、甚至是在森林裏玩的彩球遊戲。和終日懶散在家的人的消
極角色不同，逃避者是參與其中的演員，會影響到現實的事件。

**逃避現實體驗的客
人，是積極參與一種
令人沉迷的環境**

例如，想提高一部電影內在的娛樂價值，
不但可以透過擴大銀幕、調高聲音、使坐椅更
舒適、使包廂更豪華等手段，還可以透過讓觀
眾切身參與這個令人興奮的活動。現在無數的
公司透過電影，將這種體驗引入人們的生活。位於加州的美國荒
野體驗主題公園就採取這種手法，在那裏放映的影片不僅從動物
的視角來展現這個世界，還加入各種視覺衝擊，如提供向前或向
後浮動、顛簸、戰慄、傾斜甚至是旋轉360度的感覺。❾

　　早期這類型的傑作包括：「太空漫遊」（Tour of the Universe），描寫一個來自多倫多 SimEx 的飛行團隊透過外太空的故事；「神奇邊界」（Magic Edge），展示在加州山景城和日本東京的模擬多人空戰；迪士尼的「星球之旅」（Star Tours），根據電影《星際大戰》（*Star Wars*）改編，模擬了銀河系中的英雄爭霸戰。

　　這些逃離現實的體驗，主要是模擬一些科幻、冒險式電影的情境。更多的例子包括奧蘭多環球影城（Universal Studios）提供的「回到未來：旅程」和「魔鬼終結者 2：穿越時空之戰」，迪士尼世界的「阿拉丁的魔毯」，和巴爾班克（Burbank）伊唯客（Iwerks）娛樂公司的「機器戰警」與「閃電之日」。❿ 這些影片適切表達了從服務經濟向體驗經濟的轉移。過去的廣告是：「你已經讀過書，現在來看這部電影！」今天廣告的內容變為：「你已經看過電影，現在去體驗這個過程！」⓫

　　儘管我們稱之為逃避體驗，但參加逃避體驗的人並不只是從其他地方趕回家裏，他們也願意到特別的地方旅行，花時間參加值得參與的活動。例如，一些度假的人已經不再滿足於曬太陽，他們更希望玩直排輪、滑雪、空中衝浪、快艇駕駛、登山、體育賽車或其他類似的極限運動。⓬ 其他一些人則願意在

> 逃避體驗並不僅僅是登上船舷，而是要啟程遠航

傳統的賭博中一試身手（光是在美國每年就超過 5,000 億美元），他們這樣做不僅是要忘掉煩惱，也是為了體驗「用自己的錢為更好的生活賭一把」的感覺。

　　另外也有人想拋開既有的財富去體驗普通人的生活。例如，

達拉斯牛仔隊（Dallas Cowboys，職業美式足球隊）的四分衛特洛伊・艾克曼（Troy Aikman）在對《運動畫刊》（*Sports Illustrated*）解釋他為什麼經常上美國線上時說：「我喜歡去『德克薩斯房間』（Texas Room）與人聊天，它給我一種平等的感覺，和一個不認識我的人進行一次平等的對話感覺特別好。」❸就像名人可以得到普通人的體驗一樣，許多逃避現實的感覺，例如電腦的運動遊戲，則能讓普通人體驗到當超級明星的感覺。

　　網路空間是一個提供體驗的好地方，但是許多商務人士並沒有注意到這一點。他們一頭栽進商業的漩渦，只是想透過網際網路銷售公司的商品，而事實上大多數人上網是為了體驗感覺。令人驚奇的是，微軟互動媒體集團（Microsoft's Interactive Media Group）副總裁皮特・希金斯（Pete Higgins）這麼告訴《商業週刊》：「現在網際網路還不是一個可以完全任意妄為的娛樂場所。」❹那麼它應該是什麼呢？網際網路與生俱來就是一個互動式媒體，而不像電視那樣消極，它為許多人提供一個社會體驗的場所。「互動式娛樂」是一種矛盾修飾法，人們發現上網的價值來自積極的聯繫、交談和形成社群。

　　一旦「傳統」裝備的主要部分達到維爾公司（The Well）的水平，Prodigy、CompuServe和美國線上（它常被錯以為是網路服務提供商）將可以為大眾提供網路空間。美國線上贏得這場客戶爭奪戰的主要原因是，它明白公眾需要的是一種互動體驗，在這裏，公眾能積極地參與網路環境的成長。當 Prodigy 限制客戶的電子郵件總量，CompuServe 將客戶的 ID 限定為一串不相關的

數字時，美國線上允許它的客戶取五個名字（讓他們在網上可以扮演各種角色❶），並積極鼓勵使用各種與他人聯繫的方式：電子郵件、聊天室、即時訊息、個人檔案和能讓使用者知道他的朋友是否上線的好友名單。甚至在1996年末美國線上推出降價計畫之前，在它每個月4,000萬的連線小時中，25%以上是花在聊天室。❶

對許多人來說，網路空間是個世外桃源，它為人們提供了一個逃避單調、忙碌生活的場所。但是我們並不清楚，無處不在的網路是否能取代人們與家庭和工作以外地方接觸的需要，借用社會學家雷‧奧爾登博格（Ray Oldenburg）的話，這個家庭和工作以外的地方被稱為「第三個地方」（third place），在這裏人們能和同社群的人進行交流。❶ 這些地方——酒吧、酒館、小餐廳、咖啡店之類的場所——以前幾乎每個城市每個街角都有，但是郊區的人卻因為太遠而無法企及。現在有人在網上找尋這樣的社群，有人則用閒暇時間在主題景點與大量的人交流，❶ 還有人去星巴克（Starbucks）或其他咖啡店、飲料吧、雪茄吧，甚至龐諾書店（Barnes & Noble）那種一邊讀書一邊啜飲咖啡的愜意氛圍，也吸引了不少逃避者，他們在那裏逗留、瀏覽書籍、品嘗咖啡並交談。

審美的體驗

我們探索的第四種（也是最後一種）體驗是審美的體驗。在這樣的體驗中，人們沉浸於某一事物或環境之中，而他們自己對

事物或環境極少產生影響或根本沒有影響,因此環境(而不是他們自己)基本上未被改變。審美的體驗包括站在大峽谷(Grand Canyon)邊極目遠眺、參觀畫廊或博物館、坐在舊世界威尼斯(Old World Venice)的弗羅里安咖啡館(Cafe Florian)中。坐在肯塔基德比賽馬場的大看台上也有同樣的效果。客人參與有教育意義的體驗是想學習,參與逃避體驗是想去做,參與娛樂體驗是想感覺,而參與審美體驗的人就是想到現場去。❶

比如在雨林咖啡廳中,用餐者發現自己身旁是濃密的植物、裊裊而升的薄霧、急瀉而下的瀑布,甚至令人震驚的閃電和雷鳴。他們面對的是活生生的熱帶鳥、熱帶魚以及人造蝴蝶、蜘蛛和大猩猩,假如你近而觀之,會發現一條伺機而動的小鱷魚。❷我們注意到雨林咖啡廳把餐廳和零售店的功能合而為一,並標榜為「購物與用餐的荒野之地」,它不是模仿置身於熱帶雨林中的真實體驗,而是展示一種生動與審美感受兼具的體驗。

在明尼蘇達州的奧瓦托那(Owatonna),還有一個荒野購物中心:占地150,000平方英呎的卡貝拉(Cabela),供應獵具、漁具和其他戶外用具。店主迪克・卡貝拉(Dick Cabela)和吉姆・卡貝拉(Jim Cabela)並沒有對該商店加入任何娛樂因素,而是把它變成一種審美的體驗,商店中心矗立著一座掛有瀑布的35英呎高的小山,在小山周圍展示著超過100種動物標本,其中許多是他們兄弟倆或其他家庭成員獵殺的。商店的這部分表現出北美四個不同的生態系統。在另一處,兩個巨大的立體場景展現了非洲景觀,其中包括所謂的「五大狩獵物」:大象、獅子、豹、

犀牛、南非水牛。三個水族館裏游著各種各樣的魚。而在商店各個不同的部門，總共約有700種不同的動物。事實上，就像迪克・卡貝拉對《聖保羅先鋒報》（*St. Paul Pioneer Press*）所說的，「我們出售的是一種體驗」。㉑在商店重新裝修開張當天，超過35,000人光臨，公司預計每年接待一百多萬名遊客。

體驗的審美愉悅可以是完全自然的，就像在國家公園裏漫步，也可以主要靠人工營造，就像在雨林咖啡廳享受晚餐，或者介於兩者之間，就像在卡貝拉購物。沒有人造體驗這回事。無論這種刺激是自然的還是模仿的，每種體驗都是真實的。著名建築家麥可・班乃迪克（Michael Benedikt）延伸了這一觀點，認為建築師在把人們和他們所處的「真實」環境聯繫在一起時的角色是：

> 這樣獨特的瞬間，這樣的體驗，是非常令人感動的。我認為，正是透過這樣的瞬間，我們建立起獨立而有意義的最佳的現實感，我應把它稱為直接而真實的審美體驗。我建議：在當前媒體廣泛存在的時代，建築學關注的中心應該是對現實直接的審美體驗。㉒

不僅是建築師，每一個提供審美體驗的人都應盡力把消費者和他們直接（儘管是被動地）體驗的（沉浸其中的）現實聯繫起來，即使當環境看起來似乎不太真實的時候。班乃迪克很可能會稱雨林咖啡廳之類的地方是「非真實的」，並認為建築師「透過偽造來追求真實的東西」。㉓為展示具有說服力的審美體驗，設計者必須承認：為創造體驗而設計出來的任何環境都是「非真實

的」（例如，雨林咖啡廳其實不是熱帶雨林）。他們不應該試圖愚弄顧客，讓他們相信似是而非的事物。

建築評論家阿達・赫胥特堡（Ada Louise Huxtable）做出類似的區分，她說：「要把虛假的偽造從真實的偽造中區別開來，已越來越困難。所有的偽造不是等同的，有好壞之分，標準不再是真實戰勝虛假，而是它們模仿的相對價值。使好的更好就是對現實的改進。」[24]為顯示這種區別，我們來看看赫胥特堡花了大量時間評論的兩個人工創造的環境：環球城市漫步（Universal City Walk）和迪士尼。

位於洛杉磯的「城市漫步」是個大雜燴，其中有零售店、餐館、電影院、高科技的交通工具和低科技的書報攤，每一處都有獨特的門面。到處都是經過控制的誇張，著名的硬石餐廳外形是一把四層樓高的吉他。參觀者懶洋洋地漫步在定時噴水的噴泉旁。客人為停車而支付門票（在洛杉磯，沒有人會步行到任何地方去，但在這裏他們要為四處閒逛而支付門票），他們只有在此花錢享用晚餐或看電影（只購物不行）之後才能得到門票退款。「城市漫步」既是主題公園又是公共廣場，主要是創造一種審美的體驗，赫胥特堡確認它「是因其自身的緣故而得到利用的」。[25]從你把車子停在它未經修飾的停車場那一刻起，該景點偽造的逼真性就一覽無遺。建築物的背面歡迎著陸續到來的遊客，因而當他們走進門面時能看到未經裝飾的內部。在外面能看到面具的裏面；而在裏面你能看到它的外面。穿過小巷和其他通往主要街道的岔路，清晰可見不屬於「城市漫步」的鄰近建築物。它的美感

確認了其偽造性。透過框架看，它的確是「貨真價實」的偽造。

另一方面，大多數迪士尼體驗的審美卻是要隱藏一切偽造：沒有人能看到後面的東西。停車場裏平穩行駛著運送客人的巴士，迎接客人的小亭子和旋轉式阻隔收票口也設計得無懈可擊。建築物的表面毫無縫隙地相連，以防某些顧客察覺出空間縮減的詭計。米老鼠從未當眾脫下它的面具，以防我們看到藏匿其中的長滿青春痘的少年臉龐。這就是赫胥特堡和其他批評家所抨擊的假的偽造，這些偽造沒有顯示出它們的本來面目。

那麼迪士尼是「真實的」假的偽造嗎？其他評論家讚賞迪士尼的創造已經完全融入環境，風格一致，自我陶醉。其中有一位就寫道：「無論從任何一個角度看，沒有一件物品看起來是假的、虛構的。是的，沒有偽造。迪士尼樂園不是仿製的東西，它是一件作品。我深信迪士尼 **沒有人造體驗這回事** 的精髓不是它的幻覺，而是它的極端的寫實主義（literalism）。」[26] 對於迪士尼主題公園，許多人（包括本書的合著者）看法不同，但是有一件事是清楚的：審美體驗本身必須是真實的，然後才能給顧客以真實的面目。

體驗豐富性

公司可以透過模糊四個領域體驗之間的界限，以提高體驗的真實性。儘管許多體驗主要集中於某一領域，其實大多數都越過了界線。比如，英國航空公司主要展示審美的體驗，全體工作人

員無微不至地照顧客人,在這樣的環境裏,客人自己無須做任何事。根據該公司接替科林‧馬歇爾爵士的執行長羅伯‧阿林(Robert Ayling)的說法,公司正在努力改進空中娛樂系統,把它們融入整個飛行的審美之中。他相信最終有更多的人將是在飛機上而不是在電影院裏看電影。他說:「長途航線,不僅作為運輸系統,也將作為娛樂系統,此類更新將逐漸增加。」❷⑦

美國運通公司(American Express)也經常在「獨一無二的體驗」(美國運通的資本化)中將審美與教育的因素混合在一起。該體驗主要提供給參加會員飛行里程獎勵計畫的顧客。❷⑧ 在一項名為「熱帶雨林—哥斯大黎加野生動物園攝影遊」的計畫中,公司邀請持卡會員加入著名的風景攝影家傑‧愛爾蘭(Jay Ireland)和喬治尼‧布拉德利(Georgienne Bradly)的攝影工作室,這是個為期五天、置身哥斯大黎加茂密的熱帶雨林的難忘攝影經歷,會員很難抗拒以下描述的誘惑:

> 在被野生動物包圍時,你將學會捕捉驚人畫面的技巧和專業祕密。從可愛的三趾樹獺到勇猛的大白鷺和滑稽的紅眼樹蛙,你有無數的機會捕捉到具有專業水準的奇特動物照片。你還能在環繞酒店的陽台上欣賞迷人的運河景色,在舒適的叢林中享受一流的美食。不管你的拍攝體驗如何,這一歷險過程肯定令人難忘。

為了使零售店更令人難忘,大多數商店的管理人員和購物商場的開發商,都在討論如何使購物體驗更愉快並具有娛樂性,但

處於領先地位的公司還將娛樂之外的其他體驗因素考慮進來。例如，新加坡的布吉斯交叉點（Bugis Junction），有一個跨六個街區的大規模娛樂和購物中心，為了讓該中心吸引外來和本地客人，設計者科羅拉多州波爾德（Boulder）的全藝術公司（CommArts）的做法是，將新加坡具有歷史意義的貿易文化融合於建築設計中，以創造出共同董事長亨利‧比爾（Henry Beer）所稱道的那種意境：「建立令人賞心悅目的建築環境，將該專案與新加坡居民的文化緊緊聯繫在一起。」

　　於是，海邊的建築、帆船、經緯儀和各種近似的要素，構成了建築設計的主題，這些極具貿易文化代表性的輝煌標誌，向客人昭示原住民布吉斯人的航海貿易史，來此購物和娛樂的客人同時接受了相關歷史的教育。同樣地，為了使安大略磨坊購物中心的零售專案更具特色，全藝術公司則是在設計馬路和鄰近街區上大做文章，以提供承襲自南加州豐富文化遺產的獨特審美體驗。該專案不再沿襲傳統做法，不再僅僅著眼於由大百貨公司進駐並銷售商品，而希望由展示大型體驗的各行各業加盟——比如說擁有30個銀幕的AMC影院、戴夫與巴斯特（Dave & Buster's）的拱廊餐館、3-D超銀幕（UltraScreen）戲院。它的側翼建築之一為史蒂芬‧史匹柏（Steven Spielberg）的遊戲工廠（Gameworks），它與「美國荒野體驗」的逃避現實體驗異曲同工。就像比爾告訴我們的：「零售業的競爭壓力，迫使我們創造出多采多姿的零售劇場，在這裏，產品轉變成體驗。」

　　最豐富的體驗包含四個領域中的每一部分，這四個領域圍繞

**最豐富的體驗會包含
四個領域的各個面向**

著框架中心的「亮點」。❷ 例如美國線上的成功，不是因為其中任何一個因素，而是來自各種體驗的組合。它允許每個成員分享篩選過的資訊，並跨越各個體驗國度之間的界線。

美國線上的總裁兼執行長史提夫·凱斯（Steve Case），在被問到將來要從網路上哪些領域獲利時回答說：「我們並不把網上服務分成獨立的領域或應用，而把它看成帶給消費者的整體體驗。這整套東西將逐漸包括某些新的領域，更多的是我們已經擁有的：多媒體遊戲、購物，以及金融服務。但是真正具有驅動作用的是整體的體驗。」❸

為設計內容豐富的、具有說服力的迷人的體驗，你不能只選擇並堅守一個領域；相反地，你要用體驗的框架（如圖2-1中的描述）作為驅動的因素，以幫助你創造性地探索每一領域中的各個面向，這些面向也許會增加你希望展示的體驗的特殊性。在設計你的體驗時，你應當考慮下列問題：

- 為了提高體驗的審美感受，應當做些什麼？審美感受就是使客人想進來、坐下和流連忘返的內心感覺。想想你能做些什麼使環境更誘人、更有趣或更舒適？你要創造一種使客人感到「自由自在」的氛圍。

- 一旦客人已經在現場，他應當做些什麼？體驗的逃避現實面可以使客人進一步地被吸引，沉浸到他們的活動之中。假如客人成為體驗的積極參與者，就應該關心如何鼓勵客

人「去做」。

- 體驗中具有教育意義的部分，就像逃避一樣，需要消費者積極參與。學習現在已廣為人們理解，它需要學習者全身全心的投入。你想讓你的客人從體驗中學到什麼？什麼樣的資訊或活動將幫助他們全心投入對知識和技能的探索？

- 娛樂，就像審美一樣，是體驗中的消極面。當你的客人感到愉快時，他們並沒有做什麼，只是對體驗有所反應（比如說盡情享受、歡笑等等）。具有專業水準的演說家往往加入一些笑話，以引起聽眾的注意，使他們能體會演說的精髓。透過娛樂的方式，你能做什麼使客人「留下來」？怎樣做才會使體驗更有趣和令人欣賞？

　　強調這些設計問題，為那些將要以體驗為基礎而展開競爭的服務提供商提供了舞台。那些沉浸於體驗世界的人，將得益於根據這四個領域進一步豐富、完善其經濟產物的過程。

　　例如，儘管美國荒野體驗為三個領域提供了舞台，但它可以加強教育意義的部分，以便進一步豐富體驗。透過玻璃屏障觀看玩耍的海洋動物實在很有意思，而荒野馳騁電影院使顧客獲得透過蛙、鷹和海豚的眼睛觀看世界的純粹逃避性體驗。客人還可以瀏覽五個加州生態系統，一個接一個地品味，獲得審美的體驗。但是這裏明顯地缺乏教育意義的融入，也就是針對舞台上的每種動物提供簡短描述，那很容易變得像在博物館那樣單調。在一般參觀的地方，並沒有讓管理員將動物公開展出以便孩子們詳細參

觀的設計，只是偶爾在校外教學的情況下，管理員從玻璃後面帶出一兩隻動物，但即使這樣，客人的體驗也不太有教育意義。令人驚奇的是，娛樂、逃避、審美融為一體的組合，創造出各種學習的需要，這是許多美國家庭參與野生體驗的主要原因。加入教育意義的因素，將使已倍受好評的體驗更受歡迎。如果一開始就有系統地探索這四個領域其內在可能性，這些缺憾就能克服。

透過探索每一種體驗的可能性來設立舞台

迪士尼俱樂部新開發的供10歲及以下小孩玩樂的體驗，具有所有四個領域混合的性質。迪士尼於1997年2月在加州的千橡市（Thousand Oaks）為這種體驗開闢了第一個新場地：獨立的建築物與普通的購物中心相鄰。在迪士尼俱樂部裏客人花錢娛樂，不管成人還是小孩，只要花8美元就能閒逛九個娛樂模式中的任何一個：迷幻森林、維尼與你、老鼠窩、叢林攀爬、米老鼠馬戲團、Applaudville劇場、人物創造、詫異迷宮、現在開始玩。（在其他地方，娛樂的組合不盡相同，以便在同樣的迪士尼俱樂部中，提供略有不同的體驗。）公司精心設計每一個娛樂場所，以實現入口處的宣言：「我們的使命是在社區裏塑造一個場所，讓兒童和他們的家長透過豐富的活動和富有想像力的娛樂，讓他們更親近。」

於是它成功了，其祕訣在於所有四個領域的融合。迪士尼俱樂部仍是迪士尼，以定期放映動畫影片為特徵，因此娛樂自然地變成體驗。但特殊的舞台也讓兒童和家長了解到這些迪士尼傑作的歷史，寓教於樂。教育更直接可行的方式之一，是每月提供的

藝術表演。在Applaudville劇場，孩子們穿著不同的服裝扮演不同的角色，這種簡單的逃避性體驗，逗樂了台下的家長們。

透過這種遊戲，不同年齡的兒童能舒適地享用同一空間。孩子和大人雖然在一起但又是獨立的。不同的事情需要大人和孩子不同程度的配合，而且每一個環節似乎都涉及到組成體驗的四個領域：迪士尼這些特徵提供了娛樂，課堂提供了教育，遊戲區提供了逃避，而內部構造、光線、聲音產生絕對的舒適審美效果。結果，許許多多的孩子和他們的父母來到迪士尼俱樂部，共同嬉戲。

再讓我們看看迪士尼是怎樣設計個人的生日體驗。派對奇境（Party Wonderland）提供各種生日晚會房間，每一個都有特殊的主題，如Pooh-rific派對、101忠狗狂歡、玩具總動員故事晚會、迪士尼公主茶會、大力士聚會等等。在每個晚會體驗中，主辦人會調節四個領域的比例讓參加者更投入。成員坐在事先準備的長椅上，以期待的心情等待聚會的開始（頗具美學意義）。一旦進入聚會的房間，慶典專家用極具娛樂性的小丑演員進行有教育意義的遊戲，這當然是要呼應聚會的主題。接下來是吃披薩，之後所有人撤退到另一間房間（逃避現實）觀看魔法師梅林（Merlin）的表演。他把孩子們帶入簡單的魔術節目，並透過水晶球再現晚會房間的特色。有一項活動不存在於這個過程中，即孩子打開他的生日禮物，為什麼？在夥伴面前打開禮物缺乏豐富的體驗（任何一個五歲孩子都會告訴你，他不願意看到他的朋友打開自己的禮物），所以迪士尼俱樂部把所有禮物放在小壽星帶回家的袋子

中，以便他們在家庭慶生會時另有一番體驗。

在迪士尼享受生日體驗的花費多少？為12個孩子和大人舉辦的晚會是250美元起跳，其中包括一小時晚會和後面的一小時娛樂，以及每個人一塊披薩和一份飲料，還有每個小孩的甜點（不包括蛋糕）。體驗的豐富性最終演繹為主辦人對即將離去的客人所說的話。迪士尼不說「祝你今天愉快」（這句問候語被服務業用濫了，無法形成難忘的交流），而說「你今天開心嗎？」因為他們認為這種問候更適合剛剛結束的事件。

只有在簡單的設計中融入所有的四個領域時，平凡之處才會變得不凡。在一段時間內，設計的體驗需要一個有品味的地方，以吸引顧客花更多的時間流連其中。今天，吝惜時間的顧客和上班族，希望在商品和服務的提供者身上花更少的時間，而這些提供者也希望這樣。最典型的例子是速食連鎖店和企業的客服中心，它們都在盡量縮短每筆服務交易的時間。其中明顯的目的是：不要花時間在這些消費者身上，這些消費者希望把時間花在其他地方。

那麼消費者願意去什麼地方呢？他們願意去值得為它花時間的地方，他們可能只是出現在那個地方，可能願意在那裏做點什麼、學點什麼，也可能願意待在那裏從中領悟到美的感受。想要理解這類地方的本質，就想想是什麼使房子變成家。維爾托·里博冉斯基（Witold Rybczynski）是蒙特利爾麥吉爾大學（McGill University）的建築學教授，他在《金窩·銀窩·狗窩》（*Home: A Short History of an Idea*）中研究了五個世紀的環境設計，從中

世紀一直談到Ralph Lauren的室內家具。

在他研究的各種文化中，他特別關注荷蘭人在「黃金年代」（Golden Age）就存在一種需要和能力，而成功地「把家定義為獨立而特殊的地方」。❸ 對荷蘭人來說，「『家』不僅意味著房子，也包括裏面和周圍的一切東西和人，以及這些所體現出來的滿足和幸福。你可以走出房子，但你總是要回家」。❷ 為了創造這樣的家，荷蘭房子的裝潢嚴格地以每個房間的用途為中心，從而定義該地方的感覺。房子外面的布置，無論是花園還是其他景觀都相對樸素，這一點與荷蘭國土的相對狹小相對應。荷蘭人的家庭建築，極富技巧地從平淡的戶外空間過渡到房內獨特的氛圍。這些宜人之處讓人感受到歡迎的氛圍，形成家人和友人交流的基礎。

任何具有說服力的體驗，其甜美之處，是將娛樂、教育、逃避和審美融入尋常的空間中，這像是一個產生記憶的地方，一個有助於創造記憶的工具。明顯不同於平淡無奇的商品與服務的世界，它的設計讓你不知不覺地進入並且想一再光顧。它的場景處處舒適，所有道具的使用必須與活動場所的功能相協調，不符合這一功能的特徵都要去除。走進迪士尼俱樂部，那裏任何事物都以娛樂遊戲為中心，任何與那種體驗不協調的東西，比如打開生日禮物，都被排除在外。結果，迪士尼為其組合增加了另一種體驗。然而，迪士尼並沒有在方興未艾的體驗經濟中占據壟斷地位，因此其他公司當然會出現在舞台上。他們也許不一定能超越迪士尼，但是他們將會提供以前各個經濟時代所不知道的體驗。

演出必須繼續

體驗必須設定主題。好的主題必須能夠改變人們對現實的感受;這可以透過影響人們對空間、時間、事物的體驗來達成;可以將時間、空間、事物整合為一體;可以用多景點布局來深化主題;主題必須與提供體驗之企業的特色相符。

　　康拉德為了哥哥尼克的生日，購買了非常特別的禮物。他發覺枯燥的生活方式使尼克感到非常無聊，於是他與消費者娛樂服務公司（Consumer Recreation Services; CRS）聯合策畫了一場相當精巧的體驗。他遞給哥哥一張CRS的密封卡片，卡片是邀請他參加「致命遊戲」。尼克一同意，就發現自己置身於一個不受控制的世界，一些有趣的人物出現，使他陷入生死攸關的局面，日常生活變成一團混亂。每當他以為事情解決了，情況又會有變化，一直到最後進入緊湊的高潮。為了這個遊戲，CRS必須提供天衣無縫的表演。包括迪士尼在內，沒有一家公司編織過如此複雜的體驗事件——舞台必須華麗，表演必須引人注目、風格一致、使觀眾投入而令人難忘。CRS是1997年賣座影片《致命遊戲》（*The Game*）中虛構的一家企業，其中，尼克由影星麥克·道格拉斯（Michael Douglas）飾演，西恩·潘（Sean Penn）飾演康拉德這個角色。然而，隨著時機成熟，這類構想終將會成為大量實際的商業活動。

　　這樣說太牽強嗎？百老匯音樂劇《吉屋出租》（*Rent*）中有一句話說：「真實的生活一天比一天更像小說了。」還有呢？電視轉播的真實的法庭訴訟，已經像娛樂節目一樣；而一些法律影集，訴訟當事人選擇名人（而非官派法官）來主持審判。欣賞一場以前的NBA賽事精彩重播，再來和現在的比賽相比，那時沒有色彩斑斕的地板，賽前奢華的燈光，也沒有氣質不凡的帥哥海報。今天的NBA帶給我們生活小說的典型——丹尼斯·羅德曼（Dennis Rodman）。如今在所有的場所，無論是修理店還是產婦

病房，每天發生的事件都可以視覺化——透過在網際網路上的展示，任何人在任何地方都可以看到。（也許真正的生活不像《致命遊戲》，而比較像《楚門的世界》〔The Truman Show〕，那是1998年的電影，金‧凱瑞〔Jim Carrey〕飾演一個不知道自己是活在電視世界裏的人。）

最終，編織體驗將會像今天的產品和流程設計一樣，成為未來商務的重要成分。體驗研究的開展如火如荼，無論是旅館或零售店，教室或停車場，領先的公司正在為隊伍的前列搭建舞台。如何推出體驗？對此仍沒有可遵行的嚴格規則，一切尚在萌芽階段；然而帶頭的企業竭盡全力去實踐和獲取成果，這是探索體驗經濟本質的一個好的開始。毋庸置疑，體驗經濟上場了！

為體驗設定主題

聽聽這些主題餐廳的名字：「硬石餐廳」、「藍調之屋」（House of Blues）、「跳水！」或「中世紀時代」，顧名思義，你可以想像進入這些場所是什麼感覺。業主藉由精心設計的主題，踏出通往體驗之路的第一步，也是關鍵的一步。❶ 反之，構思拙劣的主題不能給消費者留下深刻印象，也不能產生持久記憶。美國女作家葛楚‧史坦（Gertrude Stein）描述故鄉奧克蘭（Oakland）的名句「Thers is no there there.」，就是一個支離破碎的主題。

零售商經常不遵守原則，他們口口聲聲說「購物的體驗」，卻沒有創造出主題將不同的產品整合為一個可展示的體驗。例

如，家用電器零售商在主題方面幾乎沒有什麼想像力，每一家店都呈現排列整齊的洗衣機和冰箱，難道「電路城」（Circuit City）的建設不該有些特色嗎？

　　龐諾書店的執行長李歐納德・瑞吉歐（Leonard Riggio）是一位懂得購物體驗的零售商。當他開始把連鎖書店擴張為超市規模時，他掌握到一個簡單的主題：「劇場」。瑞吉歐意識到人們進書店與去劇場的原因相同，都是為了得到「社會性」體驗。❷因此書店的一切都圍繞著這個主題而改變：建築風格、店員的服務方式、裝潢陳列等，當然，他還增加了小餐廳作為交談、瀏覽、購書之餘的休憩處。

　　拉斯維加斯的論壇購物中心（Forum Shops），由戈登集團控股公司（Gordon Group Holdings）的謝爾登・戈登（Sheldon Gordon）構思，並與印第安納波里（Indianapolis）的一家房地產公司賽蒙地產集團（Simon Property Group）合作開發。它在每一個細節都展現出獨特的主題——一個古羅馬式的購物場所，建築的雄偉陣勢也合乎主旨：大理石地面、光滑的全白立柱、「室外」咖啡廳、真實的樹木、流淌的噴泉，湛藍的天空飄浮幾朵絨

第一步是構思一個定義良好的主題

毛般的白雲，不時還有虛擬暴風雨降臨，伴著閃電和雷聲。購物中心入口和店面都是維妙維肖的羅馬城再現。每隔一個小時，入口處的凱撒和其他古羅馬英雄的雕像都會復活並且開口說話。百人隊伍在前往凱撒宮遊樂場的路上會齊聲高喊：「向凱撒致敬！」羅馬主題甚至滲透到一些商店，珠寶店陳列著人物卷冊、匾額、古羅馬

的數字和金色的帳幕，這一切都體現了富貴的主題。在1997年，商場每平方英呎營業額逾1,000美元（一般商場少於300美元），足以證明實施體驗的成就。

華特·迪士尼關於迪士尼樂園的創意是出於他對遊樂園的不滿，因為當時充斥著年輕人喜愛的騎乘、遊戲和小吃，卻沒有任何主題使它們相關。他對傳記作家鮑勃·湯瑪斯（Bob Thomas）說：「當女兒們還很小時，週日我帶她們去遊樂園，不滿情緒已經產生。我坐在長凳上一邊吃花生，一邊四處張望。我自言自語：該死，為什麼沒有更好的地方，讓我也能享受到快樂呢？」❸迪士尼樂園的原始構想就從這裏開始，用華特自己的話說，就是製作「讓觀眾沉迷的卡通」。它發展為一連貫的主題，像亞瑟王的旋轉木馬、小飛俠的飛行、馬克·吐溫的槳船（每一樣都「與你以往在遊樂園見到的迥然不同」❹）。世界上第一個主題公園的誕生，和公園裏猶如幻想世界和邊疆樂園的主題領地，在該公司首期宣傳手冊裏稱為「娛樂的新體驗」❺。迪士尼體驗的突出主題是什麼？在該公司1953年發布的旨在吸引贊助者的計畫書中，首先以簡潔動人的主題開始，接著以誠實樸素的辭彙闡述它的內涵：

> 迪士尼的想法很簡單：這將是人們發現快樂和知識的地方。
>
> 這將是父母和子女分享快樂時光的地方，是老師和學生找到更好的方式相互了解、進行教育的地方。老一代在這裏能

捕捉到值得懷念的流逝歲月，年輕一代在這裏嘗試著挑戰未來的滋味。❻

「人們發現快樂和知識的地方」，如此美妙的畫面，很快就吸引到贊助者。在開放不到2年的時間內，主題公園的觀光人數多到沒有人可想像。

作為典型，我們來看一個在小說和電影中常用到的主題：crime doesn't pay（遲早犯人會落網；惡有惡報），簡單幾個字就說明了一切。或者再看看*Cheers*這個酒館喜劇影集的主題：「在這裏每個人都認識你」。公司推出體驗必須尋找同樣活潑的主題。當然，想要推出不一樣的體驗的公司也需要很不一樣的主題。購物中心可以選擇「走過記憶長廊」或「郊區沒有的商業地帶」；美術展覽館或溫泉勝地可對應「平淡生活中絢爛的暫停」和「關懷每種感官的現代方法」；對於銀行，「永不倒塌的堡壘」或「商業進步的泉源」比較合適；醫院可主題化為「人性化地關心健康」或「挽救希望渺茫的患者和安撫他們親人的地方」；「雜耍特攻隊」（Geek Squad）對電腦修理公司來說是簡潔適宜的主題；承諾「友善的服務」，是美孚石油公司（Mobil Oil）對他們最近將傳統小商店與加油站組合經營的解釋；「士官計畫」（Sargeant's Program）是位於華盛頓特區的健身計畫的絕佳主題，這是從「新兵營」得來的構想。

事實上，體驗主題化意味著，講故事時沒有人物的參與就不完美。❼迪士尼的主題往往來自於電影或修改過的神話故事。

「美國荒野體驗」置人們於一個10歲男孩的敘述中，他最渴望成為摩天大廈的建築師，但後來意識到他把動物忘記在畫面之外了。竹子島的主題是「玩耍、冒險、嬉鬧之島」，每個小朋友都登上神祕的竹子島，但其中兩個在大海中迷失方向，被巨大的海龜救起，並載著他們上島。在那裏，小朋友發現了 **為體驗設定主題，就是要編寫一個引人入勝的故事** 美麗的自然風光和岸邊潔淨的礫石堆。他們的任務是幫助清潔島嶼，這樣，海龜又能在島上下蛋了。❽

　　為體驗配上合適的主題是一大挑戰，一般要從主題分類著手。雖然是比較學術性一點，但是社會學教授馬克‧戈迪納（Mark Gottdiener）在他的傑作《美國主題》（*The Theming of America*）一書中定義了10種主題，這些主題對於展示體驗所進行的「環境營造」意義重大。❾它們是：

1. 地位、身分
2. 熱帶天堂
3. 蠻荒西部
4. 古代文明
5. 鄉愁
6. 阿拉伯式幻想
7. 都會情調
8. 堡壘建築與監督
9. 現代主義與進步性

10. 展現無法展現之物（例如越戰軍人紀念牆）

行銷學教授伯恩德・施密特（Bernd Schmitt）和亞歷克斯・西蒙森（Alex Simonson）在《大市場美學》（*Marketing Aesthetics*）一書中，提出9個可能找到主題的「領域」❿：

1. 歷史
2. 宗教
3. 時尚
4. 政治
5. 心理學
6. 哲學
7. 實體世界
8. 流行文化
9. 藝術

不管根據哪一條來創造，將體驗主題化成功的關鍵在於領悟什麼是真正令人矚目和撼動人心的。好的主題有五大標準，至關重要。

第一，具有魅力的主題必須能改變人們對現實的感受。戈迪納的每個主題都改變人們某方面的體驗，不管是時間、地理位置、環境條件（熟悉的／陌生的、危險的／安全的）、社會關係或自我形象。從實作、學習、停留和存在等方面創造不同於日常生活的現實，能發展出成功的主題，並創造歸屬感。

第二，透過影響人們對空間、時間和事物（matter）的體驗，可以徹底改變人們對現實的感覺。我們對停車場都有體驗，一般停車格占據一維空間，利於確認車子的位置，往往駛入時比駛出時有用。指示牌提供二維資訊，幫助人們了解何處已經停了車。然而，芝加哥歐海爾機場的標準停車場具有主題設計，提供的是三維的停車體驗，可以讓顧客在找車位時，引入能量和運動的概念。這樣，離開時就不必花時間到處找車了。

最豐富的集會地影響著對時間、空間和事物的體驗

在巴爾的摩內港（Inner Harbor）的新ESPN體驗中，人們對時間的感覺不一樣了。與普通的運動酒吧不同，ESPN區的運動主題是「一個歡呼不斷的地方」，運動迷的時間觀念隨之變化。這裏不再只播放一項比賽，而是300部電視機同時為所有的運動比賽做轉播，歡呼聲此起彼落。與迪士尼美化「未來樂園」（Tomorrowland）類似，矽圖公司的「視覺樂園」（VISIONARIUM）改變了人們對未來的感覺，而硬石餐廳則是偽造過去。

同樣地，「事物」對主題吸引力的作用不容忽視。主題意味著對大小、形狀和內容的選擇。FAO史瓦茲的「歡迎來到我的世界」，把顧客吸引到全新的玩具天地；卡貝拉和對手巴斯專門店的戶外主題，透過動物標本剝製術和其他幕後工藝，以及漸漸把獵物引向獵人的設計，展現了愛好運動人士的欲望標的；「美國荒野體驗」融合真（動物）、假（人造樹林）、虛（電影特效）於一體，創造了「在廣闊的戶外漫步」的後現代旋律。

我們再來看空間的問題。歐格登設計的美國荒野體驗主題，

需要對位置、造型、物種和物種之間、人與人之間的相似性進行深入研究，才能創造出有意義的體驗。高傲的「區域網路競技場」缺乏鮮明的主題，所以你看到的是其光禿的牆面和無修飾的擺設。與之類似的是，擁有數十億美元的航空公司由於缺乏創新，對於大部分經濟艙空間擁擠這一問題無計可施。邁克・范斯（Mike Vance）是迪士尼大學（Disney University）前任院長和創意專家，他在一次演講中提及旅行，尤其是長途飛行時隨身帶著的裝滿個人用品的包包——他稱為「思維的廚房」，其中有家庭照片、文件以及各種小飾品，他用這些小飾品裝飾椅背、餐桌和窗簾等。機組人員看見他，都會認為他有問題，而暫時忘記了這是一家缺乏主題的航空公司。❶

　　第三，富有魅力的主題將空間、時間和事物整合為相互協調的現實整體。拿神學來說，亨利・莫里斯博士（Dr. Henry M. Morris）為信仰基督教辯護時說：「宇宙不是由三個獨立主體（時間、空間、事物）綜合起來的；三者都自成一體。宇宙是三位一體，不是三個事物的綜合。空間無限，時間無止，時空的任何地方都發生著事件，作用著進程，存在著現象。三維宇宙很類似創物者的天性」。❷ 宇宙中富含故事和主題的根源。好書和好的電影如果能創造出全新的現實，就能吸引觀眾，改變所有的觀看和閱讀體驗。洛瑞餐廳（Lori's Diner）是位於舊金山的小型連鎖餐廳，它營造了真正1950年代的環境，自動葡萄酒機、彈珠檯、電話亭、統一制服的侍者。❸ 那麼，為什麼銀行營業廳、轎車出租公司、定點往返巴士、酒店和機場不能這麼做？

　　第四，多景點布局可以深化主題。「美國荒野體驗」的五個生物群落區符合這個規則，從紅杉林、山脈、沙漠、海濱到峽谷的風景變化，讓影片中的故事可以延伸下去，讓人們有馳騁之感。這種一地套多地的形式，揭示出迪士尼俱樂部和「發現地帶」的真正區別。兩者都採用「戲的變化」作為主題，但迪士尼把同一地分成九個區域，讓孩子和家長自得其樂。而在「發現地帶」，每一個

好的主題能在一個空間進行多景點布局

角落都在其他地方的視野內。能夠一眼望穿的隔網將場地分隔開來，雖然這種布局能讓父母了解孩子的行蹤，但它讓人聯想到的是戈迪納的「堡壘建築和監督」的主題，而不是一個娛樂場所。

　　最後，主題必須與提出體驗的企業性質相協調。1947年，亞瑟・魯布洛夫（Arthur Rubloff）用組合詞「華麗的一哩」（Magnificent Mile）來形容芝加哥市區沿著北密西根大街的著名商業區。這個出眾的主題，吸引了過往行人購物飲食，因此幾代人延用了它。關於主題，還有一個政治軼事：幾年前參選總統的麻州州長麥克・杜凱吉斯（Michael Dukakis）在摘下頭盔、跨入坦克車讓人拍照的一瞬間，輸掉了1988年總統大選。「勇敢的人」這一主題不適合作為候選人的他，所有選民都知道這一點。主題要與推動它的企業的特色相符才會成功，因為這樣才不會有虛偽和牴觸。

　　有效的主題一定簡潔動人。太多的細節會降低體驗的有效性。主題不是公司的使命聲明書，也不是行銷的台詞。就像聖經裏雖然沒有

主題應該和展示體驗之企業的特色相符

「三位一體」這個辭彙,但是不必當眾宣揚,就可感覺到它的存在。設計的要素和體驗事件風格統一,主題才能牢牢地吸引顧客。上面就是主題的精髓,其餘的只是輔助而已。

以正面線索使印象達到和諧

　　主題是體驗的基礎,而體驗還必須透過深刻印象來實現。所謂印象就是體驗的結果,一系列印象組合起來可以影響個人的行為並實現主題。顧客評價你的體驗時,通常這樣開頭:「讓我覺得⋯⋯」或「它像是⋯⋯」,你從而知道他們的印象。施密特和西蒙森教授再次提出「整體印象的六個面向」[14]:

1. 時間:關於主題的、傳統的、當代的、未來的體現
2. 空間:城市／鄉村、東／西(我們應當加上南／北)、家庭／企業、室內／室外的體現
3. 技術:手工製作／機器製造、天然／人造的體現
4. 真實性:原始／模仿的體現
5. 質地:精製／粗製或奢侈／廉價的體現
6. 規格:大／小主題的體現

　　體驗的精心構思者可以借鑒這些面向,創造出一些可以給人留下難忘印象的主題。要達到這一目標,空間、事物和時間三者的聯繫是必要的。

　　然而這份清單只涉及印象與主題的關係。迄今為止涵蓋面最

廣的有關印象的分類，當屬彼得・羅吉特（Peter Mark Roget）
的分類大綱。《羅吉特國際百科辭典》（*Roget's International
Thesaurus*，第4版），分成「存在」、「宗教建築」等8大類，收
錄1,042個分類條目，176個子類，該辭典收錄25萬個單詞和詞
組。❶ 這是探討精確辭彙最豐富的資源，你希望顧客體驗到的印
象，都可從中找到辭彙予以表達。

當然，單有詞語是不夠的。為了創造想要的印象，企業必須
提供線索給顧客，而且不可以有不一致的線索。英國航空的主題
圍繞在無微不至的個人服務。在談及公司如何
安排服務的各環節以合力推出獨特體驗時，科
林・馬歇爾爵士說：「在設計體驗的時候，我

**體驗必須留下無法抹
滅的印象**

們絞盡腦汁設想公司和顧客交流中產生的各種印象和感覺。」❶
因此，機組服務員不是簡單地堆放食物、飲料，接著便消失在機
尾，而是提供隨叫隨到的服務，目的是「創造與乘客之間更有價
值的個人接觸」。❶

無獨有偶地，華盛頓特區的連鎖咖啡店西雅圖極品咖啡
（Barista Brava）的創始人喬治・哈羅普（George Harrop），為加
盟店打出醒目的廣告標語：「我們經營的是顧客體驗……咖啡只
是我們所在的產業！」他強調的主題「舊式義大利咖啡店與美國
快速生活步調的結合」主導了整個設計，咖啡店的內部裝潢體現
著古老的韻味，去掉與主題不符的招牌或做法後，精雕細琢的磁
磚和櫃台布置同樣能引領顧客自動排隊。在舒適的設置中，敏捷
的服務給顧客留下不可抹滅的印象。除此之外，哈羅普鼓勵員工

熟悉顧客的面孔，記住老顧客的喜好，立刻送上。到目前為止，克里斯多夫・馬修（Christopher Mathis）保有記得住62個顧客的紀錄，因此在業界被稱為「神奇的馬修」。

1997年，阿拉馬克（ARAMARK）的校園服務部宣布開辦一家新的自助餐廳，叫做Pan Geos，行銷主管道格・馬丁尼茲（Doug Martinedes）稱之為「餐飲服務的下一個革命：滿足各種口味的市場體驗」。為了實現「新鮮的世界風味」的主題，開發小組策畫了一套名為「5F1W」的印象組合。世界各地7種美食，配合節氣閃亮（Fresh）登場，形成當天的特色。身著特別服飾的廚師，用快速（Fast）、便利（Forthright）的方式烹飪著菜肴。伴隨著色彩和香味的飄出，廚師把晚餐製作得更加個性化，照顧到每位顧客的口味，都是為你（For You）！廚師和顧客間保持愉悅（Fun）的氣氛，最後顧客打從心底發出讚歎聲：「哇」（Wow!）。一切都展示在客人面前，而不是藏在後面的廚房裏。

不同的體驗建立在不同印象的基礎上。東傑佛遜綜合醫院（East Jefferson General Hospital）位於路易斯安那州密太瑞（Metairie），在紐爾良之外不遠處。執行長彼得・貝茲（Peter Betts）和他的行政小組重新定位了「溫暖、關懷、專業」的主題，並利用各種方式向病人傳達這三個主題印象。例如，佩戴寫明職位和等級的名牌，進病房先敲門等。不光是病人，家屬、牧師和其他探望者都清楚知道台上和台下的區別，台上是指他們能夠到達的區域，台下對於他們是禁區。醫院將令人不愉快的活動（諸如

企業必須提供可以確認體驗本質的線索

輸血）和「群體討論」限制在台下，而在台上精心修飾強化主
題。最後，鑒於病人經常仰躺著活動，復健房內天花板上都佈置
了壁畫；質地各異的地板代表不同的場所（例如休息室是木質地
板，走廊和餐廳是石板，會議室是磨石子地板）。⑱

　　明尼蘇達州布隆明頓市（Bloomington）體驗工程公司
（Experience Engineering Co.）的總裁路易斯·卡邦（Lewis
Carbone），為實施創造性體驗提出了有用的建構方式。卡邦將印
象（或他所稱的「線索」）分為「機械學」（mechanics）和「人
性學」（humanics），也可稱之為無生命的與有生命的，前者的
「視覺、嗅覺、味覺、聽覺、觸覺是由各種物體——如風景、圖
像、香味、音樂、手感等——產生的；與此相對，後者的發出主
體是人，它們規範了員工在與顧客接觸時應有的行為。」⑲

　　例如在迪士尼，為了避免狂歡節帶來的糟糕環境，公司把整
潔的印象作為設計的首要目標。設計者這樣解釋他們的主旨：機
械學方面是垃圾筒總在人們視野中，人性學方面則是安排大量人
員專職撿垃圾筒外的垃圾。除了這個任務之外，他們在距離顧客
10英呎內就會進行眼神交流與微笑，傳遞「快樂」的印象。

　　在顧客心目中，每個細節都會潛移默化地
影響到主題。對建築造型的忽視，造成視覺上 **不同的體驗建立在不**
不夠賞心悅目或不協調，體驗就可能變得不夠 **同的印象基礎上**
愉快。雜亂無章和鬆散的視聽環境會使人混淆或迷惑。在前台的
工作人員提供了詳細的路線指示之後，你能否確定旅館房間的位
置呢？其實，沿途如果有清晰的標示就能解決問題。

淘汰負面因素

要塑造整體印象，僅展示正面因素是不夠的，體驗提供者還要刪除任何可能削弱、牴觸、分散中心主題的環節。在大多數建築物中，如購物中心、辦公室、大廈或機場，人們被大量無意義的枝微末節的資訊所困擾。當他們需要引導時，服務人員往往解釋不清或使用媒介不當，例如威德漢姆花園旅館（Wyndham Garden Hotel）房間裏的椅子上標有：「椅子傾斜，是為了使你舒適」。又如，認知心理學家兼工業設計評論家唐納‧諾曼（Donald Norman）指出的「一個檢驗拙劣設計的定律就是：見海報說明」。[20]它們只會塑造粗陋的印象。

看起來極小的要素也能損害體驗。在大部分的餐廳，店主輕聲對排隊等待的客人說「你的桌子已準備好了」，暗示客人會得到正常的服務，現在這句話使用得已經太頻繁，根本讓人沒感覺。然而，雨林咖啡廳的主人搭建了一個台子，他站在上面大聲宣布說：「史密斯那夥的，你們的歷險馬上開始！」如果宣布三次後史密斯家庭仍沒出現，那時店主會告知其他客人「史密斯一家掉隊不知下落，只好丟下他們了」。

體驗的表演者必須消除任何會分散主題的東西

為避免要素與主題不符，迪士尼主題公園的人員總是兢兢業業地扮演他們的角色，不越雷池一步；只有在下班後，在遊客到不了的地方，他們才會自由進行交談。許多擁有歷史遺跡的村

莊，比如麻州的老司徒橋村（Old Sturbridge Village）和普利茅斯殖民村（Plimoth Plantation），都會要求員工扮演好自己的角色（例如18世紀的農夫之類的）。而其他一些企業，例如維吉尼亞州的威廉斯堡及詹姆斯城殖民村（Colonial Williamsburg and Jamestown），他們讓身著古裝的服務人員像現代人一樣地與遊客交談，這麼做無疑會減少體驗的力度。

日常工作中穿著得體也是十分必要的。在東傑佛遜綜合醫院，所有醫護人員必須遵守「EJ著裝手冊」中規定的一套穿著標準。比如說男士必須穿襯衫打領帶，女士不能留長指甲、塗指甲油、散發過濃的香水味。「EJ著裝手冊」幫助全體醫護人員樹立了醫院的專業形象。實務經驗證明，統一的著裝十分有效，社區的居民只要看見他們的服裝，就會立刻認出他們是東傑佛遜醫院的員工。

過度的服務，尤其是把各項服務隨意拼湊起來（例如對顧客過度親密的服務），也可能破壞體驗。一個為《財星》雜誌撰稿的記者，就描述有一次旅行時沒有住一般旅館，住在特約民宿的情況：「根本不像住旅館，而像在家裏一樣。不用登記，不用結算，

太多隨意的服務會破壞了體驗

更不用為多收的電話費而煩惱（你直接在房間撥打，稍後會收到一份詳細的電話帳單）。更棒的是，沒有門僮等著向你要小費，也沒有女服務生偷溜進你的房間看電視，晚上更沒有廣告商在你的被子裏偷偷塞進巧克力。」❹ 為了給客人一種完全在家的感覺，旅館方面應該盡力消除一些不利因素，保證餐桌整潔，杜絕

著裝不整現象,安排人員在後台接聽電話,而不致打斷前台人員與客人的談話,保證門僮與女侍各司其職,只有這樣,客人才會真的有「家的感覺」。

提供紀念品

人們經常購買一些紀念品。遊客會買明信片紀念遊玩過的景點,打高爾夫的人會買繡有標誌的襯衫或帽子以紀念某場特別的賽事,為了慶祝特別的日子,愛人可能為對方挑選一張精美的問候卡,年輕人為搖滾音樂會而蒐集T恤等等。他們買這些紀念品,作為對難以忘懷之體驗的留念。

這些紀念品往往是他們個人珍藏的一部分,那些經歷往往比紀念品本身更有價值。門票的票根,就是體驗的副產品。例如你的珠寶箱底層可能就留有一些票根,或者孩子們的房間裏就有他們仔細數過、精心布置的這些小東西。但是我們為什麼會保存一些廢紙片?因為它們是一次難以忘懷的體驗的紀念:你看的第一場大聯盟棒球賽、一場非常喜愛的音樂會、在電影院一次意義重大的約會——所有這些體驗,如果沒有紀念品的話,很快就會被遺忘。

當然,那不是我們買紀念品的唯一目的,甚至不是主要的原因。很多人都喜歡向別人展示自己的體驗,並且講述自己的體驗,還有不少人可能是出於其他的原因——嫉妒。❷ 這就為商家提供了更多的機會。就像布魯諾‧吉烏沙尼(Bruno Giussani),

瑞士達弗斯（Davos）世界經濟論壇（World Economic Forum）
線上策略的召集人說的：「紀念品是一種使體驗社會化的方法，
人們透過它把體驗的一部分與他人分享。對企業來說，參與體驗
經濟就意味著吸引更多的顧客。」

　　每年用來購買這類紀念品的支出有將近上百億美元。這類商
品往往比沒有紀念意義的同類商品價格高出許多。為了買一件印
有舉辦城市和日期的正牌T恤，參加滾石樂團（Rolling Stones）
演唱會的人可能要花很多錢，這是因為紀念品不是以成本定價，
而是紀念意義決定它的價值。硬石餐廳吸引顧客不停地購買T
恤，因為每件T恤上都印著不同的硬石餐廳，由此公司獲得可觀
的收入（雨林咖啡廳也展開了這個專案，不久的將來其他的主題
也會紛紛展開）。同樣，「聲音內閣」（Ministry of Sound）這家
經營夜總會和多媒體開發的英國公司，1997年4,000萬美元的營
收中，實際上只有600萬美元來自夜總會，其餘都是透過出售紀
念品獲得的。❷

　　出售紀念品是幫助人們紀念某次體驗的一種方法，把遊玩中
使用的物品做成個性化的紀念品也是一種方法。運動主題餐廳把
客人的信用卡簽名經過數位處理後，刻在一個棒球上，而且就在
小葛瑞菲（Ken Griffey Jr.，大聯盟明星球員）的親筆簽名下面。
在好萊塢星球餐廳，客人的簽名被放在經數位處理的電影畫面下
方，並且畫面上客人會和某位明星合照——可能是阿諾‧史瓦辛
格（Arnold Schwarzenegger）或是戴咪‧摩爾（Demi Moore），
同時明星的簽名也印在上面。

第三種方法是免費贈送紀念品。佛羅里達州的麗池飯店（Ritz-Carlton）在安裝了卡式電腦安全系統後，管理者決定不要出售或扔掉這463支舊門把，而把它們送給老主顧——並在每一只門把上面雕上古典的麗池獅子和皇家勳章，製成別具特色的書鎮。在超過6,000位顧客中，誰的「麗池體驗」最能打動人，就能得到一個門把。限量供應的門把成為參觀麗池的紀念品。當

紀念品的價格是依其紀念意義而定的

然，麗池希望今後能有更多這樣的活動，顯然活動對顧客的誘惑力比賣門把的收入更有價值。

最後，第四種方法就是開發一種全新的紀念品。例如，位於印第安那州貝次維（Batesville）的希倫布蘭德產業（Hillenbrand Industries），就為喪葬業設計了一種新型紀念品。其設計理念來自於殯儀館製作的供人瞻仰用的紀念板（memory boards）和其他服務。失去親人的人一般都要保存他們的畫像，希倫布蘭德曾經為保存這些畫像花了很大工夫，現在他們可以透過一套系統來為客製的畫像處理、拼裝、列印，還可以把畫像製成光碟和紀念冊，送給這些失去親人的家庭。

希倫布蘭德產業的畫像服務，只是他們所提供的體驗的一部分；他們也可以提供家人、朋友、同事一套自助式流程，創造他們自己的紀念方式。該計畫的發起人蓋瑞·博尼（Gary Bonnie）說：「我們提供的是能夠喚起人們美好記憶的、對生命意義的體驗，所有的舊照片和其他紀念物都不過是展示體驗的道具，而畫像是這套體驗服務的產品。我們服務的真正價值在於，人們在我

們所設計的整個過程中的獨特體驗。」因此，無論人們買不買畫像，希倫布蘭德都會針對這整套體驗收費。

透過合理的舞台設定，任何行業都可以和銷售其他商品一樣銷售紀念品。如果說服務業（例如銀行、雜貨店、保險公司）沒有發現顧客對紀念品的需求，那是因為他們沒有提供任何使人們覺得值得紀念的東西。一旦這些行業設計了一些比較有意義的活動，顧客自然會購買紀念品作為紀念（如果顧客不需要，可能是因為那活動太差了）。例如，從事電腦維修的「雜耍特攻隊」就提供一項有特色的服務，顧客可以透過它的網站購買帶有公司標誌的西裝別針。假如航空公司真的實施體驗服務，就會有很多乘客願意挑選一些商品作為留念。同樣，房屋抵押貸款單也可以做成紀念品，雜貨店的收銀台前也可以擺一些物美價廉的紀念品，或許保單也可以重新設計一下。

重視給顧客的感官刺激

隨著體驗而來的感官刺激應該支援和加強它的主題，該項體驗越能有效地刺激感官，就越不容易讓人忘記。聰明的鞋匠用加入香料的鞋油和脆的碎布擦皮鞋，其實香味與聲響並不能使皮鞋更光亮，只是這種香味和聲音刺激了人的嗅覺和聽覺。有經驗的髮型設計師用各種洗髮精和化妝水不只是為了造型的原因，而是使髮型設計的過程中有更多可以感覺的東西。同樣，聰明的麵包師把烤麵包的香味排放到人行道上。更有一些廠商在推銷他們的

商品時，用聲、光製造暴風雨的效果，以增強人們的感官刺激。實際上，增強感官刺激的最簡單方法就是：用食物、飲料來刺激味覺。龐諾書店就發現在店裏供應咖啡，會讓顧客在其中停留更長的時間，從而售出更多的書籍。

羅素‧維隆在俄亥俄州亞克朗市創立的西點市場，是一家專門供應特產的商店。德州A&M大學校長曾經把該市場形容為「一個五彩繽紛、充滿創意，有著甜餅、胡桃等眾多誘惑的世界」。❷他引用西點市場公共關係部經理凱伊‧洛（Kaye Lowe）的話說：「我們並不介意顧客品嘗。一些顧客每到週六就會來轉上一圈，到處嘗嘗。維隆有一句名言是：『進來看看，好好聞聞，四處品嘗一下。』」❷

有效的感官刺激能使人們對體驗印象更深，從人類一出生就存在這種現象。以餵養嬰兒為例，有天晚上，只有11個月大的伊萬‧吉爾摩把媽媽的手推開，不吃餵給他的東西。於是爸爸考慮再三，就像很多家長一樣，沒有把湯匙直接從瓶口送到嘴邊，

一種體驗越是充滿感覺，就越值得記憶和回憶

相反地，他把湯匙拿開兩英吋並在空中來回晃動，經過一番即席表演後，湯匙停下來，這時伊萬原本緊閉的小嘴張大了，想吃飛過來的食物。

不管你相不相信，這個飛行遊戲就可以說明把一項普通的餐飲服務轉變成一種餐飲體驗的本質：設計恰當的感官刺激體驗，表達欲吸引客人的主題。同伊萬一樣，任何與「飛行的食物」、「安全著陸」有關的主題，客人一定會感興趣。經營者應該摒棄

一些傳統的想法（就像強迫伊萬「把飯吃下去」那樣的做法），而努力開發一些讓人難以忘懷的體驗活動，想一些吸引顧客的主題。為了強化對霧的感覺，雨林咖啡廳的經營者就有效地刺激遊客的五官：你首先會聽到嘶嘶嘶的聲音，而後見到霧從岩石上升起，掠過皮膚時有輕柔涼爽的感覺，最後，你會聞到熱帶雨林特有的清新氣味。沒有人不被這種景象迷倒，而這只是簡簡單單刺激了人的五官而已。

有時單單強調某一感官，就可以增強體驗。克利夫蘭200週年紀念委員會（Cleveland Bicentennial Commission）在一處靠近夜景區、稱為「公寓」（Flats）的地方，花了400萬美元讓8座跨越蓋雅荷加河（Cuyahoga River）的鐵路公路兩用橋發光，但是卻沒有人願意花錢去看一下，甚至是橫越這些被照亮的大橋。後來這些具有神奇光影的建築物，成為當地旅遊業的支柱，因為當地政府據以開發了夜間觀光的旅遊專案。

同樣地，有時一種簡單的感覺會使活動變得更糟。比如說現在到處可聽到的磁帶錄音——電話留言、市場上的錄音叫賣、上下公共汽車時的到站提醒、坐飛機時教你如何繫安全帶、甚至住旅館時把你叫醒。人們很快就厭煩了這種單調乏味的聲音，因為語音公司沒有利用有創意的方法提供此項服務。這裏，我們可以試一下第2幕介紹的四種領域的體驗。能不能使機械化的聲音有點幽默感呢？能不能不是通知你而是教育你呢？能不能把機械的動作換成充滿幻想的體驗呢？能不能讓這些聲音有點藝術性而吸引顧客

有時單單強調某一感官，就可以增強體驗

繼續聽下去呢？

　　展開此類專案的企業，應該雇用懂得如何刺激感官的技術人員，❷ 同樣也應該掌握建築與音樂的基本知識。這不僅是為了設計建築物、選擇音樂的需要，而是為了創造有意義的感官體驗（將來，旅館中取代影音技師的應該是「感官專家」）。但是，並不是所有的感覺都有利，有時把一些感官刺激重疊在一起會有反效果。龐諾書店發現濃濃的咖啡香與新書的氣息相得益彰，但是 Duds n' Suds 卻因為把酒吧和洗衣店開在一起而破產，酒味與磷酸鹽的味道當然很不搭調。

　　想進入體驗產業的公司，應該按照以上的原則展開體驗。首先你必須讓所要表達的主題和圍繞主題展開的體驗更明確。大多時候，公司應先列出顧客喜愛的各類體驗，然後再確定主題，把體驗串連起來。接著挑選最能表現主題的體驗，並將體驗的數目控制在可管理的範圍內。最後再對每一個體驗進行細緻的研究。當然，公司應該對每個體驗對五官的影響進行細緻的分析（視覺、聽覺、味覺、嗅覺、觸覺），保證不要給顧客過多的刺激。活動的最後還可以發放紀念品，使這種體驗能夠長期保存在顧客的記憶中。

許多體驗展示者都是從一連串印象開始，然後才開發主題

　　當然，上面介紹的只是一些理論上的方法。但是，那些開始進入這一行的公司，將會是悄然興起的體驗經濟的領導者。

你屬於哪種產業，要看你針對什麼收費

在向體驗經濟過渡的轉型期，會經歷一些和早期工業經濟轉向服務經濟時相同的變化。在體驗經濟初期，企業往往是為了銷售現有商品或服務而加入體驗的成分，而從工業經濟向服務經濟的轉化，則始於公司為了更容易銷售商品而提供售後服務，早期的IBM公司正是這樣做的。一些服務商已經開始慢慢認識到顧客對體驗價值的重視，並開始使核心服務帶有體驗的色彩。

> 當你為了銷售現有的產品而附贈體驗時，轉型就開始了

但是，不知是有意還是無意，他們仍然沒有對體驗進行收費，比如說在一家主題餐廳，前來體驗的客人只需為其消費的食物付錢。

克萊斯勒（Chrysler）的產品展示店裏擺放了各式各樣的轎車和貨車，參觀者可以了解到克萊斯勒和汽車的共同發展史，也可以親眼目睹讓人眼花撩亂的概念車，玩一玩模擬的賽車遊戲，聽聽從不同發動機發出的聲音，還可以在道奇（Dodge）的韋帕（Viper）車型前面合影留念。店經理告訴我們，克萊斯勒開設這些展示店就是為了在一個沒有強迫、沒有買賣的環境下，把克萊斯勒的優質貨車和轎車完全展示給消費者。當我們建議他對進入展示廳收費時，他急忙說：「那還得了！如果收費的話，顧客就會認為他們有權利要東要西的。」其實，收費正是要鼓勵顧客主動參與。

　　一筆生意最終可以定義為：生意是為了獲取收入，而為了獲取收入，你必須決定以何種理由收費。如果你不明確要求顧客為某特定經濟產物付費，你就不是真正在銷售某種經濟產物。對於體驗來說，就代表顧客要支付入場費。如果你比競爭對手更能吸引顧客的感官注意，那意味著顧客偏愛你的產品，如果你不因此而收費的話，那你的體驗就不是一種經濟產物。你可能為你的服務設計了十分精采的體驗活動，但是就像音樂廳、主題公園一樣，你沒有明確的收費，只是為了吸引顧客進入，❷那麼你並不是在從事一項體驗經濟活動。❸

　　可能是因為擔心、不確定或有疑慮，你打消了收費的念頭，但收費仍然是開展此類經濟活動的標準。你應該問問自己：如果要收取入場費，我們還可做些什麼不一樣的嘗試？經過這樣的思考，你會發現何種體驗最能吸引客人。底線是：只要你還在免費贈送體驗，你的體驗就不值得付費享有。

　　電影院的經營者認為他們從事的電影放映業，理應是顧客付錢觀賞電影，但是進入電影院要不要付錢呢？吉姆・列克（Jim Loeks）是密西根州南野（Southfield）一家名為明星電影院（Star movie theatre）的共同所有者，他宣稱：「進入電影院的價格應該和看一場電影一樣。」如今，明星電影院每年向300萬遊客收取的入場費，比當地競爭者的電影票收入高出25％，就因為他們開展了以趣味屋（fun-house）為主題的活動。列克這麼說：「我們創造了一個十分優雅的環境，人們每週都想來。」隨著65,000平方英呎的餐廳與商店的建立，明星電影院將不管觀眾是

否看電影，都要收費了。㉙

　　一些零售商也開始提供類似的服務。當你
下次到「更有型」（Sharper Image）和「布魯
克史東」（Brookstone）（這兩家零售商都是提

除非你收取門票，否則你並不是真正在銷售一種體驗

供一個場所，使顧客能夠把玩一下最新的高科技設備），不妨觀
察一下店裏來來往往的人。許多人都沒有想到能夠用一用，更不
必說擁有這些平時不可能擺放在家裏或辦公室的東西。但是注意
一下，在這兩家店，很多人都在使用神奇的高科技產品，聽迷你
的 Hi-Fi 播放機，躺在按摩椅或按摩床上享受，然後不花一分錢
就離開。他們不用為他們重視的價值（體驗）付費。㉚

　　像這樣的一套設施可以收入場費嗎？目前，只有少數人會願
意花錢只為了進到店裏，光靠入場費當然不足以支撐店面的日常
開支。但如果「更有型」公司決定收費後，這會「逼迫」公司提
供更優質的體驗以吸引顧客，而且是經常性的體驗。而所經銷的
商品也必須常常變化，可能是每天一變，甚至是每小時一變。透
過示範、展示、競賽等多種活動方式，把商品展現給顧客，使他
們沉醉於商品世界裏，從而銷售更多的商品。

　　那麼「耐吉城」（Niketown）是如何做的？「耐吉城」裏展
示以往各代的耐吉鞋，還展示運動員穿著耐吉鞋的《運動畫刊》
（*Sports Illustrated*）封面，同時還有半個籃球場。一篇針對芝加
哥第一家耐吉城的報導說，耐吉城「建造得像一家劇院，顧客就
像參與製造過程的觀眾。」㉛透過這些旗艦店，「耐吉城」期望
樹立自己的品牌形象，以促進耐吉鞋在各地的銷售。

那「耐吉城」為什麼不明確地收費呢？如果收費的話，「耐吉城」就應提供更富有挑戰性的活動。例如：在籃球場上舉辦籃球賽，和NBA的退役明星單挑，或者與WNBA的隊員一較高下，最後每人可以購買一件標有日期和比分的「耐吉城」T恤，拍一張戴有冠軍戒指的照片。對以往體育明星的發掘，將會把「耐吉城」變為一個具有教育和娛樂雙重意義的互動舞台。經過機器的特殊處理，每位參觀者都看起來像老虎‧伍茲（Tiger Woods）一樣，他們還可以對著答錄機大喊：「我是老虎‧伍茲！」「耐吉城」體育明星還可以向人們講述他們的光榮歷史，充當臨時教練，或者發送簽名照片。

你的體驗將不值得花錢購買，除非你不再免費奉送這些體驗

我們很清楚，「耐吉城」可以透過收費，在每小時內取得和迪士尼一樣的收入。總的來說，收費會對吸引新顧客造成難度，卻容易讓顧客再度上門。此外，收費還有另一項好處，比如說主題餐廳，想盡辦法要顧客再度上門，收費就可以改變消費者對商品、服務的總體評價。如果，餐廳只想從餐飲的部分回收成本，那麼顧客很快就會對免費的體驗部分習以為常，卻開始抱怨餐飲太貴了，那怎麼還會再來呢？透過收費，顧客會正確地評估他的每一種消費──商品、服務和體驗，並認為合情合理。

迪士尼在主要景點之外開設的專賣店，經營得不甚理想，除了背景播放的迪士尼影片之外，它的商店和普通商店一樣，沒有什麼特色。人們還把這一失敗歸咎於迪士尼未曾收取門票，因為進去店裏不用花錢，結果──迪士尼只是提供了逛街的場所，並

沒有讓人體驗到一場神奇的探險。後來，迪士尼在建築和裝修上花了很大的心血，比如說曼哈頓城中的旗艦店，一進入店裏就像來到迪士尼樂園一樣，但是整個環境卻很不協調。商場裏面的電梯，無論從裏外看起來，都像一座雪城的入口，但是電梯裏播放的搖滾樂卻與中世紀的背景不搭調，員工只顧著四處聊天。可能這些都不是迪士尼的初衷，也可能是執行方面做得不夠好，但是這種經營狀況就是因為沒有進行必要的收費造成的，當然也有損迪士尼的品牌形象。

對商店的某一部分先進行收費也是不錯的做法。分佈於新英格蘭地區的4家「喬丹的家具」建造得就像遊樂場一樣，巴里和艾略特·泰特爾曼（Barry and Eliot Tatelman）兄弟為顧客免費提供這些體驗。但是他們在麻州 Avon 的另一家店，卻是要買門票才能玩「太空機器」（Motion Odyssey Machine）。遊客在那裏可以玩過山火車、失控卡車等等。巴里說：「現在每一椿事業都是娛樂事業。」

在徹底的體驗經濟時代，我們將會看到，不管是零售店還是購物中心，都要對進入商店購物的顧客收費。❸ 實際上，這樣的店已經存在了。比如說，迪士尼的主要對手環球影城對「城市漫遊」（City Walk）收取門票（以停車費的形式收取），就像在納許維爾（Nashville）的奧普蘭德旅館（Opryland Hotel）一樣。還有明尼蘇達文藝復興節（Minnesota Renaissance Festival）、加州的吉洛伊大蒜節（Gilroy Garlic Festival）、加拿大安大略的基次納—滑鐵盧十

不僅是零售店，購物中心也將收取門票

月節（Kitchener-Waterloo Oktoberfest），以及一大票事實上只是露天購物中心的節日慶典。消費者發現這些慶典是值得付門票參與的，因為主辦單位以引人入勝的主題，展示了獨特的體驗，然後在顧客購物之前、之後和過程中，透過展示一些豐富的活動來抓住顧客。

在明尼蘇達文藝復興節中，遊客必須付費才能進入商店購物。遊客發現這些店真的值得花錢逛一逛，因為業者都提供了具特色的服務和有意義的活動，這些都有效刺激了顧客的購買欲。英俊的騎士和美麗的少女會引導遊客到明尼亞波利斯外圍的、占地22英畝的亨利國王和凱瑟琳王后的王國一遊，你可以按照王國導覽圖參加一整天的慶典活動。穿著文藝復興時期服裝的魔術師、雜耍人、歌手、舞蹈家，都吸引遊客駐足觀賞，不僅是遊客本身，還有他們的同伴，身邊每一個人都玩得非常開心。活動中使遊客感興趣（而且可以運用到任何體驗上）的有：

- 各時期的示範表演（例如製作盔甲、吹玻璃、裝訂書籍等）
- 工藝品DIY（擦拭銅器、製作蠟燭、書法）
- 備有獎品的遊戲、競賽（射箭、巨大的迷宮、雅各布的梯子）
- 人力或動物（不用電力的）拉車（大象、小馬和四輪雙人座馬車）
- 食物（火雞腿、蘋果布丁、佛羅倫丁冰塊）

- 飲料（啤酒和葡萄酒，還有蘇打水和咖啡）
- 表演、慶典、遊行和各式各樣的狂歡（魔術、木偶、比武，某些項目會額外收費）

更不必說文藝復興主題商店裏銷售的文藝復興時期的工藝品——珠寶、蠟燭、陶器、玻璃、樂器、玩具、裝飾品、植物、香水、壁畫和素描，以及類似畫像的服務了，離開時每位遊客肯定都拎著一大包東西，不然就是在別的店裏把錢花個精光。

但是對經營者來說，這樣的活動並不能支應他們全年的支出。例如文藝復興嘉年華，在每年的8月中旬到9月末這段時間舉辦，由於活動週期較長，遊客不可能經常來。但是如果合理地利用場地和設施，經常變換活動的主題，那麼就會吸引遊客不斷地前來。就像劇院知道如何吸引觀眾經常來看戲一樣，涉足體驗經濟的公司應該懂得如何開展豐富的體驗。

你認為人們會瘋狂到花錢去體驗在當地商店購物的感覺嗎？想想過去，二次大戰後，當美國經濟開始復甦的時候，復員的美軍開始在郊區買房子、買新車、購置廚具。如果你告訴那些人，將來一般家庭都會花錢請別人為汽車加油、為孩子做生日蛋糕、幫忙洗衣服、除草，而且這些現在看起來很普通的服務都要收費，他們一定會說你瘋了。或者設想一下幾百年前，你告訴農夫往後幾個世紀人們將不再親自種田、建房子、狩獵、伐木，甚至不再自己製作衣服和家具，他們也會說你瘋了。

經濟進步的歷史是由對過去免費的東西收取費用而構成的。

在全面的體驗經濟時代，我們將摒棄以前的做法，不再只靠自己，而會去體驗新奇的事物，越來越會花錢請企業為我們展示某些體驗，就像我們現在要為企業提供的商品和服務付費一樣，這些商品和服務過去曾經是由我們自己生產的：我們曾經自己為自己送貨取貨，自己為自己製造產品，自己為自己提煉加工初級製品等等。

對體驗收費並不意味著要停止原來的商品和服務（儘管一些公司真的會放棄出售他們的低檔品，轉而提供更高檔的服務，例如電信公司為了大力推展無線服務，不再銷售手機，而會對申請使用服務的顧客免費贈送手機）。迪士尼公司從停車、餐飲、紀念品銷售和其他服務中也獲得極大的利潤，但是如果沒有趣味橫生的體驗，沒有主題公園，沒有卡通、電影、電視節目，那麼一切將不復記憶，也不會發展出這許多人物角色。迪士尼也是從提供低檔的服務和商品開始，逐漸變成頗具規模的迪士尼樂園的。在體驗經濟時代，體驗推動著經濟成長，也會衍生

經濟進步的歷史是由對過去免費的東西收取費用而構成的

對商品和服務的基本需求。所以你可以去開發可展示的體驗，而且是具有魅力的體驗，讓你現有的顧客願意購買門票去體驗它，然後再為你的服務額外收費，因為它們如此迷人；或者他們也想購買你的商品當做紀念品。這樣，你就不僅是在跟隨迪士尼，而且是在跟隨明尼蘇達文藝復興節、美國荒野體驗、竹子島以及一批已經進入體驗經濟的企業的成功軌跡。

同樣的原理適用於B2B企業：為它們的顧客展示體驗，會驅

動顧客對目前商品和服務的需求。在這類企業的經營中，與購物中心最相近的是商展——一個尋找發現的地方、一個學習了解的地方，而且如果滿足了某一需求，就會成為購買商品和服務的地方。商展的舉辦者已經收了門票（而且定價可以再高，如果他們展示更好的體驗），單一企業同樣可以。如果某一企業設計了值回票價的體驗，那麼顧客將樂於付費，以購買這種體驗。

在B2B的背景下，芝加哥的鑽石技術夥伴公司（Diamond Technology Partners），以一種被稱為「鑽石交易所」（Diamond Exchange）的體驗取得了商業上的成功。所謂鑽石交易所體驗，是指每年舉辦三次的聚會，由管理階層和「研究人員」（高層合作夥伴以及外部權威，包括從電腦先驅亞倫‧凱〔Alan kay〕到芝加哥大學經濟學和心理學教授馬文‧佐尼斯〔Marvin Zonis〕），❸ 其間，該公司的「知識領袖」會帶頭探討「數位化的未來」，研究其對客戶公司的影響。❹ 鑽石交易所的主管瓊卡‧繆伊（Chunka Mui）將這種聚會描述為「高層管理人員與部分世界頂尖的策略專家以及在技術、營運和學習方面的專家之間的一種長期對話」。

現有和潛在的客戶樂意支付每年上萬美元的費用，參加鑽石交易所的活動，其中的簡單道理就是他們從這種公開展示的活動中了解

在 B2B 的情況下，應當在顧客所需之處展示體驗

——新的視野、自我發現的樂趣以及積極的互動的確是有價值的。再者，它是在一種非銷售（公司在活動中嚴禁任何招攬客戶的行為）的氛圍中展示一切。該公司大大提高了它獲得顧問工作

的機會，並幫助會員進一步探索他們所學到的東西。

　　是否每一家公司都能夠收取門票呢？不，只有那些類似「鑽石交易所」或「迪士尼俱樂部」的企業，設計出能夠涵蓋所有四個領域的豐富體驗（即娛樂的、教育的、逃避現實的和審美的）而設立適當的舞台，並且只有那些使用前面所述的原理來創造具吸引力、值得記憶的體驗的企業才能這樣做。收門票是最後的步驟，首先你必須設計出值得人們付費購買的體驗。

讓你也參與進來

商品客製化之後，會自動轉變為一種服務；而服務客製化之後，可以為顧客帶來積極的體驗。想要利用體驗經濟超越對手，首先要客製化你的商品和服務。

　　還記得你上一次在飯店、修車廠或機場碰到的非常糟糕的服務嗎？在很多情況下，這樣的遭遇使我們一輩子都記得這家公司，也成為社交場合的絕佳話題。我們經常忘記優質可靠的服務，但偶爾的不幸卻刻骨銘心。在服務上栽跟斗的公司發現：讓顧客記住自己公司的最便捷途徑，就是提供特別糟糕的服務。

　　想確保提供糟糕的服務其實很簡單：不管顧客是誰，不管顧客需要什麼，都提供一樣的服務。自從服務提供商發現「大量生產可以大幅降低成本」後，顧客就一直享受到這種「待遇」。更

要把服務轉變成一種體驗，提供糟糕的服務即可達到

糟糕的是，衝擊製造業的商品化力量正在衝擊服務業。服務提供商改造他們的客服中心，強制減少通話時間、精簡已經忙不過來的一線員工以節省固定成本。結果如何呢？員工與顧客

接觸的時間少了，服務品質也降低了。不管顧客所需，一味強調降低成本，這些公司正在將自己商品化。對於明顯糟糕的服務，顧客又有什麼理由支付更高的價錢呢？

　　但是相反的原理也是正確的：為顧客提供客製化的服務會給顧客帶來一種正面的體驗。當然，客製化並不是根本目的，其根本目的是為公司創造一種獨特的客戶價值。當一種產品滿足以下條件時，基本上可以認為它提供了獨特的客戶價值：

- 特別針對每一顧客——在特定的時點為顧客提供需要的服務
- 針對顧客的特點——設計符合顧客需求的產品（儘管其他

　　顧客會有相同的需求而購買相同的產品）

- 只為某一顧客——不試圖提供過多或過少的服務，而是顧客恰好需要的服務

　　當一家公司能提供這種獨特的客戶價值時，它就比那些強加給顧客一成不變的商品和服務的公司多邁出一大步。

　　例如克利夫蘭的先進保險公司（Progressive Insurance）為理賠人員配備了裝有個人電腦、衛星連線以及其他所需設備的廂型車，以有效應對意外事故的索賠。當在其他公司還需等待很長時間才能安排好時，先進保險公司的索賠者早已拿到支票和一杯咖啡（如果需要的話），在廂型車裏的沙發上休息，並可以透過理賠員的手機安慰家人。先進保險公司將理賠服務客製化，他們的服務超越了索賠者的預期，同時滿足了索賠者在物質和感情上的需求。

客製化服務可以是一種展示正面體驗的好方法

自動升級

　　商品的客製化也有同樣的效果——商品客製化後會自動轉變為一種服務。讓我們看看通用營養中心（General Nutrition Center; GNC）設計的「GNC美好生活」模式。該模式是針對那些可能攝取不足或過量維他命的顧客而設計的。透過對訂購維他命、健身運動、營養補充品以及相關器材的客製化，GNC從單

商品客製化後會自動轉變為一種服務

純出售一系列營養產品，升級到充分滿足顧客在營養、休閒、健身方面的特殊需求。例如，顧客在購買Custom VitaPak時，會看到一本小冊子，上面有9種基本組合，每一種對應不同的生活方式（如針對時常外出旅行者的「重新上路」，針對老年顧客的「55歲更有活力」等）。顧客可以根據自己的情況選擇與自己最接近的組合。

接下來，銷售員會向消費者介紹，針對所選組合，GNC建議補充4~7種維他命，然後銷售員帶領消費者一起變更1~2種維他命，有時甚至從頭再來一次，直到這一組合恰好滿足消費者的需求。銷售員將顧客的選擇結果輸入電腦，檢查一下是否有超過推薦劑量的。不一會兒，顧客可以走到一部機器前，在那裏他可以目睹自己訂購的維他命從一個大密封罐裏流出、灌裝、密封，最終變為每月所需的30個獨立包裝，並且每一包裝上印有顧客的姓名和選擇資訊。GNC記錄下每一顧客的資料，以備每月在需要的時候重新灌裝並經由優比速（UPS）快遞給顧客。

現在，讓我們以傳統上區分商品與服務的角度來考察GNC的Custom VitaPak。商品對匿名顧客都是標準化的，而服務是為每一顧客量身訂做的；商品是需要儲存的，而服務是根據需求隨時送達的；商品是看得見摸得到的，而服務是無形的（GNC的服務就帶有這種性質）。所以，儘管賣的是以實物形式存在的維他命，但是銷售Custom VitaPak意味著一種服務。GNC的很多服務都能做到客製化，因此這家公司的經營是占有優勢的。實際

上，最早設計出GNC營養品商店雛型的理
查·拉科斯基（Richard Rakowski）——位於
康乃狄克州南諾瓦克（South Norwalk）的「新
典範創業」（New Paradigm Ventures）公司的

想要藉體驗經濟而領先，首先要客製化你的商品和服務

主管——告訴我們：「今天的顧客非常注重體驗，給他們提供個
性化服務——就像他們在熟悉的肉鋪和麵包店購物一樣。這是我
們設計任何東西的首要考量。」

如圖4-1所示，當商品和服務客製化以後，它們的經濟價值
遞進就自然而然地升級。（對那些可加工的產品來說，這樣的價
值提升是不會發生的，因為產品的物理狀態不會因此而發生變
化。）因此，當一家企業能提供與顧客的需求最接近的產品時，

圖4-1　向上升級的經濟價值遞進

就能從為數眾多的同類競爭者中脫穎而出，也就提升了相對的價值，同時可以向顧客索取相對的高價。想要藉體驗經濟而領先的公司，必須馬上客製化他們的商品和服務。

大量客製化

GNC和先進保險公司大量客製化其產品，大量客製化意味著，在當今激烈競爭的環境中，有效地滿足顧客的特殊需求，為他們提供物超所值、充滿個性化的產品。❶ 當然，暫時性的客製化，也就是每一次都得決定如何更改操作，這也可以達到同樣的效果，但是成本太高了。那些想同時充分利用大量和客製化的公司，必須將商品和服務模組化，這樣可以有效地生產標準模組，同時可以因應不同顧客的不同需求搭配起來，就像GNC的Custom VitaPak。

要理解模組化，想像一下樂高（Lego）積木。用積木可以搭成你想要的任何東西，因為我們有不同大小、不同形狀、不同顏色的積木。簡單精緻的標籤和插孔，很容易將它們組合起來。模組化結構由兩個基本元素——一套模組和一套連接系統——組成，使得大量客製化得以實現。❷ 在GNC的Custom VitaPak中，標準的維他命丸是模組，而灌裝方式則是連接系統。

大量客製化，就得將商品和服務模組化

像先進保險公司這種需要大量客製化服務的公司，不是用具體的成分，而是用流程模組來建構它們的模組化結構。讓我們看看一家管

理服務公司——阿拉馬克（ARAMARK）的健康護理服務部
門。它們設計了一個叫綜合服務（INTERSERV）的軟體，可以
協助醫院提供客製化的、整體化的、非臨床的服務。阿拉馬克公
司與它的顧客合作設計了特定用途的流程模組，可以用於飲食
（包裝以及菜單分配等等）、配給（包括病人的轉運和清理車等
等）、維護（各種工具）、環境維護（清潔以及傾倒各種廢液）
等。公司的代表和顧客將醫院以往採用的過於專業化且功能單一
的工作模式，改造成客製化的、整體化的、模組化的服務。最
後，健康護理服務部門和醫院聯合培訓了多技能的工作團隊（包
括來自阿拉馬克或醫院的人員，通常是兩邊的工作人員都有）。

當地的阿拉馬克資源中心有一個資料庫，詳細記錄所有成
員、所有模組以及哪些成員可以執行哪些模組的情況。它還進一
步將流程模組劃分為可計畫的、不可計畫的和可中斷的、不可中
斷的。這使得醫院工作人員既可以事先安排任務，也可以在任何
需要的時候安排任務，比如，將某個病人送到X光中心去。一旦
需要，資源中心的程式立刻判斷哪一位具有所需技能的小組成員
正在執行可中斷的任務，而且距離目的地最近，該小組成員收到
資訊後立刻前往執行這一更緊急的任務。❸ 就這樣，阿拉馬克根
據不斷變化的需要即時調整，有效地支援醫院，給患者提供更好
的服務。

除了模組化結構，大量客製化仍需要一種環境模組，包括兩
種基本元素：一種設計工具，將顧客需求與公司的能力匹配；一
種經過設計的互動，在其中企業展示一種設計體驗，可以幫助顧

客決定自己的確切需求。如果沒有這種模組，潛在顧客將會被模組的太多種組合而搞昏了頭。像資源中心的軟體、GNC的Custom VitaPak說明小冊子等設計工具，一方面可以改變產品以滿足顧客需求，另一方面卻妨礙了顧客確切表達自己的需求。1990年代初，明尼蘇達州貝波特（Bayport）的窗戶製造商安德森公司（Andersen Corp.）設計了一個叫做「知識之窗」（Window of Knowledge）的多媒體設計工具，幫助經銷商與顧客打交道。這個軟體可以讓顧客用超過5萬種的零件來設計窗戶，並可以觀看自己的設計結果（該軟體設計了非常美麗精緻的房屋背景，讓每一位客戶都忍不住發出「哇塞」的讚歎）。

可是，單單提供一種設計工具是不夠的。安德森公司的成功不僅是因為培訓經銷商如何使用「知識之窗」，他們同樣重視經銷商與顧客的互動。幾年下來證明，受過良好訓練的經銷商業績成長了20%，那些不肯接受這項工具或不肯接受培訓的經銷商業績甚至出現下滑。安德森公司的成功在於其工具的易用性：顧客可以毫不費力地從無數種組合中進行挑選；如果真有那麼多真實的窗戶出現在他們面前，顧客會覺得這種互動的方式實在是令人難以忍受。

只有在組合情況比較少的條件下，公司才可能展示所有的組合供顧客選擇。這樣一種「巨型功能表」未必會讓人不愉快。實際上，透過檢索功能表和目錄的方式可以創造一種獨特的客戶價值。比如海角天涯公司（Land's End）就在他們的目錄中加上有顏色的可供標示的書籤，這樣客戶在進行購買前的檢索時，就很

容易找到他們的標記。

第二種互動的方式是「逐步發現」，就是在各個片段的目錄中，逐漸找到想要的組合。採用的方式除了檢索還有填入式功能表、選擇矩陣以及類似安德森公司採用的設計工具，甚至是廣為人知的「繳白卷」（blank sheet of paper）。在GNC提供的Custom Vitapak中，公司採用的是給出列表以得到方案輪廓的做法，但是只能滿足那些需求超出所列維他命配方範圍的消費者。如果客戶想進一步深究，「GNC美好生活」的店裏還提供電

公司可以揭露、展示或隱藏所有商品與服務的組合

腦，讓客戶查詢他們要購買的維他命的詳細資料，比如製造商關於產品療效的說明。類似這樣的設計工具，為客戶提供了尋找適合自己需要的組合的機會。

第三種也是最後一種互動方式，是在顧客面前特意隱藏那些設計工具。為什麼？因為顧客需要的是「獨特的客戶價值」，有時並不想參與太多決策過程的細節。就像阿拉馬克資源中心的環境模組結構，醫院就不參與即時決策。阿拉馬克用這一設計工具準確地回應醫院需求，而不必打擾醫院員工或患者。先進保險公司稱為PACMAN的先進自動索賠管理系統，採用一個隱含的對賠償進行調度的設計工具，不會因為那些細節而打擾了本已不安或者剛剛平靜下來的索賠者。理賠人員將原本令人討厭的互動變成一種愉快的體驗。

對這些公司而言，大量客製化意味著將體驗價值呈現在顧客面前。它們找出現有大量生產的商品和服務的不足，辨認顧客的

特點，創造了模組化結構以滿足顧客的特殊需求，最終設計出環境模組結構，透過客製化大大提升了經濟價值。所以，它們現在已經超越了商品和服務，而為顧客提供他們真正需要的。

顧客到底需要什麼？

大多數公司還是不肯大量客製化他們的商品和服務。他們透過供應鏈管理，藉由多種經銷管道提供多樣化的產品，讓顧客自己去判斷。製造商堆積了大量存貨，服務提供商以過多的人員和供應品來因應龐大的潛在需求。這毫無疑問增加了成本，提升了操作的複雜性。

更糟糕的是，顧客想找到自己所需的產品簡直像大海撈針。實際上，增加產品多樣性可以使少數顧客精確地找到他們所需的產品，但是必須花費大量的選擇時間。這種代價其實一點也不小，好比從一般超級市場近35,000種商品中進行選擇。相當多的顧客找不到自己真正所需的東西，而一次又一次地在創造著糟糕的體驗。

面對分類日益細緻的市場，根據潛在的而又不確定的需求的預期，生產盡可能多種類的商品，這種做法被認為是固守大量生產模式的商家所使用的最後絕招。多樣化並不等於客製化。多樣化是指先生產出多種類的產品，多管道地推向顧客，期望顧客挑中它們，以滿足潛在的但不確定的需求，這可以看做是大量生產對日益分化的購買需求的因應。而客製化是指根據顧客的特殊需

求而生產。我們常見的現象是，企業生產繁多的產品後就大步走開，從不幫助消費者迅速完成漫長的挑選過程，使消費者在這個決策過程中不用太費力。基本上說，顧客不希望作選擇，他們只是想獲得他們真正想要的。一個設計良好的互動工具，可以不費力氣地獲取顧客的特定需求。要提升經濟價值遞進，不管是從商品到服務，還是從服務到體驗，公司必須利用互動工具來獲取顧客的特殊需求。

> **顧客並不想選擇，他們只想獲得他們真正需要的**

公司必須將顧客的需求資訊及時反映到生產上，以實現那種有效地因應需求而進行的生產，將傳統的供應鏈轉變為需求鏈。切記，客製化意味著為每一個顧客在他需要的時刻提供需要的商品和服務。儘管大量客製化服務需要較大投資，開發必要的產品、流程、人員、技術等，但最終成本卻與大量生產相當，甚至更低。

以赫茲租車公司（Hertz Corporation）的頂級黃金計畫俱樂部（#1 Club Gold Program）為例。他們告知顧客該服務每年花費50美元，第一年免費，但可得到相同的服務，只要每次經過檢票口時告訴司機顧客的姓名即可。然後顧客在黃金區域下車，在那裏可以看見自己的名字出現在一個大顯示幕上，指引顧客找到自己的車。當顧客走近汽車時，發現行李箱會打開，以方便放置行李。顧客還會發現在車內的後視鏡上掛著個人協定，他的姓名赫然出現在協定上。如果氣候需要，他可以打開汽車的空調。從顧客進入車中並報出姓名的那一刻起，赫茲才嚴格按照顧客的

**企業應當按他們添加
的價值而不是他們的
成本來收費**

特殊要求去做。赫茲公司發現，他們的這種體驗提供方式比提供標準化服務要節省成本，這也是他們不收第一年年費的原因（這在普通人眼裏是錯誤的）。公司只應該就增值部分收費，並且，藉由會費公司可以提供更好的出租汽車體驗。

當然，決定客製化的商品價格不是一件容易的事，哪一部分需要客製化？哪一部分仍然標準化（比如赫茲一例中的汽車）？供應鏈中哪一部分客製化會讓顧客最心動？哪兒才是獲利的關鍵所在？另外，模組化和環境結構設計在有效創造顧客體驗中究竟有多大作用？

要回答這些問題，許多公司求助於顧客滿意度，或者「顧客回饋」等調查技術來蒐集資訊。它能有效蒐集顧客的一般需求資料，但對於公司如何將商品大量客製化就無能為力了。畢竟顧客滿意度調查是為了預測市場，而不是針對單一顧客的需求與滿意度。很少有公司會仔細審視顧客的特別需求，他們只是設計易於表格化處理的問卷調查，挑選幾個所謂的能夠代表顧客整體的個人做調查，但由於沒有深入考察顧客的特殊需求，而且每一個填表的顧客並不能直接受益，這樣的做法並不是十分有效。

進一步說，很少有顧客滿意度調查涉及到填寫者本人的特殊需求，更多的是採用預先擬好的類別讓顧客給該公司評分（預先定義好等級標準），經理人實際上得不到所需的關於顧客特殊需求的寶貴資訊，因為大多數問卷都是這樣的：我們公司做得如何？一家航空公司的問卷甚至有這樣的標題：「幫助我們再造我

們的航空公司」，這樣的做法要麼高估了普通顧客的影響，要麼低估了企業再造的性質。

一種更難忘的衡量標準

正如J. D. 鮑爾及合夥人公司（J. D. Power & Associates）的戴夫・鮑爾三世（Dave Power III）所說：「顧客滿意值就是顧客期望值與顧客體驗值之差。」❹換句話說：

顧客滿意值＝顧客期望值－顧客體驗值

顧客滿意值的衡量，實際上強調的是了解和管理顧客對公司既有產品的期望，而忽視了顧客的真正需求。所以他們必須了解另一概念：「顧客犧牲」（customer sacrifice），即顧客真正期望的與勉強接受的之間的差距：

顧客犧牲＝顧客真正期望得到的－顧客勉強接受的

一旦理解了顧客犧牲，我們就必須辨別顧客接受的和顧客真正所需之間的差別（儘管有時顧客自己都無法清楚解釋）。

當公司採用全面品質管理（Total Quality Management; TQM）以提升顧客滿意度時，也必須採用大量客製化技術來降低顧客犧牲值。TQM透過減少浪費、解決瓶頸等措施來解決大量生產中的浪費；大量客製化則是要降低生產非顧客所需產品的可能性。TQM使產品更適合所謂的「普通」顧客（實際上是不存在的），

這也正是顧客犧牲的根源。不管產品如何更新改進，但有一點不會變的是，它對所有的顧客都是一樣的。不同顧客對於特色和優點的組合是大不相同的，他們經常面對取捨，並試著判斷有利的部分是否大到足以容忍小的損失、抵銷不利的部分。公司提供的產品很少能和顧客的真正需求吻合，所以一旦顧客購買了自己不需要的產品，也意味著公司的生產浪費。好比錄影機和攝錄放影機，製造商總是添加一些額外的功能，好讓人們認為是最新的。類似的事情經常發生：在旅館裏，你會發現每間客房有熨斗和燙衣板，其實100天當中有99天用不著它；在飛機上，你會發現空服員經常推著滿載餅乾、蘇打水之類食品的小車逕自回廚房（一件也沒有賣出）。

為一般顧客進行的設計是顧客犧牲的根源

為「一般」顧客而設計產品是顧客犧牲的根源，每一種大量生產的商品都具有這樣的特點：「要麼接受，要麼放棄」。類似地，很多組織時常談論的「為顧客設計」，其真實含義是「為『一般』顧客設計」（而「一般」顧客根本不存在）。在人們沒有弄清這一真相之前，「為顧客設計」只是浪費資源生產了非顧客所需的產品而已。

讓我們看看航空公司，顧客犧牲幾乎發生在每一個航班上。❺舉個簡單例子：前面提到的飲料車。當飛機到達一個安全而舒適的高度時，服務員就會推著小車問你：「需要什麼樣的飲料？」百事可樂的死忠顧客自然會要百事可樂，但聽到的卻是：「可口可樂可以嗎？」自己的需求無法實現，顧客一般都只好點可口可

樂。一次、兩次、三次……在該航班上,不斷地進行同樣的提問和回答。久而久之,消費者就會直接要可口可樂,而不是他最喜愛的飲料。因為飛機上沒有他喜愛的飲料,所以消費者「學會了」要求替代品。只有在這個時候,航空公司做到了他們所謂的「滿足客戶需求」。(當然,有些航班上提供的是百事可樂,那麼可口可樂的愛好者們就蒙受損失。)

　　對航空業者而言,有剛才那位被犧牲的乘客,就意味著有需求常常被滿足的另一位乘客,因為他的需求一直都得到滿足。但在這不完美的顧客滿意度底下有這樣一個機會,航空公司可以將普通的航班服務提升為值得記憶的事件:這是一次使顧客經歷更少犧牲的機會。在每一次提供商品和服務的互動中,雙方都有機會學習;結果是:其中一方透過學習而改變行為,不幸的是,這一方通常是顧客,他們開始要求一些不是自己真正需求的東西,不然就是放棄。

較少的顧客犧牲,會把一種普通的服務轉化為值得記憶的事件

減少顧客犧牲

針對「一般」顧客設計產品,是導致顧客犧牲的根源。
可以採用四種客製化途徑:協作性客製化、適應性客製
化、裝飾性客製化、透明性客製化,來有效減少顧客犧
牲,並創造獨特的客戶價值。

　　一些商務專家都建議調整顧客（強迫他們降低期望值），使他們接受略遜一疇的商品及服務，如果這樣的調整不會使客戶非常不滿意的話。但是這就是「商品化」的前奏。正由於過分強調公司面對客戶需求的內部成本，這種「他們不會介意」的想法，使公司在實踐中不可避免地導致顧客犧牲。同時，這種想法也會帶來更高的成本，因為無法確定顧客需求，所以在有機會減少浪費時無從下手。

　　英國航空公司就依照個別顧客的喜好，不僅對於飲料，還包括食物、雜誌及其他設施進行專門的設計，就是將力量集中於顧客的體驗。英國航空公司從1998年開始，使用工業邁特馬蒂克國際公司（Industri-Matematik International）開發的全新軟體系統，為服務全球160個機場超過1,200條航線，調整它旗下超過300個供應商的服務方式。下一步是，下載高價值顧客的個人偏好資訊，並依據他們的偏好提供適當的機上服務。正是這樣一種符合大量客製化的精髓——百分之百滿足顧客需求——的做法，英國航空公司不僅將服務調整為面向個人體驗的方式，而且降低了營運成本。這是怎麼做到的？其他不說，減少裝載多餘的飲料、食物及其他物品，就可以降低一些燃料消耗。透過這些方式把需求鏈連結起來，英國航空公司每年可以節省500~800萬美元，而且在第一年相關投資就回收了。這還是在他們認識到個人體驗可帶來收益之前。❶

尋找獨特性

當公司可以有效地透過客製化，為顧客提供他們確切需要的專門服務時，對顧客就不再需要設定所謂的標準化商品和服務。如果你的公司不這樣做，你的對手就會迅速而且永遠地將你的事業破壞掉。但是早期的工作人員時常發現，透過許許多多「我們做得如何」的表面調查，很難確定客戶的真正需求。情況確實如此，客戶的體驗沒有得到充分滿足已有很長一段時間，以致他們對自己的確實偏好都很難描述出來，哪怕是向他們解釋「犧牲」的概念之後，絕大多數的消費者也難以說明他們勉強接受的和他們真正期望的之間的差別。

一些持懷疑態度的人以這些困難為由，認為消費者不能作為新思路和技術創新的主要考慮因素。上述消費者的問題，其實並不是因為客戶不知道自己需要的是什麼，而是因為他們一直以來都接受公司提供的商品和服務。人們往往習慣於回答他們所收到的問題，其實他們的答案可以成為他們需求的準確描述，同時對公司大量生產的思路來說也有非常重要的作用。作為「移情設計」（empathic design）這一觀點（從消費者自身的環境條件中觀察他們）的支持者，哈佛商學院教授多羅西・李奧納多（Dorothy Leonard）和傑佛瑞・雷波特（Jeffrey F. Rayport）指出：「有時，消費者太習慣於供應商提供的產品和服務，以致他們並沒有想到要尋求新的解決方法，即使在他們真正的需求根本未得到滿

足的情況下。」❷

**重新審視你所進行的
研究，尋求獨特性**

傳統的研究方法，諸如焦點團體、「未來」劇情設計、聯合分析，當然還有市調，對於確定消費者的犧牲情況仍是有效的手段。放下你正在進行的研究吧（那些致力於尋找客戶的一般共性的工作，只會得到客戶共同而且是預先的期望），透過那些可以反映出客戶以往沒有察覺、或者誤以為並不重要的犧牲的手段和方法，用全新的眼光去審視他們的個性。有時候，甚至一個簡單的客戶互動都可以為業者提供重要的線索，幫助確認由於設置過多（或過少）商品給客戶帶來的犧牲，否則，業者仍會對此渾然不覺。結合特定的情形，那些被認為是「局外人」的人，也可能指出「一般」消費者無法明確說明的犧牲。

公司還必須設計一套探索消費者行為方式的全新系統，用「你的真正需要是什麼」來取代很少涉及客戶滿意程度的「我們做得如何」。舉個例子，密西根州特洛市（Troy）的空氣閥門製造商羅斯控制公司（Ross Controls），要求他們最好的客戶（汽車製造商、材料處理機器製造商等等）與工程師（被稱為「整合者」，因為他們將公司各個獨立的職能如開發、製造、行銷等結

**網路空間提供了理解
顧客犧牲的新領域**

合起來）一起工作，以設計出能明顯改善客戶生產線績效的專門空氣閥門系統。透過關注客戶由於現有生產線的狀況而蒙受犧牲的情形，工程師從模組庫先製造出一個空氣閥門系統的原型。如果這個原型系統不能完全滿足客戶的需求，他們就做調整，而得到下一個

系統。通常這樣的過程會重複3~4次，甚至更多次，直到為客戶客製化的系統可以消除所有客戶蒙受的犧牲。最後羅斯將這個ROSS/FLEX服務上網，以降低共同設計的成本，並讓更多的客戶把它加入自己的閥門系統的設計過程。❸

　　網路空間，因為它與生俱來的互動性，提供了理解顧客犧牲的全新空間。電子郵件本身就是一種與客戶交流、獲取他們犧牲狀況的非常理想、便宜的手段。舉例來說，在麻州柏林頓（Burlington）的犀利新聞公司（NewsEDGE，前身是Individual, Inc.），就為他們公司的客戶客製化了一份線上新聞、報導、出版物的資料庫，涵蓋超過1,200個主題。個人用戶可以建立一個客製化資料清單，從20,000條左右的文章清單中選出十來篇與他們最相關的文章。

　　這個例子描述的，就是客戶由於儲存、瀏覽和閱讀與自己需求無關的文章而犧牲的情況。為了消除這種犧牲，犀利新聞公司會提供收費服務，幫助客戶建立自己的資料清單，過濾掉不相關的資訊。在此基礎上，每一兩個星期，依據清單將資料分為與客戶最相關的、有些相關的和根本不相關的。與其他公司提供的一成不變的服務方式相比，該公司的訂戶可以持續收到非常相關的資訊，也使得犀利新聞公司達到80~90%的相關程度的目標，也就是只有10~20%的犧牲發生。如果公司要達到100%的目標，那麼訂戶就會蒙受「第二類」的犧牲，他們讀到的資料數量將大大減少，因為大量的資訊會因為達不到公司的軟體系統要求而無法發送。❹ 犀利新聞公司這種透過客製化使客戶蒙受更少犧牲的

做法，可以建立與客戶之間堅實的聯繫。

建立學習關係

互動科技的迅速發展，包括電子郵件、網頁、電話、上線服務、傳真還有全球資訊網，使現在的公司可以迅速了解他們為數眾多的客戶和數以百萬計的潛在客戶的需求和偏好。將大量客製

大量客製化和一對一行銷就產生學習關係

化和行銷學者唐·派普斯（Don Peppers）和瑪莎·羅傑斯（Martha Rogers）所說的「一對一行銷」結合，就形成了「學習關係」的基礎，同時這種學習關係會不斷成長、深化和精確。❺ 客戶向公司提供的越多，就越能得到自己需要的恰當商品和服務，同時競爭對手也就越難將客戶挖走。即使競爭對手也意圖建立相同的關係，但因為客戶已經置身於和原有公司的相互學習關係中，他們還得花大量的時間和精力去告訴競爭對手那些原有公司已經知道的內容。這就是為什麼ROSS/FLEX的客戶對公司如此忠誠。通用汽車（General Motors，該公司精於選擇供應商並向他們施壓）的一個資產達200億美元的部門，從不購買其他公司的空氣閥門系統，也不允許合作廠商隨意離去。奈特工業公司（Knight Industries）的總裁小詹姆斯·紫古羅尼（James Zaguroli, Jr.）說，當有競爭者想爭取和他們合作（取代羅斯）時，他會告訴這些競爭者：「我們為什麼要選擇你呢？你的產品比羅斯的落後了五代！」

實際上，建立這樣相互學習關係的大量客製化的學習曲線，就像圖5-1顯示的。不像以往的邊際成本曲線，產量越大，成本越低，在這裏，顧客犧牲隨著與公司互動時間的增加而減少。❻

圖5-1　新的學習曲線

顧客犧牲

互動的數量

我們再來看犀利新聞公司，當一個訂戶開始選擇犀利新聞公司的時候，所獲得的文章可能只有30%是相關的，也就是說有70%不相關的資訊——這是這條學習曲線一開始的顧客犧牲。當讀者向公司回饋資訊之後，相關性不斷上升，同時犧牲也就越來越少。當達到曲線平坦段的時候，犧牲就只有10~20%了（相關性達到80~90%）。

現在你想像自己是這個資訊服務的訂戶，這時出現了犀利新聞公司的競爭者，它和犀利新聞公司功能相當，可以搜尋同樣的資源，用同樣的方式傳送文章資料，甚至同樣地獲取回

當一家公司和它的顧客產生互動時，犧牲就會減少

饋，可以隨著互動時間的增加提高相關性，完全和犀利新聞公司一樣。你會選擇它嗎？絕不會！你要花好幾個月的時間告訴這家新公司犀利新聞公司已經知道的資訊，同時還會失去在這期間因為更換服務而沒有收到的相關文章。

用這樣的方式，企業就可以（在名義上）永遠擁有他們的客

戶，這有兩個附帶條件：第一，公司不會過分提高服務收費或是
削減服務品質；第二，公司不會錯過下一次技術進步的浪潮。
（例如，只透過傳真來提供服務的公司，如果不將他們的傳送機
制轉移到網際網路上，就只能面臨倒閉。）這種學習關係方式的
優越性，在以下幾個方面明顯改善了公司的運作基礎：

- 可以提高價格。因為你提供的是為客戶量身訂做的服務，
  你的客戶獲取高價值之後，將會付出相應的高價格。

- 減少折扣。當你向客戶銷售打折的商品和服務時，實際上
  會使客戶遭受更多的犧牲。他們的犧牲越少，你為促銷商
  品所需的折扣就越少，甚至根本無需折扣。

- 單一客戶的收益提高。因為你比所有的競爭者更了解你的
  客戶，客戶就會頻繁地回到你這裏購買商品和服務。

- 客戶數量增加（取得成本更低）。當你的客戶發現他們的
  體驗是如此的愉悅之後，他們會告訴朋友、夥伴，這些人
  中的大多數就會加入你的服務。這樣的過程不斷重複，客
  戶自然越來越多。

- 更強的留客能力。客戶告訴公司越多關於他們的需求、喜
  好，他們就越不容易被相同程度的競爭對手挖走。

最重要的是，那些有計畫地消除顧客犧牲──消除關係中的
負面因素──的公司，等於提高了顧客使用他們商品和服務的體
驗，這樣就彌補了大量生產所造成的不足。

針對各種犧牲做回應

　　大量客製化，是要回歸「每個顧客都是獨特的」這條真理，這是在大量生產同質性商品的世界中經常被忽略的；而且應該以顧客願意支付的價格提供他們真正需要的東西。顧客曾經為了一個較低花費的標準化商品而放棄自己的獨特要求，但是這種情況不會持續下去。企業必須有效而且有系統地減少因為提供標準化商品和服務而導致的顧客犧牲，這些標準化的商品和服務往往是為「想像的群眾」設計的。顯而易見的是，不會存在一

應該以顧客願意支付的價格提供他們真正需要的東西

種「放諸四海皆準」的策略可以使所有的顧客都減少犧牲──因為那和大量客製化的原則相矛盾。實際上，有四種類型的犧牲值得注意，每一種都使顧客對公司商品的整體消費體驗產生負面影響，要消除任何一種，都要採取不同的途徑。

　　要回應個別的顧客犧牲，大量客製化可以改變（或不改變）其實際產品──產品的功能或服務的規模。同樣地，廠商可以改變（或不改變）產品的形象──描述、包裝、宣傳材料、裝配、使用條件、名稱，或任何外在於商品和服務的事項。（正如公司的基礎結構取決於產品本身，而外部的環境結構取決於其形象一樣。）如圖 5-2 所示，這些策略的組合構成四類不同的商品客製化途徑：協作性（collaborative）、適應性（adaptive）、裝飾性（cosmetic）、透明性（transparent）。每一類都可以減少一種顧客

圖5-2 導向四種客製化途徑的四種顧客犧牲形式

犧牲,從而提供了某種特殊體驗的基礎。❼

協作性客製化:探索式體驗

第一種顧客犧牲,是源於消費者被迫要作困難的、「二選一」的決定。比如,長／寬、複雜性／功能性、或資訊的數量／品質。一旦這類問題太難取捨,人們就被迫投入那些客製化的公司——諸如GNC美好生活、安德森、羅斯控制以及犀利新聞。這些公司都採用協作性客製化的方法,透過廠商和客戶的直接互動決定客戶的需求標準,然後提供他們需要的商品。協作性客製化使消費者找到獲得他們想要的商品的途徑,無需因為在不同的標準之間選擇而犧牲。

犀利新聞公司的客戶無需為了尋找一篇想要的文章而收到很多文章,隨著收到的資料越來越少,他們閱讀文章之相關性不斷地增加,甚至可以看到自己提供的回饋資訊是如何改善了情況。羅斯控制公司的客戶無需耗費漫長的時間等待專門的設計,取而代之的是,他們透過ROSS/FLEX系統提供的趨於完善的原型進行持續的探索。安德森公司的客戶不用等到房屋蓋好後才看得到窗戶的樣子,他們可以在選擇了安德森經銷商提供的多種可能方案

之後，透過電腦螢幕看到最終的結果。許多知名企業──個人電腦界的戴爾、保險界的哈特福（Hartford Insurance）、牛仔服飾的李維（Levi's）、教科書的麥格羅希爾（McGraw-Hill）等不勝枚舉的例子──都以協作性客製化減少顧客犧牲，因此在消費者面臨眾多不必要的選擇時藉機成長起來。協作性客製化的最終結果就是：一種全新的設計體驗。

想像顧客正在選擇一副眼鏡。很少有人能透過一排又一排置滿不同款式眼鏡的貨架，輕易找到自己滿意的款式。因為協作性客製化，日本的一家眼鏡商巴黎三城（Paris Miki）透過與顧客的互動，可以找出恰好符合需求的眼鏡。這家位於東京的公司，是全世界最大的眼鏡零售商之一，它花了五年的時間開發出Mikissimes設計系統，在美國被稱為眼鏡裁縫（Eye Tailor）。這種設計工具能減少顧客因需要察看眾多選擇而犧牲，同時將設計的互動轉換為探索的體驗。配鏡師首先製作客戶臉部的數位照片，透過照片，Mikissimes系統分析出不同的特徵資訊。系統同時參考客戶想要的戴上眼鏡後的樣子（老式的、傳統的、自然的、運動型的、優雅的等等）；然後，系統推薦一款別致的眼鏡，確定尺寸以及形狀，並且在客戶的數位照片上顯示出來。但是，這僅僅是探索的開始。接下來，

協作性客製者與客戶一起確定他們所需要的商品，並為客戶生產出來

配鏡師和客戶一起合作，不斷地調整眼鏡的尺寸和形狀（旋轉、放大，甚至用滑鼠創造出新的曲線）直到雙方都滿意為止。同樣地，他們透過從眾多的選擇中產生不同的鏡架、結合點以及鏡

腳，直到客戶找到自己需要的樣式──與客戶的要求完全吻合。最後一步，配鏡師將客戶戴上這副眼鏡之後的圖像展示出來（最重要的是，客戶要拿到自己的客製化眼鏡只需約一小時）。

　　協作性客製者和客戶一起工作，以改變最初產品的展示模樣，然後當客戶找到他們需要的產品時，就為他們製造出來。客戶和客製者共同決定最後創造出來的價值。這種客製化的過程取消了一些過程中的控制，允許顧客直接參與決定過程，甚至一些設置工作。正如GNC公司行銷長葛瑞格‧洪恩（Greg Horn）說的：「我們的店面體驗，將客戶融入他需要的產品設計過程中，這遠遠超過任何其他方式。」那些在大量生產的商品經濟中似乎無可避免的取捨，都會隨著消費者對自己獨特需求的探索而消失。理想的結果是，除了獲得他需要的商品之外，消費者還會發現他原先不知道的需求。

適應性客製化：實驗式體驗

　　當客戶面對太多成品或太多組合，因而不得不經歷漫長的選擇過程時，用戶蒙受的第二類犧牲就發生了。這時，公司應該採取適應性客製化途徑。在這種情況下，無論是產品本身還是產品包裝形象都不會因為客戶而發生改變；反之，客戶透過商品或服務中可以客製化的功能，客製化他們需要的商品和服務。

　　假如客戶需求的範圍有很大的可能性，就必須採用某種形式的適應性客製化。例如，賓州庫柏堡（Coopersburg）的朗臣電氣公司（Lutron Electronics Co.），就允許客戶主動調節各種燈光

（開關、調光器等等）。除了制式的建築物，比如連鎖餐廳之外，每個客戶的環境都是不同的，❽形狀、裝飾以及每個房間窗戶的設置都各有不同。同時，氣候也無時無刻不在影響著外部的光線狀況，其他因素則包括房間使用者的組成和使用的方式。所以，當朗臣與客戶合力從事某些工作（比如說配色）的時候，就採取這樣的適應性客製化：讓客戶在他們自己的環境中——比如辦公室或家中——體驗燈光系統的正式效果。例如，公司的格拉菲克視覺系統（Grafik Eye System）可以編制不同的室內燈光組合效果，讓消費者測試諸如歡樂聚會、浪漫溫馨、安靜閱讀時的感受。他們並不是提供那種一成不變的燈光效果，而是讓消費者有足夠的時間，調整出自己需要的效果。以後客戶每次要使用房間，只要輕調一下就能得到想要的效果。

當消費者在大量的選擇或者組合方式中挑選，以取得想要的設計效果或功能的時候，協作性客製化仍然是有效的方式。當可供選擇的方案可以實際成為產品的時候，適應性客製化就是很可行的方案，因為可以提供各種可行的選項供客戶實驗，這種測試過程本身就是一種體驗。例如明尼蘇達州明尼亞波利的選擇舒適公司（Select Comfort），設計並製造了裝置有自動系統的床墊，該系統可以根據躺在床墊上的人體輪廓自動調節充氣結構。透過一個手持的遙控器，使用者可以調節軟硬程度，夫婦使用者甚至可以調整各自床墊一側的感覺。類似的還有伊利諾州艾凡斯頓的豆莢船公司（Peapod），這是一家線上食品配銷公司，它消除了消費者在商店裏疲於瀏覽眾多商品而蒙受的犧牲。它的軟體和線

適應性客製化提供了一種可讓消費者自己調整的產品

上服務系統可以讓消費者根據自己的一個或多個消費清單，選擇自己需要的品項。這些購物清單一段時間不使用會自動取消，同時不經常購物的消費者可以透過不同的備選方案（比如價格、品牌以及營養成分）獲取購物資訊。

透過適應性客製化，消費者自主地獲取他們需要的價值。可調整的裝置、比如朗臣電氣公司的燈光設置、選擇舒適公司的遙控調節、豆莢船的軟體，都允許客戶透過自己的親身實驗變換組合方式。一旦實現了理想的目標，消費者在購買商品和服務時就無需再在眾多的方案裏進行選擇。正如朗臣電氣董事長，也是燈光控制微處理器的發明者喬爾·斯比拉（Joel Spira）所言：「開發出適應性控制，將我們和競爭對手明顯區隔開來，我們的做法使消費者更舒適、更容易選出適合他們的設計組合。」這種不同於協作性客製化的大量客製方法，同樣也創造出獨特的客戶價值。❾ 這種客戶與產品的互動可以調整的本質，更提升了尋找這種獨特價值的實驗動力。

裝飾性客製化：滿足式體驗

當消費者不是因為商品的功能，而是因為商品的外形（包裝、呈現方式、送貨時間和地點）而有所犧牲的時候，公司就應採取裝飾性客製化。這第三條途徑，在我們稱之為外形造成的犧牲的基礎上，為不同的顧客提供不同標準的商品或不同的服務。產品本身並非客製化（如協作性的情況）或可客製化的（如適應

性的情況），為顧客提供的包裝是專門為每一個消費者設計的。透過客製化的方式來處理商品的外包裝——包裹、宣傳材料、遞送方式、個人標籤、以及其他特殊要求——每個客戶都會有一種自我滿足的體驗：這是「只為我」設計的。

赫茲的頂級黃金計畫俱樂部就是一例。儘管它按照客戶需求客製化的只是每一輛出租車的外觀，車子本身沒什麼改變，但仍然獲得消費者的肯定，因為每一次這種客製化之後的外觀都清楚地表明公司對消費者的重視。同樣地，加州門羅公園市（Menlo Park）的奧斯丁─詹姆斯（Austin-James），創造出一種簡單但非常有效的設計工具，可以在T恤、帽子、背包或任何需要的地方進行客製化的圖案設計，例如標誌、圖像或圖片等等。透過該公司的漢斯T恤製造軟體（與漢斯〔Hanes〕這一著名的T恤製造商合作開發），消費者可以在家裏設計個性化的T恤。這一軟體展示T恤的影像以及可供加入圖片的空間。接下來，軟體引導客戶選擇一幅或多幅圖片（從公司提供的文件夾或用戶自己掃瞄的）和其他的加入圖案（包括字體、顏色以及字體組合效果等等選擇）。在整個過程中，客戶可以看見他們設計的作品透過數位化工具而變化，直到符合他們的需求。該軟體將設計的方案透過印表機輸出到一種特殊的紙上，然後，很快就可以照此燙製自己需要的T恤了。非常快，非常簡單，非常「我」。

> 裝飾性客製化為不同的客戶展示不同標準的產品和服務

在B2B的競技場中，惠而浦公司（Whirlpool Corporation）成功地改進了它的隔日配送流程，稱為品質快遞（Quality

Express），由它的惠而浦、廚房助手（KitchenAid）和羅普（Roper）三條標準生產線來創造獨特的客戶價值。最初，經銷商可以預訂他們需要的任何數量的電器商品，只要能夠裝滿一貨車；這意味著經銷商不能告訴消費者他們訂購的商品何時可以運到，因為還要看其他的客戶訂購了什麼、訂購了多少。現在，公司為每個分公司每週提供1~5次的固定配送（由他們每一年的銷售數量而定），並且有效率地配送經銷商所需數量的商品。（這得益於一套純熟的運籌系統，將製造公司、地區代理商、地區經銷商以及運輸工具透過即時系統聯繫起來。）在此基礎之上，因為品質快遞每天都在送貨，惠而浦就使用這一服務滿足那些在訂單安排之外有特殊需求的客戶，努力使每個經銷商都感到滿意。品質快遞同時為這一服務加入個人化的客製成分，比如在新家的場合，身著制服的司機會幫忙開箱，重新調整開門方式，並且在貸款完成前安裝好製冰機。司機甚至可以透過行動電話聯繫經銷商，看他們是否已經做好準備了。

對於很多公司來說，裝飾性客製化為他們提供客戶個人化的體驗建立了良好的起點。在他們產品的基本功能保持不變的同時，裝飾性客製化讓客戶對不同外觀形式的要求獲得滿足。業者可以延遲開展一些本來是出廠前的工作，使得這些工作正好在客戶的眼前進行，使客戶覺得這是為他們安排的。惠而浦資深營運執行副總裁拉爾夫·海克（Ralph Hake）如此描述品質快遞：「當他們看見貨車從公路上駛來，享受到每一個為他們設計並在他們面前展示的專門服務的時候，我們可以親眼看到我們提供的

價值何在。」無論是電器公司的配送、T恤上面的圖案、或是個人化的租車服務，這一客製化都滿足了我們每個人自我的需要。透過對標準化商品展示方式的客製化，商家給予客戶個人化的關照。

透明性客製化：規避式體驗

最後，當客戶不得不重複做同一件事或提供同樣資訊的時候，他們蒙受了一再重複的犧牲，這些不得不完成的事情干擾到消費者，降低他們的整體體驗。這時透明性客製化就發揮作用了，它的含義是，給每一顧客提供客製化的商品，而且不讓顧客明確地知道（透過展示的變化）這是為他們客製的。

化學總站公司（ChemStation）是一家工業清潔用品的製造、經銷商，在很大範圍內為客戶提供了透明性客製化服務。它的清潔用品針對多種用途，從洗車廠、貨車倉庫到餐廳廚房和造紙廠的清潔都有。它並不是像一般一樣仔細陳述各種清潔劑的不同成分和功能，以滿足用戶的每一個清潔需求，而是心照不宣地陳述對每個客戶的特定服務組合，然後將每一個客製化的服務都稱為「化學總站解決方案」。每個客戶收到的公司貼在容器上的標籤甚至都一樣。結果，客戶更關切他們物品的清洗效果，而不是關心產品的屬性，它的確切性質就可以巧妙忽略掉。

透明性客製化透過一種不可辨別的方法滿足了各個消費者的需求，無需客戶花時間細細陳述他們的每一個需要。透明性客製化的產品，包括西雅圖極品咖啡的咖啡產品、GNC美好生活的

VitaPak之配送，都透過長時間的觀察以確定那些可以預測的偏好，然後恰如其分地滿足這些需求。當然，一家企業必須有充足的時間，才能加深對客戶的認識以及更貼近客戶的偏好。要成為一個透明性客製者，企業也必須有標準的包裝——一個西雅圖極品咖啡的咖啡杯、UPS的盒子，或化學總站的容器——用來盛放那些已客製化的內容或成分。透過這樣的方式達成的透明性客製化，正好和裝飾性客製化相反——後者是一個標準化的產品輔以客製化的包裝。

　　如果一家公司擁有許多因不想重複回答問題而不願直接參與協作的客戶，那麼這家公司就很適合透明性客製化。舉例來說，麗池飯店為了避免在客人每次住房時都問他們相同的問題（「雙人大床還是兩張雙人床？抽不抽煙？」），事業部門設計了一個不太唐突的了解客戶需求的方式。透過觀察獲知消費者在日常活動中的偏好，是否對枕頭敏感，是否喜歡現代爵士樂的廣播，或者用百事可樂取代可口可樂。接下來，麗池飯店將這些資訊存入資料庫，建立一個與客人的學習關

透明性客製化使顧客在不知不覺中接受為他們客製化的商品和服務

係，這樣就消除了後續服務對客人所造成的干擾。越是經常入住麗池飯店的客人，公司掌握的相關資訊就越多，客製化後的商品和服務就越讓人滿意，客人對麗池的感受也更加良好。

　　麗池飯店選擇透明性客製化，是因為它的管理要營造一種圍繞著滿足客人偏好的「神祕」氣氛。麗池所做的也許客人並不知道，但是在入住之後他們體驗到一種特別的滿意感受。同樣地，

化學總站的創辦者喬治・霍曼（George Homan）也想到這種客製化方式，因為他了解到他的潛在客戶是想經營他們的事業，而不是操心他們的肥皂：「我們希望他們在使用肥皂時發現我們提供的價值，而不用關心它們的成分或是怎麼來的。我們不要顧客關心我們的產品是怎麼來的，只要它不會缺貨就行了。」每次填寫對肥皂的訂單，就像在入住麗池飯店時被詢問每一個問題一樣，都是一種日常犧牲。對於任何企業來說，那些採用透明性客製化的公司消除了不必要的干擾，簡化了與客戶之間的互動，使客戶發現商品的核心本質。

選擇正確的途徑

你應該選擇哪一種途徑呢？對於這個問題沒有簡單的答案。如表 5-1 所示，這四種客製化不僅各自消除了一種不同的犧牲，它們也都是一種不同體驗的基礎。製造商以及服務提供者必須發現它們商品的獨特性，確定它們的消費者正歷經哪一類的犧牲，確定哪一種客製化方式可以帶來最好的結果。當犧牲錯綜複雜時，要採取不同途徑組合的策略。

更重要的是，為什麼要選擇客製化呢？非常簡單：客製化向消費者展示了截然不同的體驗。它們讓東西活起來。協作性客製者犀利新聞公司和巴黎三城，創造了新的新聞閱讀和眼鏡配製的體驗。適應性客製化提供了獨特的朗臣燈光，可選擇舒適睡眠，以及豆莢船的零售購物體驗。透過裝飾性客製化，赫茲提供截然不同的租車，惠而浦為零售商和建商展示具有革命意義的全新電

表5-1　客製化分類

特點	客製化方法			
	協作性	適應性	裝飾性	透明性
做出的犧牲	二選一	篩選	外形	一再重複
經濟產物的性質	客製化的	可客製化的	有包裝的	可包裝的
價值的性質	相互決定的	獨立衍生的	可見展示的	覺察不出的
過程特點	可分享的	可調整的	可延遲的	可預測的
互動性質	直接的	間接的	公開的	隱蔽的
學習的方法	交談	徵求	認可	觀察
體驗的基礎	探索	實驗	滿足	發現

　　器配送體驗。另一方面，化學總站透過透明性客製化增強了清潔用品配送的體驗，麗池則賦予真正難忘的居住體驗。

　　在體驗經濟中，所有的商品客製者都創造了新的價值。從事大量生產的競爭對手，因為缺乏獨特的途徑來減少顧客犧牲，很快就會發現它們的產品「商品化」了。幾年前賓州油品公司（Pennzoil Products Company）的主管就擔心消費者終有一天會這樣說：「摩托車機油怎麼還不降價！」這是對上述觀點的最佳表述。對於那些沒有將生產活動和減少顧客犧牲結合起來的公司，將無法避免此一命運。

一種全新的體驗

The Experience Economy

想要提供「顧客驚喜」的公司，不再問消費者「我們做得如何」或「您需要什麼」，而是問「您記得什麼」。

當科林・馬歇爾爵士開始意識到英國航空公司正妥善安排著體驗的時候，他認為英國航空公司品牌的「『持續磨損的因素』可以保持5年。現在我很確信，5年是你不革新品牌而可以維持的最長時間」。❶ 實際上，體驗的提供者必須持續提供更新的體驗——改變或增加一些元素使商品保持新穎、令人興奮、值得花錢再次體驗。這方面做不好會讓你的商品每下愈況。相對於保持一成不變的商品而言，消費者在不明確知道自己期望什麼時，更願意去選擇一個新商品，以獲得驚喜。

這就是為什麼在某些主題餐廳，比如雨林咖啡廳以及好萊塢星球餐廳，重複同樣的商業活動效果不佳——因為客人可以準確地預期每一次獲得的東西。餐飲經營者史考特・葛羅斯（T. Scott Gross），針對他稱為「積極大膽的服務」撰寫了一系列著作，他描述過一種非常簡單的使用餐者感到驚喜的方法。他把此方法告訴菲利普・羅曼諾（Philip Romano）——他是法杜拉克餐廳（Fuddrucker's）和eatZi's外帶速食店的創始人，並開了一家名叫馬克羅尼（Macaroni's）的街邊義大利餐廳。❷ 羅曼諾不以折價券促銷（連鎖餐廳常用的手段），而是每月在某個星期一或星期二提供免費招待。它完全是隨機而神祕的，顧客在買單時收到的不是帳單而是一封信，信上說，對這一餐收費是一件令人尷尬的事情，所以它是免費的。其他的餐廳只有在顧客經歷了糟糕的服務或糟糕的食物（這時候一些賠償是可預見的）時才會如此慷慨。羅曼諾在顧客享受完美食和完美的服務之後宣布免費（這時候客人已準備結帳離開），這種免費的驚喜，使得客人覺得有

必要（義務）再來……。葛羅斯指出，這種使客人驚喜的做法，花了羅曼諾月收入的3.3%，但效果遠勝於使用3.3%的打折策略，這實際上就是將一次完美的餐飲服務轉化為一次難忘的體驗。

使顧客驚喜

欲透過大量客製化來減少顧客犧牲，必須清楚地知道顧客的個人需要，以及他們行為變更的方式。這樣，公司才能有意並有系統地採取下一個步驟，透過使顧客驚喜來增加商品的體驗，這或許是製造商和服務提供商要表演難忘體驗的最重要的一步。

與顧客的滿意以及犧牲相比，當公司使顧客驚喜的時候，他們就是在探索顧客感覺到的和顧客希望得到的之間的差距：

顧客驚喜＝顧客感覺到的－顧客期望得到的

公司不光是滿足顧客的期望（提供滿意）以及設置新的商品（減少犧牲），同時還有意「超越」顧客的期望，帶來全新的（顧客不曾期望的）體驗。這不意味著去「增加」期望值，因為那樣只能在現有的競爭基礎上改善一點點而已，也不是意味著開啟一個新的戰場——那些都只停在滿足和犧牲的層次。這裏說的是：要提供超出顧客期望的體驗。

創造這樣的體驗仍然需要滿意和犧牲作為平台。如圖I-1所示，若不努力提高顧客滿意程度和減少各種犧牲，就無法激發顧

圖I-1 3S模型

驚喜

犧牲

滿足

客驚喜的基礎。重視這個3S（satisfaction滿意、sacrifice犧牲、surprise驚喜）模型的公司，必須超越以前的思維，不再問消費者「我們做得如何」甚至「你需要什麼」這類問題，而是問「你記得什麼」。

舉例來說，最難以忘懷的飛行經驗不會在正常的期望範圍內發生——不論好或壞——而是發生在期望的範圍之外，可能是閱讀到一本令人大開眼界的書、遇見社會名流，或是和鄰座相談甚歡。

萊夫・伊加托維斯基（Rev. Jim "Iggy" Ignatowski），知道他嗎？在老電視節目《計程車》（*Taxi*）的一個片段中，這個糟糕（但是很可愛）的小司機決定要當一個全世界最棒的計程車司機。他用完全料想不到的事件使他的顧客驚喜，從而達到目標：他提供三明治和飲料、引人入勝的精彩對答、提供城市導覽、抓起緊急對講機就唱起法蘭克・辛納屈的曲子。這種投入就是伊加托維斯基使顧客驚喜的體驗，坐他的計程車獲得的效用遠勝過從A地到B地的運輸服務。在電視節目中，顧客至少是非常高興支付更多的小費。一名乘客甚至要求再兜一圈，僅僅是為了再享受一下這種樂趣，為這種看上去很糟糕的運輸服務支付更多的錢。

伊加提供的這種計程車服務，其實就是他銷售體驗的舞台。

真實世界中的企業家，也會採用令人驚喜的方式把一般的服務轉化為令人難忘的體驗。我們來看一種再普通不過的服務，在密西根州卡拉馬如（Kalamazoo）機場服務的亞倫·戴維斯（Aaron Davis），他不僅是一個偉大的擦鞋匠，還是個出色的表演者，他用各種各樣的方式使顧客驚喜。擦鞋時細微到每一小處的服務以及善於奉承的口才，這些還不是他最獨特的地方，他還提供了與擦鞋毫無關係的體驗。如果他發現顧客鞋子脫線了，他會拿出打火機把它燒掉。而且在擦完鞋之後，他不僅為

> 經理人應該開始創意思考，如何讓顧客獲得難以忘懷的體驗

顧客繫緊鞋帶，還把襪子整理好。戴維斯還會聊一些諺語，給客戶提神。如果有一些常客這個星期因為太匆忙無法來擦鞋，那麼「他下一次還會來找我的」，戴維斯會這樣說。從那以後，那些客人會留下充足的時間來擦鞋。

不幸的是，很多大企業往往沒有小經營者的這種對驚喜的感覺。但是企業的規模大不是藉口。經理人一定要放棄那種墨守成規的期望，開始創意思考，如何讓顧客獲得難以忘懷的體驗。為什麼航空公司只給那些最頻繁光顧的客人升級到頭等艙的服務？一位穿著得體，飛往紐約參加一家顧問公司面試的大學生，他的未來職業可能要每週都搭飛機，他或許是最適合獲得頭等艙驚喜的人選。旅館可以偶爾放置一些類似小酒吧裏蘇打罐的小容器，驚訝的顧客會發現裏面放著捲好的50張1元美鈔以及確認這些錢屬於他的短信，信上還有旅館的祝賀。這難道不會比直接打折更

能增加顧客的忠誠度，更能提高顧客享受重複服務的機會，更能增加顧客對自己服務的偏好嗎？

公司也應該重新考慮折扣策略。舉例來說，汽車製造商就常常將自己的產品「商品化」，做折扣促銷——購買這款車，可享受1,000美元的折扣回饋——就是認為顧客的期望只集中在價格。根據亞瑟公司（Arthur D. Little）的調查，有90%的汽車買主聲稱對這種做法滿意，但是每年仍然有數以百萬的顧客換品牌，只有大約40%的顧客會向原來的廠商再次購車（更別提同樣的引擎了），而這也許是這些顧客最後的「滿意」了。如果是在購車之後送給消費者沒有預料到的折扣，以答謝他們的購買，這樣將更能促進未來的銷售。打折僅僅給顧客在很長的一段時間裏獲得一次性的收益，而那些讓顧客驚喜的做法，往往更能幫助公司去影響消費者下一次的購買決策。

再來考慮許多「經常性購買」的行業採取的做法，從航空服務到停車場服務，從信用卡服務到咖啡店，那些用來增加顧客忠誠度的設計，往往都有一個致命的弱點：他們鼓勵顧客期望免費的商品和服務。發送贈品的刺激可能會增加一些重複購買的頻率（這一點零售業和以前的製造業一樣：「我們在每個顧客身上失去的，將在量上彌補回來」），但是許多顧客會參加不只一個在該行業舉辦的類似活動，而且他們知道其他的顧客也會參與這樣的活動。消費者並不是由於自身的意願而參加消費，而是因為商家許諾的好處。像打折這樣的做法，對於增加公司的業績作用是很小的。

與其引導顧客讓他們期待免費的商品，還不如用這些錢創造出讓顧客難忘的經驗。就像羅曼諾一樣，可以在某些日子將某個比例的商品（服務）免費、隨機贈送。例如：編號15或20的物品免費，或第15或第20個消費者可以獲得免費購物的驚喜，或者商店的登記系統可以直接通知銷售人員，某位顧客對公司價值不菲，應使他在店中的購物過程充滿驚喜。

別錯過了這個……

要真正與眾不同，企業必須先集中心力提高顧客的滿意度，然後消除顧客犧牲，最後創造顧客的驚喜。採取這三個步驟可以提高任何公司的經濟價值遞進。一旦一家公司成功地使顧客獲得驚喜之後，那麼顧客們就會期待驚喜的感覺。只要公司接下來開始提供顧客懸念（customer suspense），那就對了。在驚喜的基礎之上，顧客懸念就是他們記得的曾有過的驚喜，和他們還未知的事件之間的差距：

顧客懸念＝顧客還不知道的－顧客對過去的記憶

舉一個例子就足以證明顧客懸念的魅力。大陸航空公司（Continental Airlines）的金牌顧客（那些每年飛行50,000英哩或60次以上的顧客），會收到一個精緻的禮盒，包括一個私人專用行李箱標籤、升級禮券、常客飛行指南，以及其他參考資料。當顧客在第一年收到這份沒有預先通知的禮物時，他們會非常高興

而且驚訝。第二年，大陸航空用同樣的方法仍然使得一些顧客高興和驚訝（那些忘記去年收到過禮物的顧客）。但是對於那些老主顧來說，第三、第四、第五年……都收到同樣的禮物時，他們就不會期望這樣的體驗，而且會認為這樣的做法很沒有創意。現在我們假設大陸航空每一年都技巧地改變禮物的內容，第一年是一封公司董事長幽默詼諧的來信（就像華倫·巴菲特〔Warren Buffet〕每年寫給股東的信），下一年的禮物是從顧客去年旅行的蛛絲馬跡蒐集而來的（例如，一年份 *Elle* 雜誌、常去地點的一次免費晚餐、很棒的雪茄或好酒），再下一年禮物也許是一只新的旅行箱，可以用來取代快要損壞的那個。這樣一來，大陸航空最好的顧客就會欣喜地期待他們的下一份禮物，而不是收到千篇一律的禮物。

建立在「我們做得如何」、「你需要什麼」、「你記得什麼」基礎之上的顧客懸念，創造出一種期待的感覺，從而激勵顧客欣喜地期待下一次消費的體驗，「這次會發生什麼呢？」——繼續保持金牌顧客的地位，就可以得到下一個禮物。❸

公司致力於獨特性、顧客滿意度、減少顧客犧牲，以及引發顧客懸念，可以促使顧客因為新的、不同的理由購買公司的產品和服務。顧客之所以購買，不再僅僅是因為商品的功能，而是出於在購買和使用過程中的美好體驗。同樣地，顧客接受服務不是因為所提供的服務，而是因為享受服務過程中難忘的事件。

在方興未艾的體驗經濟中，企業必須意識到他們創造的是值得回憶的經驗，而不是商品。他們是在創造產生巨大價值的舞

台，而不是提供服務。是全面展開行動的時候了，因為產品和服務已遠遠不夠。顧客現在需要的是體驗，他們願意為這些體驗付費。這裏有全新的工作有待完成，也只有那些完成這全新工作的企業，才能真正地吸引他們的顧客，並且在新經濟中勝出！

工作就是劇場

在體驗經濟中，所有活動的進行者——執行長、經理人和其他員工——都必須用新的方式看待自己的職位。工作就是劇場。當員工在顧客面前開始工作時，一場戲劇表演就開始了。

　　芭芭拉・史翠珊（Barbra Streisand）在成為著名的演員和歌手之前，為了演出哈羅德・勞（Harold Rowe）的音樂劇《我可以為你整批買下它》（*I Can Get It for You Wholesale*）而煞費苦心。當時的選角指導麥可・沙特利夫（Michael Shurtleff）在他後來的著作《試鏡》（*Audition*）中指出，為什麼他認為這個名不見經傳的女演員是扮演馬默史坦（Marmelstein）小姐的理想人選。❶ 他原本擔心，史翠珊突出的鼻子不會讓製片大衛・馬里克（David Merrick）滿意。因為大衛曾經警告過他：「我不希望任何醜女出現在我的作品中。」儘管有這樣的警告——也許正是因為這樣的警告，沙特利夫特意安排史翠珊參加最後的試鏡。

　　那一天，史翠珊身穿俗麗的浣熊皮大衣，兩腳上的鞋子竟然不同！不僅遲到，嘴裏還嚼著口香糖。（史翠珊這樣向沙特利夫、馬里克和導演亞瑟・勞倫茲（Arthur Laurents）解釋：她是在來這裏的途中一家二手商店裏發現這雙「奇妙」的鞋子——不巧每雙鞋都只有一隻是合腳的。）史翠珊很隨意地要求在舞台上放一把椅子，她坐好後，開始演唱。但是，才唱了幾個音她就停下來；又開始，又停下。這一次，她吐出嘴裏的口香糖，把它黏在椅子的下方。最後，她唱完整個曲子，正如沙特利夫所說的：「她征服了全場！」。史翠珊又唱了兩首曲子之後離去。在激烈的爭辯之後，馬里克終於對沙特利夫和勞倫茲讓步：史翠珊獲得了這個角色。當他們三人準備離去的時候，勞倫茲來到那把椅子前面，伸手到椅子的底下，因為他記得史翠珊忘了把口香糖取走。然而令他大吃一驚的是：根本沒有口香糖！在這次試鏡中，史翠

珊那麼明顯的動作竟然是一齣戲。她不是因為要壓制自己的緊張才嚼口香糖，而是要在那些自己演技的潛在買主面前製造出一種獨特的印象。

我們可以思考，為什麼史翠珊在舞台上會用這一套手法來演繹她的角色？也許是為了造成「我可以勝任劇中的角色」的效果，或者「外表根本不重要，音色和演出的品質才重要」，或者「在我開始唱之前，一切都不算數」。不管怎樣，她的這套手法開啟了她

每一個動作都對整體的體驗產生影響

燦爛的演藝生涯。即使在起步的階段，無論她的動機是什麼，她知道自己獲得成功的祕密，那就是：知道無論在什麼地方，她演繹的每一個動作都對整體的體驗產生影響。對於正在進入體驗經濟的企業來說，應該審慎思考這一點。

再來看棒球這一行。也許沒有一種職業運動和美國職棒大聯盟的經營一樣糟糕；但是克利夫蘭印第安人隊（Cleveland Indians）的轉變，正好證明了提供精緻體驗的劇場的價值。1994年4月4日，這支一度陷入經營困境的球隊，開始進入獲利的新階段。那一天，球隊在雅各運動場（Jacobs Field）──耗費1億7,500萬美元、剛落成的專用運動場地──進行他們迎戰西雅圖水手隊（Seattle Mariners）的比賽。在1994年以前，克利夫蘭的球迷每年只會購買不到5,000張的季賽套票；現在，整個賽季81場主場比賽的43,368個座位，在耶誕節以前就已銷售一空。當然，新建的球場並不是球隊收入的唯一原因：其他興建新運動設施的球隊並沒有一樣成功。差別在哪裏？球隊老闆迪克‧雅各

（Dick Jacobs）和總經理約翰・哈特（John Hart）領導的管理階層發現，雅各運動場為他們提供了展示精彩表演的全新舞台。

在1994年那天進行的比賽，其實並不是印第安人隊第一次在新球場的比賽。兩天前，他們和匹茲堡海盜隊（Pittsburgh Pirates）進行了一場表演賽。那些即將觀賞球隊正式比賽的球迷在星期六的下午湧進雅各運動場，來體驗新球場的感覺。這一次活動並不會對球隊的首場正式比賽的賣座情況產生威脅，因為這是一次正式演出前的排練，讓球迷對新的印第安人隊的豪華演出先睹為快。

就在球場外邊，一名身著制服、拿著掃帚的工作人員，在緊挨著東第九街出口的人行道上忙碌地清掃著。他穿著藍褲和紅白相間的襯衫夾在進出的人群之間，很明顯這名清潔工是球場的員工。許多人都有看到他，但很少有人停下來留意他的那些動作的異常之處：他揮動掃帚的動作其實根本沒有掃到垃圾，因為這個地方早就掃過了。畢竟，在還沒有很多人來的時候，這兒根本不會很髒。那麼為什麼他要做這樣的工作呢？就像史翠珊咀嚼她那根本不存在的口香糖一樣，他完全是在演戲。他不是為了清潔在掃地，而是為了讓初次經過的球迷產生一種特別的印象。經過在克利夫蘭市立體育場（Cleveland Municipal Stadium）的62年主場比賽之後，球隊的管理階層透過這個身著制服的清潔工來增強印第安人隊的新主題：「沒有一個地方像家裏一樣」—— 那就是，告訴每一個買票的球迷，新球場不僅乾淨、安全、舒適而且球隊即將復甦。在過去體育場裏發生的不會再重複，這就是一種

全新產物的開端：「雅各運動場體驗」。❷

表演的藝術

　　既是政治評論家也是狂熱棒球迷的喬治·威爾（George Will），透過他的著作《工作的人》（*Men at Work*）讓很多不經常看球賽的觀眾，透過不同的方式來看待棒球。他堅持的觀點是：「職業棒球其實是一種工作」❸，它需要精神上和身體上同樣竭盡全力。威爾告訴讀者「球員正在工作」這個事實，讓他們更能欣賞這項運動。大聯盟這個組織提供了工作的場合。球員練習，分析過去的比賽，並且不斷地調整他們進行比賽的方式。這些球員們和諸如在雅各運動場進行清掃工作的小角色一樣，一起分享著這個舞台。

　　所有的商務，以及進行商務活動時所必需的東西，從主管的服裝到工廠的地板，都需要像百老匯和棒球場一樣的細心安排。在體驗經濟中，所有活動的進行者——執行長、經理人和其他員工——都必須採用新的方式看待自己的職位。工作就是劇場。請先停下來想一想，然後大聲說：工作就是劇場。

　　認識到這一點之後，我們並不需要費力去了解劇場的每一個細節，也不是要提出一系列「如何做」的提示。我們也不是在探索可行的途徑和消除反對的觀點，我們只是透過與劇場的類比，說服你用新的思路思考你的工作，並吸納一些劇場原

商業演出必須像百老匯或棒球場一樣的細心安排

則作為體驗經濟中的工作模式。❹

讓我們說清楚一點：我們並不是說劇場等同於工作，它不是一個比喻，而是一個模型，我們將劇場的一些原則運用到工作中並不是要求做什麼比較。企業經營領域已經存在著太多的比喻。我們無意和大象一起跳舞，和鯊魚一起游泳，用攀登金字塔、跳圈圈或其他的比喻，將公司從實際面臨的管理問題上引開注意力。我們是要強調企業運作的戲劇性本質，以文字表述就是：工作就是劇場。

「戲劇」（drama）一詞源於希臘語drao，它的意思很簡單，就是「去做」。在所有的公司裏，不管管理者是否意識到了，職員們都正在演出。這並不是某種類型的遊戲，而是在一齣能反映現實狀況的、具有說服力的戲劇中。事實確實

劇場不是一種比喻，而是一種模型

如此。理解其中的關鍵因素，透過對於劇場的借鑒，可以為過去習以為常的商業語言帶來全新的含義，包括：生產、績效、工作方法、角色和情境。

對於劇場的研究時常從亞里斯多德（Aristotle）深奧的《詩學》（*Poetics*）開始。❺ 這就是西方理解戲劇的基礎，甚至包括它對文學形式的強調。亞里斯多德對於「情節」的注解是「對事件的安排」──就是一系列提供體驗的基礎，以及對於產生印象所需的事件進行排序的基礎。他提到的情節組成──令人驚訝的逆轉、謎底逐漸揭曉、完整性、事件的均衡性，還有悲劇的感情效果──完美地詮釋了是什麼使得體驗難以忘卻。還有他對於引人入勝的表演的先決要求──精心選擇、適當的角色，以及角色

和演員的一致——清楚描述出提供體驗人員的角色要求。事實
上，亞里斯多德在定義戲劇的時候，把它和其他日常活動區分開
了。但是，讓我們來好好思考一下，由亞里斯多德發展的戲劇定
義以及它們對於工作的啟示。❻

　　首先就是選擇。戲劇演出必須要劃定清晰的界線；演員需要
設計並展示那些其他人不會問及的問題；他們必須發現演出時任
何不起眼因素的重要性。甚至那些還沒有開始提供體驗的公司也
必須意識到，當他們的員工在顧客面前開始工作的時候，一場戲
劇表演就開始了。在這個舞台上該演什麼，以及在開始演出時應
該採取哪些調整措施？當百貨公司的店員當著
顧客的面和另一個店員談論他們下班以後要幹
什麼的時候，對於他們來說，這或許沒什麼大
不了，但是顧客就有一種被忽視和冷落的感
覺。所以，如何讓一齣戲吸引人呢？百貨公司的員工應該考慮他
們該如何敏銳地掃視整齊堆放的貨物，當他們向顧客要求信用卡
的時候，使用充滿活力和令人愉快的語言，以及在經手信用卡和
鈔票時如何展現自己的動作等等。最重要的問題，往往是那些沒
有現成答案的問題，然而你一旦發現答案，對於你的表演就是無
價之寶。

　　第二，讓我們考慮事件順序、進展以及持續。工作活動應該
如何安排？如何使工作安排保持良好的一致性？工作應該從哪裏
開始，然後達到高潮，最後結束？想像一下即將進行的一次業務
拜訪。它從何時開始？是從業務代表和對方祕書約好，還是從他

當員工在顧客面前開
始工作的時候，一場
戲劇表演就開始了

到達在門口等待，或是從他們見到面開始？不同的答案會帶來不同的演出。一旦將會面當作整個事情的開端，那麼應該如何繼續下去？從問候聊天開始？或者業務員根本不用這一套而直接切入正題？他們討論的細節（稱為業務場景）應該以什麼順序烙印在客戶的心中？使這次會面達到高潮——也就是生意最後敲定——的最佳方式是什麼？不應採取過去那種成交之後就一言不發的方式；但是，成交就意味著整個事情已經達到高潮，接下來應該考慮如何收尾了。當你完全回答了這一系列的問題之後，才可能開始提供令人著迷的體驗。

最後，讓我們看看工作的節奏和速度，因為這會影響到那些動態因素之間的關係。在事情進展的時候應該有哪些轉換？哪些設計、削減、對比以及放鬆可以使整個事件的

從哪裏開始，然後達到高潮，最後結束？

感染力更豐富？在一個特定的時段裏，事件發生的密度應該如何？聯邦快遞（FedEx）的工作人員刻意地採取跑步的傳遞工作方式，以便給人們留下速度的印象，這是由公司的性質決定的。但是漢堡服務生也可以用這種跑步式的服務方式嗎？即使是在最忙碌的時候也不適合。或者我們來考慮一個餐廳的女服務生，在她那兒發生著一幕幕飲食體驗的事件。她應該讓每一次服務持續多久？這一次和下一次的服務之間應該如何銜接？她應該在為客人添加飲料的時候不動聲色地收走沙拉盤子，還是置之不理？還有她應該如何在適當的時候遞上帳單？對於這些問題的回答，可以將演出從單調乏味轉化為印象深刻的記憶。

　　回想你上一次和計程車司機、業務員以及收銀人員的接觸，你就能迅速得到這樣的結論：亞里斯多德在幾千年前設計出來的戲劇要素，在今天仍然很遺憾地被許多工作舞台所忽略。

　　著名的戲劇導演彼得‧布魯克（Peter Brook）宣稱：「我可以利用任何空無一物的空間並稱它為無裝飾的舞台（bare stage）。一個人走過這個空間，同時另一個人正在看著他，這就是戲劇演出最基本的要素。」❼ 透過類似自己的業務就是舞台的宣稱方式，企業可以獲得極為寶貴的視角。當一家公司將自己的工作場合稱為無裝飾舞台的時候，它就可以將自己從繁複的同類商品提供者當中區隔出來，其他的公司則因為沒有認識到他們經營的本質，而採用乏味的方式製造銷售商品和提供服務。透過用戲劇的方式改善操作模式，即使是最一般性的活動也可以使客戶獲得難以忘懷的記憶。而那些在傳統的經營方式下不可想像的要素，都可以在這個全新的舞台中得到演繹。比如前面提到的清掃大街的例子。

即使是最一般性的活動，也可以使客戶獲得難忘的回憶

　　科技的互動，也為商業劇場提供了一個無裝飾的舞台。布蘭達‧勞瑞爾（Brenda Laurel）在她的著作《電腦如同劇場》（*Computers as Theatre*）中，詳細描述如何將亞里斯多德的哲學應用在以電腦為基礎的表演。勞瑞爾相信人和電腦的互動應該是一個「經過設計的體驗」。❽ 她將使用電腦的技術和原則稱為「媒體」而不是「介面」，在描述這個技術舞台的時候，她說：「只考慮到介面，那麼設計的領域就太狹窄了。人們的電腦體驗

設計並不是僅僅建立一個更好的桌面,而是創造一個與現實聯繫、充滿想像的世界,在這個世界裏,我們可以將我們思考的能力、行為的能力、感知的能力進行延伸、放大和豐富化。」❾ 從勞瑞爾的著作(儘管她在書名中很不幸地用了「如同」這個詞)我們可以發現,用電腦工作就是——或至少應該是——劇場。

在正在浮現的體驗經濟當中,所有消費者直接接觸到的活動都必須理解為戲劇。實際上,空服員和旅館工作人員一直都在進行固定化的戲劇:將乘客引導到最近的出口,還有把旅客引導到他們的房間裏。在零售店裏,當售貨員認真將貨架上的貨物補齊時,他也是在演出。銀行出納員、保險業務員,以及房地產經紀人,當他們向客戶解釋各種條件和設施的時候也是在演出。當計程車司機和客戶開始對話的時候,也是如此。身著制服的優比速快遞(UPS)司機在每一次運送包裹時,都是在進行演出。聯邦快遞的隔夜送達服務當然也是如此。下一次外出用餐時,請留意你所接受的服務:遞上菜單、菜肴的擺設、餐桌的布置,都是一齣戲。無論是汽車還是香水的銷售,也都是一齣戲。

消費者直接接觸到的活動,都必須理解為戲劇表演

醫院裏的外科醫師在每個病患的床前,都是在進行戲劇般的演出。甚至在交易場所,商品的交易也是一種特別引人注目的演出。但是,即使這些活動的主管理解他們的行動就是戲劇,並且願意按照這樣的原則進行演出,這些演出之間又有什麼不同呢?

我們都聽過這句話:「行之所言」(Walk the talk),這一句諺語在認識到「工作就是劇場」之後就有了更豐富的含義。因為

它不僅說要練習在公共場合的一舉一動，更表明「別人正在觀看」。進行行為練習的一個重要原則就是：假想有觀眾在看你。當然，消費者就是商務舞台表演的主要觀眾，但是有的時候，觀眾僅僅是一個小販、一名同事，或是你的上司。這種在內部的觀察和演出，儘管沒有消費者，但戲劇特徵和重要性都不因此而降低。實際上，這些舞台下的工作將會影響到和消費者的聯繫，因為內部表演會影響外部關係。

所以，碼頭搬運工是在表演，在披薩店的廚房裏和麵的兩個小夥子也是在表演，保險公司裏忙進忙出的理賠人員是在表演特定的舞蹈，生產線上的領班觀察著工人表演的方式。向老闆提建議也需要表演，就像在導演面前的試鏡一樣。所有這些工作都是戲，儘管有時候觀眾不是買單的消費者，那些內部的演出將會對付錢的消費者產生影響。在體驗經濟中，企業必須考慮如何使工作更具吸引力，無論是在舞台上還是舞台下。

社會學家艾文・高夫曼（Erving Goffman）可能是察覺到戲劇演出確實提供了一種工作模型的第一人。在他1959年的著作《日常生活中的自我表演》（*The Presentation of Self in Everyday Life*）中，高夫曼審視了一般社會及工作中的表演手法和原則。透過對人們表達方式的觀察，他發現人們對自己的行為留給別人什麼印象的認知程度是不同的。有的人對什麼事情都冷淡健忘，而有些人幾乎不在乎別人怎麼看自己。另外一些人則是另一種極端，他們為了給其他人造成特定的印象而巧妙處理自我的表達方式，高夫曼稱這樣的人為「玩世不恭的表演者」，「他們熱中於

迷惑觀眾」，但是他將那些「相信他們表演的人」稱為是「真誠的」。❿

對於高夫曼來說，所有人類的活動都是在表演，不管是否經過排練。高夫曼表示：「無法預先有系統地組織自己的眼神和身體運動的普通人，並不意味著他不願意透過這種戲劇化的、經過排練的方式來表達自己。簡單地說，就是我們都比自己知道的表演得更好」。⓫這一觀點本身，更有助於激勵工作人員認識他們的行為對消費者產生的影響，並且採取高夫曼稱為「表達控制」（expressive control）的方式，約束自己的演出以產生真誠的印象。將工作稱之為戲劇，並按照它來約束自己，從世俗中抽離出神祕的成分，並進一步影響他人的感覺，這就是表演，它最後會將難忘的經歷與普通的行為區分開來。⓬

內部表演會影響外部關係

進行商業演出

理查・雀奇納（Richard Schechner）是著名的表演理論（performance theory）專家，曾提出一種相當有用的方式來思考表演的組成部分，這可以看做是對布魯克說法的回應。雀奇納將表演定義為：「一種個人或群體的活動，作為向另外的個人或群體展示的行為。」⓭這種定義不僅包含戲劇，同樣也包含商務的無裝飾舞台。透過這樣的定義，他發展出一套有效理解不同舞台設定（enactment）的理論框架，圍繞著四個核心的概念：戲劇

（drama）、腳本（script）、劇場（theatre）和表演（performance）。

根據雀奇納的定義，戲劇是整個表演的核心。它由「寫好的文字、樂譜、劇情概要、說明、計畫或地圖組成。戲劇可以從一個地方帶到另一個地方，從一個時代流傳到另一個時代，不管是誰持有它。」❶ 作為演出的核心要素，戲劇可以在不同的情形下、不同的文化中，透過不同的媒體手段表達，商業也包括在內。作為內部的用途，戲劇描述了體驗的情節，告訴演員要做什麼。在商業這個無裝飾舞台上，策略就是戲劇，也是一個企業的核心。但是它自身的表達有無數種方式，比如：策略願景、使命聲明、商業計畫、競爭目標（比如小松製作所〔Komatsu〕一心一意將焦點集中在「贏過開拓重工〔Caterpillar〕！」），或者計畫的詳細列表（比如奇異公司事業部的目標描述）。不管採取什麼形式的策略，企業的所有者都會揭開該策略在一段時間中（策略的時界）的可能表現。即使公司員工不斷地來來去去，對於那些在企業中有一席之地的人來說，戲劇仍然是所有商業活動的核心要素。無論商務活動的表演是在什麼場合進行的，戲劇都提供表演的本質。

同樣地，腳本就是「所有可以在時間和地域間傳送的事件的基本編碼」❶，是「表演的先決因素」。❶ 腳本透過超越特定時刻、狀況或慣例的方式來傳送戲劇。在商業上，流程就是腳本。企業採用（通常是）編碼化的途徑來演出戲劇。員工必須學習腳本，確認潛台詞（策略中並未明確說明的部分），提煉出來以應用於生產，對它進行必要的修改以達到盡可能最好的演出效果。

腳本必須表達出戲劇的思想，保持戲劇中原來的精神，並且出人意料地超越觀眾的期望。

接下來，劇場就是：「由特定的演員群體演出的事件；在生產流程中演出者實際做的事……是戲劇和／或腳本的演繹。」❼

表演的行為將值得記憶的體驗與日常活動區分開來

換句話說，劇場既體現了進行生產的內部工作特徵，也體現了工作的外在表現——這些功能和形式將戲劇和腳本活生生地帶到觀眾的面前。❽ 劇場將戲劇和腳本透過表演和客戶聯繫起來，為客戶安排了一種作為觀眾的體驗。在這裏，我們又一次認識到體驗經濟中「工作就是劇場」的含義。

最後，根據雀奇納的看法，表演就是「所有事件的組成，它們當中絕大多數都是在不經意之間流逝的，從第一名觀眾進入表演場地開始，直到最後一名觀眾離去，在表演者之間和表演者與觀眾之間所發生的事情。」❾ 這是最廣泛的一環，在特定的事件和場合演出完整的事件。如同圖6-1所示，表演涵蓋了演出的所有範圍：劇場、腳本和戲劇。很清楚，產物就是表演，它是企業為消費者創造的經濟價值。透過劇場演出和商務演出的對比，我們得到下面的結論：

〔戲劇＝策略〕

〔腳本＝流程〕

〔劇場＝工作〕

〔表演＝產品〕

所有的經濟產物——不只是體驗，還包括初級產品、商品和服務——都是企業從戲劇、腳本一路進展到表演的成果。回到雀奇納的說法：「戲劇是作者、作曲家、劇作家和巫師（這兒我們加上策略家和管理高層）的領域；腳本是教師、專家和大師（經理人、總監和團隊領導者）的領域；劇場是演員的領域（在劇場和商務中演出）；表演是觀眾的領域（包括那些現在需要體驗的顧客）。」[20]

圖6-1　角色扮演模型

觀眾

表演

劇場

腳本

戲劇

策略

流程

工作

產品

顧客

資料來源：根據 Richard Schechner, *Performance Theory* (New York: Routledge, 1988) 第72頁的內容修改

　　不管你的公司是否已經對上演的事件收費而完全進入了體驗經濟，也無論你在公司裏的職位以及同事是誰，你都是一個表演者，你的工作就是一齣戲，現在你必須這樣開始演出。

你是說表演嗎？

　　有些人誤解了表演。他們認為電影明星都是自我中心、不負

責任的人,或者騙子;而那些百老匯明星都是在自我炫耀,或者更糟。在娛樂事業的領域之外,還有諸如華而不實的房地產業者、娛樂節目的主持人,或是心懷不軌的汽車業務員。我們真的是在說所有的人,包括你在內都要表演嗎?當然是!正是因為一些錯誤觀念,使得那些糟糕的演員和糟糕的表演和表演本身混淆了。真正的演出是用從容而謹慎的方式與觀眾互動,那些假表演和無精打采的員工必須從演出中剔除,然後開始為期待中的消費者安排新的、令人興奮的體驗。

對於表演的厭惡也許源自這樣一種信念:只有完全揭開面紗的事物才是真實的。但是如果芭芭拉‧史翠珊咀嚼一塊真實的口香糖,那整個事件會變得更真實嗎?不會,用商業語言來說,史翠珊只是「以小搏大」,有效地以更小的投入獲取同樣產出的效果。是否嚼口香糖的決定,與整個事件的真實性無關;而且,那樣的決定考慮的是為了取得特定印象而採用特定的道具。同時,史翠珊並不會因為她的行為在觀眾期待她開始表演之前就開始而顯得不夠真誠。對於工作的安排,諸如開始時間以及結束時間,

你是一位表演者,你的工作就是一齣戲,現在根據這個原則開始表演吧

這樣的人為(我們能說是虛偽嗎?)限制往往會抑制創造力。舉個例子,如果汽車服務僅僅在客人把車開來的時候才開始,那麼凌志(Lexus)汽車就不會想到派員工到消費者家裏替他們把車開來了。

另外一種不願意進行表演的原因就是:認為表演會扭曲自我。但是表演其實不是要你假裝成某某人或某某事,而且這種表

演伴隨著透過新的生活體驗對自己內心的一種發掘，這種體驗有助於建立讓別人信任和接受的新形象。這不僅發生在純粹的演出中，在商務活動的劇場中也看得到。一個演出者一定要完全按照他表演的角色進行，否則就會面臨消費者的不信任，進而對他所提供的商品失去興趣。

不良演出的特徵往往是在表演的過程中，表演者不停地提示觀眾「我正在進行表演」，只有當演出者的準備不夠，觀眾才會感覺到他的行為很做作。偉大的俄國演員麥可‧契科夫（Michael Chekhov）這麼說：

> 優秀的演員在讀腳本，庸俗的演員和非演員也在讀同樣的腳本，這兩種閱讀的區別在哪裏？非演出者完全客觀地看待腳本，事件、劇情還有角色都無法激起他們對自己生活的共鳴。他完全像一個局外人、旁觀者一樣去理解劇情，而亦步亦趨。而演員閱讀腳本是主觀的。他通盤研究腳本，並且在這一過程中不可避免地體驗到他自己的反應，包括他的意志、感覺和投射。戲劇和情節只是他演出的腳本，它們能激發他的表演欲望，展現他豐富的內心世界。㉑

契科夫以融入劇中角色的高超能力而享有盛名，他的「角色工作」（character work）做得如此之好，以致人們根本沒有發現他在演戲。

投入最徹底的演員，對於他們演出的角色會有非常親切的感覺，具有完全融入角色的能力，使得觀眾幾乎忘了他們是在舞台

上。我們生活的各個角落都可以發現這樣的演員：商業世界中的傑克‧威爾許（Jack Welch）、學術領域的華倫‧班尼士（Warren Bennis）、政治家隆納‧雷根（Ronald Reagan）、戰場上的史瓦茲科夫將軍（General Schwarzkopf），還有慈善家德蕾莎修女（Mother Teresa），不勝枚舉。每一個人，包括企業裏的員工都應該往這個方向努力。（這些著名的人物當中還缺少了著名的柯林頓〔William Jefferson Clinton，編按：美國前任總統的本名〕，我們可以討論他究竟是一個

表演是採取謹慎的步驟與觀眾聯繫起來

極出色的職業表演者，還是高夫曼所謂的「玩世不恭的表演者」。）有太多人未能進行成功的演出，在舞台上和在私人生活中，他們行為的方式沒有什麼不同，他們對每天承擔的任務就像什麼也沒有發生一樣，他們的工作因此毫無生氣。要在體驗經濟中吸引顧客，你就要努力表演，展示出你的工作就是這個！

只有當工作是明確為〔觀眾＝顧客〕提供舞台的時候，體驗才會成為新的經濟活動的基礎而繁榮起來。你可以這樣開始：審視你企業中的日常活動，然後把工作的場所設計成一個特殊的地方——演出的舞台。要精彩地展示動人的體驗，不僅需要設計這樣一個舞台，而且這樣做（何況並不難）是不可或缺的一個步驟。所以，請不要猶豫，現在就開始吧。然後宣布：這是我的舞台。

進入角色

現在你已經有自己的舞台，已經是個真正的演員。你演出結果如何，將取決於你對於演出的準備如何。實際上，演員的絕大部分工作在他走上舞台以前就已經完成了。準備可以用很多方式進行，但最重要的應該是你如何描述你的角色，它將決定你工作的效果，也就是觀眾會獲得怎樣的印象。正確的描述使得戲看起來自然、可信、主動而且真實。

艾瑞克・莫里斯（Eric Morris）很擅長幫助像傑克・尼柯遜（Jack Nicholson）那樣的演員改善他們的角色。聽聽他的建議：「對於任何一代的演員來說，劇場中最時髦的概念及觀點就是演員『變成』了那個角色，這就意味著演員採取或獲得了特定角色在劇中的行為、癖好、思想還有各種行事的動機。而且我相信這句話反過來說也是對的：角色變成了你！」[22] 完全不做作的成功演出，不會讓角色的性格和演出角色的真人之間產生明顯的差異，也就是：所扮演的角色與自己——工作人員的真實身分——在感情、身體、心智和精神上的獨特特徵一致。莫里斯進一步解釋：「當你將角色吸收到自己的身體裏時，你將和他在劇中所做的一切緊密聯繫在一起。你與世界溝通的特有方式，你的每一次衝動、思考還有反應，都包括在他的一舉一動之中。也就是說，透過你在劇中演出的每一個部分，演員創造出一種獨特的以及個人的陳述。」[23]

　　為角色塑造特徵，讓提供體驗的工作和其他商業活動區隔開來。實際上，正是因為缺乏這些特徵，解釋了為什麼有那麼多服務人員簡直像機器人一樣。你遇到過多少次旅館服務人員對你幾乎一樣的單調問候？有多少汽車業務員都使用同樣的語調？又有多少速食服務讓顧客忍受千篇一律的經驗呢？恰當的角色塑造，可以將這些平凡的服務轉化為令人難忘的演出。正是如此，在麗池飯店的客服人員親切地用名字來招呼客人——只要查看一份每天列印的可能入住旅客及其特徵的資料即可（就像肥皂劇演員每天翻看的腳本一樣）——就令人留下深刻的印象。同樣地，到凌志和鈕星（Saturn）的經銷商那兒參觀，也能夠獲得不同於一般的新鮮體驗——在那兒顧客分別進入自己的小隔間進行討價還價。即使是賣碳酸飲料的流動攤販，都可以透過塑造他自己的角色來創造令人難忘的事件。我們看看這位在俄亥俄州克利夫蘭高地（Cleveland Heights）的賽德—李電影院（Cedar-Lee Cinema）販賣部的一個角色，他的工作方式就是「輪到誰來振奮一下？」他的表演比許多銀幕上的影星還要好，客人都願意買他那個攤子的東西。

太多的工作人員在舞台上的演出和私人生活中的行為沒有差別

　　演員會運用各種戲劇技巧來塑造舞台上的角色，包括記日記（用日記記錄一天裏發生的事情，然後分解每一個事件作為未來的方針）、畫圖（繪製整個腳本中演員的行為，一行接一行，一幕接一幕），或作一個關係圖（舞台上角色之間關係的圖）。透過各種方式，完成角色刻畫的過程，吸收角色的特點，成為在觀眾

面前表演的基礎。

要完整刻畫角色需要細心管理「潛台詞」（subtext），也就是說，並不是所有的東西都在腳本裏。在演員和導演一同工作的時候，導演協助將〔腳本＝流程〕轉化為現實的〔劇場＝工作〕，而潛台詞進一步提供了腳本的內涵。舞台上的表演者透過語調、手勢以及合適的道具完成表演，包括：身體語言——比如姿勢、手勢、眼神接觸以及其他表達（業務員的微笑就傳遞了充分肯定的訊息）；道具（一個呼叫器代表可以被找到，而當呼叫器被關掉並放進公事包裏就可吸引觀眾注意）；還有服裝——衣服以及配件（一名執行長穿著涼鞋和卡其布便裝，和穿著三件式西裝講話所傳遞的資訊截然不同，但是每一種方式都可能有道理，就看這位執行長想傳遞的性格是什麼）。❷

> 恰當的塑造可以將服務轉化成為值得記憶的演出

沒有哪一個因素會因為太小而對整個角色塑造無足輕重。我們來考慮商務活動中小小的名片，這個在與客戶往來中再平凡不過的基本道具，正是因為它的平凡，在商務活動中，名片對角色刻畫的作用往往都被忽略。在絕大多數情況下，同一家公司或組織的工作成員的名片，差別僅僅是名字、頭銜和電話號碼。當然，名片的基本風格設計有助於傳遞特定的資訊，但是大多數的名片對每一個工作人員來說都只是提供一種標準的模樣，彷彿在表演中所有的演員都沒什麼特色。這種方式反映了大量生產的思維，在組織圖上每一個人都只有一個確定的位置。

> 沒有哪一個因素會因為太小而對整個角色塑造無足輕重

　　在今天正在變化的生產方式當中，人們扮演著多重角色，所以他們需要不同的角色刻畫方法。我們已經知道，在大公司中有的人已經開始攜帶多種名片，每一種都代表他扮演的不同角色。我們還知道一些著名的企業家使用個人電腦桌面排版的特製名片，以適合他們正在進行的每一次商務會晤。他們並不是在欺騙別人（就像詹姆斯·賈奈〔James Garner〕在老電視影集《洛克福德檔案》〔*The Rockford Files*〕中的主角角色一樣），而是在表現不同情況之下的相應角色。（我們保留他們的身分以及公司名稱，以保持他們與客戶之間的透明性客製化。）

　　名字也有助於角色的塑造。很多商務中的演員如今都在扮演自己（在娛樂事業則不是，大多數演員往往都使用假名）。但是在這兒不一樣。在一家大型電腦製造商的電話客服中心，每一個工作人員都必須使用和自己不一樣的名字，只有最初的員工使用他們自己的名字「蘇珊」或「鮑伯」，以後的繼任者都是使用這些名字作為假名。這樣的好處是：正如顧客期望的，他們可以與自己認為的同一人繼續進行商品和服務的洽談，而不用管現在管理該業務的員工是誰。

　　顧客對這樣的措施有很高的評價並且樂意使用，這使得一對一的方式成為服務的基礎。最深奧的就是，這樣的做法提供了一個刻畫角色的舞台，演員不再是可以變化的部分，那些假想的名字使得這些電話處理者用一種刻畫角色的方式表達自己。他們可以透過自己的獨特的表達風格、習慣以及其他的電話處理方式，創造一種難忘的業務處理方式，形塑並且集中對話焦點。大型的

電話客服中心的表演者會發現，自己為許多客戶和公司所需要。

融入角色使得每個公司員工有一種「目標明確」的感覺，即把自己融入向顧客提供體驗的整體主題中。沒有那樣的角色發展，工作中提供給客戶聯繫的機會就會很少。也許沒有別的公司比迪士尼更了解這一點。每一天，演員表上的成員——不管是扮成卡通人物的樣子，還是車上的服務生或是清潔工——

> 融入角色使得每個公司員工都有一種「目標明確」的感覺

都穿著他們的表演服飾，拿著相應的道具，進入到不同的舞台體驗中。每一個人都對這個家一般的娛樂和幻想天堂的感覺做出自己的貢獻。在不同的時段裏，演員在舞台下進行著舞台下的工作，在舞台上進行舞台上的工作，就這樣。

在迪士尼專案（Project on Disney）中，一隊旅客觀察迪士尼世界的一系列工作條件（他們將那一章稱為「老式的工作」〔Working at the Rat〕），他們的看法是：那些拿薪水的員工，像付費參觀的觀眾一樣，「說他們也知道這不是真實的，並不是它們看起來的那樣，然後他們會繼續討論就像它是真的一樣。」❷這種方式可以到達所塑造角色的核心，康斯坦丁・史坦尼斯拉夫斯基（Konstantin Stanislavski）將這稱為「神奇的好像」（Magic If）。❷從此，許多演技教師就把這種觀念發展成正式的演技方法，並稱之為「就好像」（As If）。其中一位名叫麥可・科恩斯（Michael Kearns）的教師說：「採用『就好像』的表演方式，是可以應用於現實生活中的非常重要的技巧。雖然它聽起來就令人反感，但它是一種積極的思考方法。你在一場大型宴會中，覺得

悶悶不樂而決定放縱一下。有些時候某些調整——就好像你在真實生活中——可以有效地調整你的情緒。然後你會用不同的眼光看待你面臨的情況。」❷那些在舞台上情緒低落的服務人員，就是缺乏「就好像」之類的角色塑造方式，只會用一種方式表現真實——非常地粗魯無禮。在美好的商務體驗中，那樣的方式將不可能存在。當心情不好的時候（我們每個人都會遇到），工作人員必須覺得他們就好像非常高興一樣；遇到一個故意刁難的客戶（有時確實是很大的挑戰），工作人員必須覺得他們一點也不介意。在這樣的方式下，一些有趣的事情就發生了：令人愉快的服務提供了值得回憶的體驗，那些舉止不當的客戶一般會為此道歉並且高興起來。

採用「就好像」的演出技巧，可以達到所塑造角色的核心

訓練有素的演員——以及任何觀眾——都知道機械化的演出與那些透過角色塑造而表現出的高超演技之間的區別在哪裏。「機械化的演出」代表了今天絕大多數服務業的狀況，在這樣的情況下，客人迫不及待地想結束一切。（就像之前提過的，服務業的管理者知道這一點，並且花費巨大的精力以減少對每一個客戶的服務時間，於是造成一種「劣質服務」、「自我服務」甚至「無服務」的狀況。）然而一旦工作人員選定了適當的角色並且成功地塑造了角色，他們所提供的體驗將使消費者願意花更多時間。什麼會帶來這種意願呢？很簡單：表演的方式。

有意圖的表演

　　史坦尼斯拉夫斯基時常告誡演員要「削減95%」。[28] 透過這句簡單的口號，史坦尼斯拉夫斯基指出，演員往往有表演過火的傾向。他不僅是在說表演的動作過多，而且是指在特定的演出動作中過分表現的情況。（舉個例子，許多工作人員，從醫師到汽車維修工，都在工作中作出過多的解釋或歷史說明，而客戶需要的只是簡單的事實。）他希望將戲劇中過多的動作、過多的移動、對白和其他不利於主題表達的因素去除。他將表演削減到必要的核心內容，使得這些表演可以清晰地表現情節和主題（他稱之為最高目的〔super-objective〕）。傳說有一次史坦尼斯拉夫斯基問拉赫曼尼諾夫（Sergei Rachmaninov）掌握精湛鋼琴演奏技巧的祕訣，這位偉大的鋼琴家兼作曲家的回答是：「不要碰到旁邊的琴鍵。」[29] 史坦尼斯拉夫斯基一定非常喜歡這個答案，因為這就是他戲劇的標準之一。

削減95%

　　得益於廣泛流傳的全面品質管理（TQM）和企業流程再造（business process reengineering; BPR），許多組織現在理解到重新設計以及改善工作流程的想法。這些改善計畫一般都是將流程作為重新設計營運方式的一種工具。在很多情況下，這樣的做法只是勾畫出組織正在做什麼，現在這些活動應該如何進行，工作流程仍然缺乏意圖的感覺。僅僅完成一項工作遠遠不夠，有些需要激勵性的措施使得表演充滿活力，以達到最終影響消費者購買的

效果。舉例來說，每個人都能夠區分出以下兩個接待人員的不同：一個很少向與會代表打招呼和問候，而另外一個熱情地歡迎每一位代表，因此同樣的任務就加上了意圖的色彩。在大廳裏的接觸，不論多簡短，對於客人都會有影響，並且對於接下來的整個會面設定了一種基調——有時還會影響到結果。

當每一個工作人員都能自覺地、全面而有意圖地工作的時候，就真的可以吸引消費者。在意識中進行有意圖的設計之後，一舉一動都成了有含義的動作，缺少它，工作就是無聊、空泛和老套的。（那些從頭到尾不能讓人留下什麼印象的活動，怎麼可能帶給人們「美好的一天」？）因為有太多的人員在

有意圖的表演

演出時沒有運用謹慎的意圖，所以史坦尼斯拉夫斯基會時常要求演員消除他們所做的95％。對於商業演出也同樣適用。卓越的流程——至少具有真正吸引消費者的效果——只有當工作人員決定改善他們每次的表演時才會出現，就像演技指導科恩斯所說的：「決定你要什麼，對於結果非常重要……如果你還沒有確定自己要的是什麼，那麼你的行為就沒有中心，從而結果也是模糊和無意義的。然而一旦清楚地認識自己的意圖時，你的行為就是具體而清楚的，而且可以和別人聯繫起來」。[30] 當每一個舞台上的工作人員——在農場、工廠還有服務台都充滿著具有主題的吸引——都為工作賦予意圖時，任何商品的價值都能提升。

科恩斯為此提供了一系列的工具。對工作的每一個部分，人們必須用短語「為了」來描述他們的意圖。[31] 芭芭拉‧史翠珊咀

嚼口香糖是「為了」證明她的外表不重要——重要的是她優美的音色；雅各體育場外的表演者清掃大街，是「為了」表現出新的環境是乾淨、安全、舒適的，並且渴望復甦；那些在旅館大廳裏充滿活力的接待人員，是「為了」歡迎客人來到這個會發生重大事件的地方。

想像你現在正站在老闆的辦公室門外，你的下一個動作就是要敲門。你要採取何種敲門方式，「為了」顯示你是剛到？還是「為了」遲到來道歉？還是「為了」讓老闆知道你在外邊，而又不打擾他手頭的工作？或是「為了」提醒老闆開會的時間就要到了？每一種不同的意圖都可以決定不同的敲門方式。

或者，讓我們來考慮一下現實的醫師和病患的關係。醫學研究證明，患有乳癌的女性使用乳房腫瘤切除術（簡單的腫瘤切除）和選擇乳房切除術（乳房整個切除）的存活時間一樣長。儘管法律要求醫師必須把乳房腫瘤切除術作為一種選擇加以解釋說明，但在美國的一些地方，保留乳房的外科手術比率仍然較低。《華爾街日報》評論道：「部分原因是，問題不只是醫師說了什麼，而是他們是怎麼說的。」❸❷醫師必須為病患提供他們所面臨的選擇，以確保每一個病患都能充分地考慮各種替代方案。❸❸

善於在法庭上唇槍舌劍的律師，也必須將其意圖貫徹到他們的工作中。「你要計畫好每一個細節，你的衣著以及你的桌面的整潔程度，」一位芝加哥的律師弗雷德‧巴里特（Fred Bartlit）這樣說。❸❹巴里特是一個仔細審視他們所做的每一件事的辯護律師，從他們走路的方式到站立的姿勢，以及什麼時候採取怎樣的

眼神接觸，到拿文件、使用電腦的姿勢，到怎樣發表即席演講。
❸ 他們進行每個動作的意圖都會對整個的表演產生影響。如果只是做工作而沒有意圖（也就是只是為了做完），那麼工作就沒有吸引人的潛力。

　　像醫師和律師這種直接影響客戶生命的工作一定要注入意圖，這並不令人驚訝。然而，在注入意圖之後，任何的活動都可以變得更有價值、有意義。來看一個簡單的例子，在賓州大學的希爾之家（Hill House）宿舍中，一名大家都稱她為「巴布」的服務人員就證實了日常工作中的意圖。巴布在宿舍的咖啡館裏工作，對很多學生來說，巴布是他們的學生生涯中對他們影響最深刻的人。她的工作只有一項內容，在一日三餐中，巴布坐在入口處的椅子上，經手學生的預付款餐卡——一個接一個——透過一部機器，如果呈現綠燈則表示還足夠支付一個星期的飲食，如果是紅燈就表示不夠了。那就是她的工作。對一般人來說，這是一項再無聊不過的工作，但是巴布就在這項簡單的工作中加入自己的意圖。首先，她拿起卡片可以知道學生的名字，以後她就會用學生的名字向他們打招呼。如果有學生錯過用餐的時間，她下一次就會提醒他。她甚至會根據卡主的名字告訴他，他的朋友正在咖啡館的某處。在每一次接觸中，透過言語以及寥寥幾個動作，她的這種意圖使得整個情景充滿歡迎學生用餐之體驗的溫暖氣氛。毫無疑問，巴布的這種做法值得推廣到其他類似的工作崗位上。❸

　　在所有的工作中，我們都會遇到這樣的角色。有賓州大學處

理學生餐卡的巴布，有芝加哥叫做弗雷德的律師，有卡拉馬如機場裏的亞倫，有華盛頓特區的西雅圖極品咖啡的「神奇的馬修」，你在遇到他們之後就會記得他們。他們有意圖地工作，在他們的角色中傾注了對顧客的感情和對公司的投入。他們是這個世界上真正的演員，我們都應該以他們為榜樣。

表演的四種形式

根據腳本和演出方式的不同，劇場有四種形式：即興式劇場、舞台式劇場、搭配式劇場、街頭式劇場，每一種皆可對應到不同的商務舞台。

琳達是美國某汽車製造商的新車開發團隊的領導人。❶ 她一進辦公室，就馬上看今天的行程安排：「上午10點在主管會議中心，我要對供應商進行例行講話；下午1點30分是有關秋季策略週期的會議；下午4點去本地經銷商那兒拜訪。今天看起來還不錯，但是我必須趕快做好準備，還有許多事情要做。」

琳達啟動筆記型電腦，打開EBC7.PPT檔案，開始為她上午的簡報做準備。在瀏覽幻燈片時，她發現其中的一張已經過時了。她進入公司內部網路，找到最新的資料，更新了這張幻燈片。她馬上開始設想根據這些最新的資料她要說些什麼，在記事本上寫下這些思想的火花。很快地，另一張幻燈片又使她停下來，因為她想起了上一次演講中的一個障礙。琳達站起來，面對著關閉的辦公室門，仔細地想在簡報時她要說些什麼還有做些什麼。過一會兒，她就發現問題的所在：她同時做太多事情了。而幻燈片也跑得太快，使她不得不一直回頭注視銀幕。她也說得太快，而沒能兼顧到清晰和連貫，同時她的習慣性動作也顯得很彆扭。

為了糾正這些問題，琳達坐下來，去除幻燈片中不必要的資訊。她又在筆記本上記下一些東西，這是她必須提到的內容，涵蓋了幻燈片的要點，然後她又站起來，根據筆記繼續演練。透過這樣一次又一次的反覆演練，她找到了表達關鍵地方的恰當手勢和姿勢。由於她對自己的表現很滿意，她又表演了一次——這次她沒有看筆記。然後她打開CHAR7EBC.DOC檔更新她的腳本，包括一些動作的提示。

　　這時候有人敲門，是保羅，她屬下的一位經理。敲門聲再次響起，琳達闔上筆記型電腦，這是為了讓保羅確信，她正一心一意地關注他的彙報。其實琳達並不是真的很在意那些關於市調資料的新問題，但是，她表現得就像初次聽到保羅的問題一樣。她認真地和他討論一些細節。琳達盡力地驅散思緒中剛才專注的內容。當琳達和保羅握手道別的時候，琳達輕拍了拍保羅的肩膀，表示對他尋求解決問題之誠意的肯定。

　　接下來，琳達繼續凝神準備對供應商的簡報。到達會議廳之前，琳達在休息室裏短暫停留，確認她外套是否整潔、髮型是否得體、早餐有沒有塞在牙縫裏。然後她從提包裏取出會員標記胸針，別在外衣上。欣賞完鏡中自己的形象，琳達露出滿意而自信的笑容。接著她大步離開休息室。「到會議廳去，」琳達對自己說。同時，她開始在腦海中想像著會議已經開始的情形，讓自己迅速進入狀況。在到達後的幾分鐘內，主人就向與會的代表簡單地介紹她。在進行簡報之前，琳達停下來，看了一下今天的聽眾。從最後一排開始，然後是中間，最後是坐在第一排的供應商，他們都微笑著。❷ 然後，琳達用她的「四字訣」開頭：「合作需要學習關係」（Partnerships demand learning relationships）。略微停頓之後，她才繼續……。

　　琳達興致勃勃地完成30分鐘的講話，她的表現完美極了。「從此，我們不再有游擊似的貿易戰！」台下響起熱烈的掌聲。又一次關注前排的聽眾之後，她走下講台。一名與會的採購經理後來對主辦單位的助理說：「哇塞，我簡直不敢相信她能表現得

那麼自然不做作，而且清晰地指出問題的所在。」「的確如此，」助理回答：「她已經做過很多次這樣的簡報了。除了有一點小小的變化之外，每一次簡報中的每一個用詞都恰如其分。」這位採購經理只能又一次地「哇塞」。

就在這個時候，琳達已經回到自己的辦公室，開始準備下午1點30分的策略會議。這和上午的簡報不同，不需要PowerPoint，沒有準備好的筆記，也沒有掌聲。成功的關鍵，是保證業務線上的每一個人都全力以赴，讓公司高層體會到這一商務系統可以完美地執行完美的開發計畫。在這兒，她的角色不再是一個充滿自信的主管，而是參與其中的內部嚮導。

為了這個目標，琳達回顧她以前的會議筆記、電話和備忘錄，各個參與者的往來電子郵件，這些郵件大多是針對如何能夠做得更好的建議。她準備的重點在於這次會議要和上一次會議的結論相互銜接，表達的基調一致，達到每一個與會者都滿意的效果。這樣的準備就會使會議圍繞特定的重心，不會離題（順帶的好處是，不會耽誤到下午四點的業務拜會）。琳達開始使用她的「奔跑計畫」（runplan）技巧，將策略計畫用畫面一一展示，並為即將使用的圖表寫下提綱。

她的準備沒有白費。除了要回應一兩個小問題之外，身為內部嚮導的琳達不僅使得會議順利進行，還推動整件事情的進程，使得各方面的協作像交響樂團一樣和諧有序。現在，她要出去跑業務了，換上與所要拜訪的公司性質相稱的較為隨意的外套之後，她就和約好的租賃部副總裁史蒂夫出發了。

　　這並不是普通的業務拜訪，琳達和史蒂夫要見的是當地大型經銷商的老闆，目的是說服他成為汽車製造商的原型產品提供者：出租前執行汽車試車體驗（Pre-Lease Executive Automobile Sampling Experience，簡寫是PLEASE，和Lease部分諧音）。透過PLEASE，公司要推出一種試車活動：潛在的高檔客戶只要支付15,000美元以上的租金，就可以測試各種高性能的汽車——從豪華型到造型奇特的汽車——在各種令人興奮的條件下，與其他人（包括本地的名流）一同賽車或在雨地上滑行。最後，在一天的測試之後，每位客戶可以將他們選擇的汽車開回家，獲得一年的免費租賃以及一卷預先客製化的自己駕車體驗的錄影帶。這種體驗的要價是普通租金的2~3倍。琳達、史蒂夫和他們的合夥人都知道，這將帶來豐厚的利潤。現在，高層經理人也了解到透過租賃比製造賺得更多，終於同意在協定中加入可租賃其他製造商的汽車的條款。

　　在琳達和史蒂夫一同駕車前往經銷商處的途中，他們計畫好要說服經銷商在他的區域推展這個試車計畫。根據以往的銷售經驗，他們對於促銷一些特定方案已很有默契——琳達專注於PLEASE體驗的本質，史蒂夫則強調財務面。琳達將向客戶展示即將完成的全景式的B版本，史蒂夫則解釋對經銷商本身有什麼幫助。在展示完之後，琳達將展示設計草圖和彩色效果圖，透過描述美好的業務前景證明PLEASE是一種截然不同的體驗。從頭到尾，史蒂夫都將扮演琳達計畫的熱烈擁護者的角色。在他們到達的時候，他提醒琳達，根據以往的經驗，在介紹B版本的開頭

時提一下冬季的輪胎性能會很有用。

在經銷商的辦公室入座之後，他們相互配合著演出，話題的銜接很流暢，每一個環節都進行得很完美，只是會面比預定晚了20分鐘開始，經銷商他們的人不時打斷簡報，還有對方不斷地提出反對意見。但是，自始至終，琳達和史蒂夫都很清楚彼此的角色和目標，他們將每一次打斷轉化為一個笑話或令人愉快的插曲，將每一個反對都轉化為向下一個環節過渡的有利因素。為了幫助經銷商跨越最後一道障礙——包括別的品牌會吃掉自己存貨的銷售機會——琳達向史蒂夫使了一個眼神，兩人一同站起來，走到經銷商的桌前，指向他們之前注意到的多羅里恩（DeLorean）賽車模型。不待他們發問，經銷商就說：「的確，那就是我的夢想，我的第一輛賽車……」對此琳達回答說：「……你也喜歡駕駛它的體

要知道如何使每一次互動都成為一種體驗

驗，對吧？我們將會給你的客戶駕駛他們的夢幻車種的體驗，而且比起僅僅出售五輛我們的普通車款獲利更高。誰會在乎是誰製造的車，那只是駕駛體驗的道具罷了。這對我們的好處都是顯而易見的。」很快，他們三個人的手握在一起。他們走向大門口，琳達在和經銷商握手時拍了拍他的背。

劇場的四種形式

剛才這個實例，描述了我們在第6幕中討論的有關劇場的許多要素，還包括了一些新的。琳達當然了解作為一個表演者意味

著什麼，以及每一次的互動——無論生產的是什麼商品、無論工作的舞台在哪兒——都會成為一種體驗。

但是我們注意到，她針對這一天的四個不同場景扮演了不同的角色。在準備發言的時候，她遇到自己的下屬保羅帶來的問題，而且必須及時解決，在這裏琳達採用即興式劇場（improv theatre）。就如同與公司外的人打交道的舞台一樣，琳達很快找到應付的辦法：運用長期工作經驗所累積的管理技巧。

在和供應商夥伴進行交流時，琳達採用的則是舞台式劇場（platform theatre）。她事先勾畫出要說的每一句話和每一個動作，並且一次又一次地進行排練，直到她相信她的演出是完美而成功的，同時一切看起來又那麼的自然。在準備下午的策略會議時，她仔細地審視以前每一次的互動成果——電話、電子郵件、書信，還有那些面對面的經驗。這時，她表演的場景就是搭配式劇場（matching theatre），將所有不連續的部分拼接成為一個有機的整體，這非常像是電影剪接和導演所做的工作。

最後，她和史蒂夫一起到經銷商那兒推銷出租前的試車體驗，琳達發現她身處一個自己不能控制的環境。不使用即興發揮的技巧——這風險太大——他們兩個表演了街頭式劇場（street theatre）。在這兒，一些小環節和因素按照不同的要求組合起來，構成一齣戲（並且能夠處理任何突發的事件和障礙）。儘管看起來劇中的每一個動作都是演練過的，但並不是計畫好的，而是隨著事件的進行隨機發生的。

你必須決定表演何種形式的劇場

圖7-1 劇場的四種形式

表演 動態的／穩定的

街頭式劇場　即興式劇場

舞台式劇場　搭配式劇場

穩定的　動態的
腳 本

現在考慮一下你在工作中的不同角色。和琳達一樣，你在開始演出之前，根據事件發生的時間、情況及觀眾的組成，你必須確認哪一種形式的劇場最適合。在圖7-1中這四種劇場──即興式、舞台式、搭配式、街頭式──是根據雀奇納的表演

模型（圖6-1）而來的，劇場內部以腳本為界，外部以表演為界。表演和腳本的變化幅度，對每一個觀眾來說，無論變化是動態的（持續變化）還是穩定的（幾乎不變），都決定著演員如何表演。四種劇場各代表一種不同的工作表演方式，如何決定該採用哪一種，端賴產品本身的性質和公司與顧客接觸的形式，或參與的同事而定。

即興式劇場

即興是包括想像、創意以及採用前所未有的表演方式。即興式劇場是自發性的、自由的以及無法預見的一種工作模式，它的基礎是從新的事物中尋找價值──創造、發明，從一個點子衍生新的點子，或只是很隨興。在即興式劇場的動態過程中，並不只是產生自由聯想和無目的的思想活動那種缺乏結構的結果；恰恰

相反，即興的表演需要原創的思想、新鮮的表達、用新方式來思考老問題。這些環節中的系統性和慎重考慮的做法，通常沒有寫下腳本，頂多只有概括性的描述。

在即興式劇場，可以預見到表演過程中的失誤，有意引發場景「產生誤差」，看看會發生些什麼事。這樣的情況在其他形式的劇場中也會發生，當預料之外的失誤出現時，就要透過回應失誤——即興表演——來排除困境。在任何情況下，即興表演都包括一整套的特定學習技巧（所以是可以教的），同時，不同的工具和技巧

即興式劇場需要全新的演繹

在看似毫不相關的情形下，可以透過非常規的方式結合運用，從而得到一些前所未有的發現。即興演出的技巧充斥於各種課程和手冊中，包括快而不清楚的說話方式、默劇動作、對隨機的道具的互動反應，還有戴面具。每一種技巧都是故意去刺激以觸發不同的觀點、不同的可能性或不同的可行方案的組合。這些都是在幫助產生即興的想法以付諸行動。

這些技巧至少可以追溯到16世紀義大利的commedia dell'arte（編按：即興喜劇，是喜劇表演的一種即興處理方式，源自盛行於16世紀的義大利即興喜劇團體），這一室外劇場的表演者在劇中使用粗俗的肢體動作，穿戴具有特色的面具，還有簡單、容易辨認的服裝。這些400年前的劇場中的角色，今天仍然為人們所熟知：潘大龍（Pantalone）、哥倫比那（Columbina）、軍官（Il Capitano）、聖姆齊（Scaramouche）、阿萊齊諾（Arlecchino，從這裏衍生出英式喜劇演員）、普欽奈拉（Pulcinella，後來變成了

木偶戲）、男僕（Zanni，後來衍生出小丑〔zany〕一詞）等等。
每一齣戲都不是根據寫好的對白而是根據劇本（scenario），正如
約翰·魯丁（John Rudin）所說的：「嚴格說就是『所有在布景
上的東西』，也就是在幕後準備的一切。它只是一個情節的概
要，只是一個骨架以指示某人在何時做什麼。」❸於是所有的對
白及很多動作都成了即興式的，這些舞台上的角色，為普通的劇
本加上了翅膀。

　　如果你正在給你的劇場「加上翅膀」，你就是在進行即興演
出。任何沒有經過準備和排練的假想劇中的角色，比如汽車業務
員與業務經理扮演的「好警察壞警察」，就是遵循著commedia
dell'arte的傳統。演出者也可以在更複雜的銷

**如果你正在給你的劇
場「加上翅膀」，你
就是在進行即興演出**

售情況下採用即興手法。假設某旅行社的一個
四人小組跨部門團隊，我們叫他們鮑伯、卡
羅、泰德和愛麗絲，一起負責公司的旅遊業務

銷售。由於準備時間不多，他們迅速確定了所售商品的三種不同
特徵，據此他們相信可以贏得生意：成本控制、高水準的服務、
員工士氣的改善。除了他們個別的角色功能——銷售、經紀、財
務、人力資源之外，每位成員都選擇一個即興表演的特定角色，
並且很快地商量好適當的腳本。鮑伯扮演微笑的接待者，對客戶
投以微笑、倒咖啡，並且熱切回應對方的意見。泰德則是不苟言
笑的角色，他壓縮話語，減少不必要的對話，並且努力使會議按
照計畫進行。卡羅和愛麗絲則扮演提案的審閱者，用隨機的對話
方式，討論各種可能的替代方案，全力促成交易。用這樣一種即

興的銷售表演方式，可以把公司的經濟價值用一種動人的方式表現出來。

當公司必須為客戶創造新的商品時，也可以採用即興式的表演。這和研發小組、建築師或圖案設計師的工作是一樣的。當他們必須處理工作過程中不可預見的新情況時，也會採用這樣的手法。這種形式的劇場不僅對人們的行為、而且對思考方式來說都是有效的。舉個例子，創造性思考的大師愛德華・迪波諾（Edward de Bono）博士，就是採取即興的練習以激發新的點子。❹在迪波諾集中思考、轉移思考、剪裁以及獲取新點子的方法背後，都存在著一種確定的結構。他的方法是激發活潑的思考活動，將人們思維中即興的產物結構化。達到這種效果的方法是在刺激的作用下，從一個概念跳到另一個概念。在一次練習中，迪波諾推薦使用隨機的詞語來激發新點子。你的行銷計畫需要新的點子嗎？那麼就從手上的各種資源中隨機地發掘詞語：一本字典、一張報紙、甚至是孩子的教科書。讓我們來看看，我們可以從……一隻烏龜提取出什麼樣的思維？（「烏龜的腦袋可以從它的甲殼中伸出來，也許我們的廣告行為也就是一個軀殼──只有在最終的一刻資訊才會探出頭來」）或者我們怎樣將它和……一輛三輪車做比較？（一個蹬著三輪車的成年人往往會被認為腦筋有問題。由於競爭而被犧牲的消費者，看來就像是蹬著三輪車一樣不協調。好，我們大量客製化的產品必須「完全協調」。決定了，就這麼辦吧！）

雖然是巧合，體驗經濟的興起也符合創造性思考的熱潮。它

同樣為工作場所引入對即興表演的大量需求,尤其是在新的場合工作時。❺ 這方面的一個例子就是家庭購物網絡公司（Home Shopping Network; HSN）,他們的銷售人員就採用了即興劇場的各種技巧。網站有鮮明的入口和出口,強調視覺化的小道具,同時,採用整個銷售團隊（用即興劇場的術語,稱為「班子」或許更合適）一起亮相的方式。他們還注意到聲音的重要性:學會選擇音調、調節音量節奏、轉換重音的位置以及製造和諧的韻律。這些都是在即興表演的課堂上可以學到的。為什麼家庭購物網絡公司的銷售人員會有這麼好的表現?因為他們知道有觀眾在那裏。同樣,對於即興演出的技巧有強烈需求的工作人員,也必須有這樣的共識。

如今,對於那些必須透過電話來互動的工作人員,這樣的技巧變得日益重要。在這兒,我們可以從廣播這一行業學到很多。廣播曾經很類似劇場。第二次世界大戰以後,在電視機普及以前,無數的聽眾在收音機前聆聽他們喜愛的節目,這些表演使他們完全入迷。即使在今天,當電視的普及已經達到最高峰的時候,電台依舊提供了一個表演的舞台。看看那些最受歡迎的主持人:唐·伊莫斯（Don Imus）、魯希·林鮑夫（Rush Limbaugh）、霍華·史騰（Howard Stern）,還有許多地方電台的知名主持人,他們創造並且演繹了引人入勝的角色。在這些廣播節目中,演員必須依賴即興演出的技巧展開工作。沒有其他地方會接到更多的電話了。也許有人會對這種表演是否明智以及它所涉及的範圍產生懷疑,但毫無疑問的是,這些電台的工作人員在演出即興式劇

場。實際上，即興演出就是他們的工作。

　　因此，這就是那些仰賴電話維生的人們的工作方式。電話線是一個空的空間，隨時可能變成一個無裝飾舞台；如果電話客服中心的工作人員採用即興的方式工作，這樣的交流會變得非常活潑。且不管最糟糕的語音服務，這裏我們指的不是那些080服務專線或是午夜的心理諮詢熱線（那些受雇的「心理分析師」當然知道是在演出），而是電話行銷。其他形式的電話服務

> 電話線是一個空的空間，隨時可能變成一個無裝飾舞台

有沒有讓人不滿意之處？其他的語音服務可不可以透過即興的演出方式而得到改善？電話行銷人員的腳本往往是要他們接聽更多的電話，但是這樣的話，有幾通對那些潛在顧客真正產生影響？接到電話的顧客，往往對員工事先準備好的介紹性套話感到厭煩而立刻掛斷——這是一種可以理解的反應，因為顧客針對一個問題的回答與員工接下來的問題毫不相關。採用即興式劇場的電話行銷，比較有機會把潛在顧客引入有趣的對話中，因為服務人員會根據客戶的特定需求，作出及時的回應。這樣的服務將會越來越取代以往被掛電話的模式。

舞台式劇場

　　提到劇場，人們馬上會想到的一種形式就是舞台式劇場，這樣的名稱可以追溯到古典式舞台，演員就在觀眾上方的平台上進行演出。演出用一塊布幕與觀眾隔開（在幕與幕之間通常是用一塊簾子遮住）。❻ 舞台式劇場的演員按照正式的腳本——也就是

劇本——演出。❼ 在企業界，劇本的形式各異，從演講的草稿、程式碼到標準化工作的指示，其主旨在於規範工作進程以創造價值，甚至包括工廠的生產流程。舞台式的工作，是線性而且固定的，按照特定的流程進行，所以工作的進程和原先的計畫與劇本之間差異很小。舞台式演出的工作人員企圖使所有事情都穩定有序，透過排練，複製出一個可以一再重複運作的最佳方案。不管人們看到的是什麼——音樂演出或是產品生產線——這些演出的方式都是一樣的。

這樣的穩定常常是一件好事。程式設計師會發現他設計的流程被嚴格地遵守，而高階管理者會按照自己的精心準備，與董事、投資人、供應商和公司的員工進行例行會議。正因為如此，產生了許多協助發展IT解決方案以及穩定生產流程的技巧，還有許多訓練說話技巧的講師（多數都有從事藝術表演的背景）。這樣的協助有助於建立舞台式演出。但光是機械化的閱讀腳本，並不能建構出好的舞台式劇場——甚至連糟糕的演出也算不上。根據《華爾街日報》的報導，許多財務長都參加過表演課程，以應付每季一次與財務分析師的討論，因為如果在這種情況下即興演出，可能會使公司陷入財務困境。❽

在舞台式劇場中，不管用什麼方式，如死記硬背、透過提示卡或其他儀器，演員必須排演他們的角色。他們必須對劇本裏每一行、每一句的含義滾瓜爛熟，才能丟開劇本。當一名演員了解——真正了解——他的角色時，他並不是在背劇本，而是自然而然地用自己的理解將它們表現出來。

過分依賴舞台式劇場是件危險的事。有太多的企業，尤其是從事大量製造的企業，命令他們的工作人員按照標準的劇本工作，然後重複同樣的工作或話語。這是一種無意義的效率。（這就是為什麼電話行銷人員認為「劇本化」是一個不好的詞——因為他們在應該使用即興或街頭式劇本的場合使用舞台式劇本。）最專制的組織——看看汽車監理所或航站服務處——要員工必須遵守一堆紀律，不管這是否合乎消費者的真正需求。但是，在從事標準化的活動時，比如只是面對客戶而不和他們直接互動的時候，舞台式劇場就很適合。舉個例子，對於提供速食服務的工作人員、眼鏡速配店的技師、舞台上固定的工作角色、飛機上背誦各種安全守則的空服員，以及任何進行標準化陳述的人員來說，這都是一種合適的劇場選擇。

舞台式劇場幾乎不允許改變

舞台式劇場的技巧，也適合那些根據劇本進行聲音或圖像錄製的工作人員，比如錄音廣播以及語音郵件系統。來看看利潤豐厚的有聲出版業，儘管這樣的模式出現不過十年左右，大大小小的出版社現在每年出版數百種不同主題的出版品。出版商現在都已經找上威廉‧莫里斯經紀商（William Morris Agency），以便預約受過聲音訓練的專業人員。他們經常聘請百老匯和好萊塢的藝人錄製暢銷書和特殊的出版品。哈勃有聲公司（Harper Audio）的執行製片瑞克‧哈里斯（Rick Harris）說：「音樂劇的演員非常擅長這個，因為他們知道如何反應、潤飾以及描述這

當員工不需要與客戶直接互動時，就使用舞台式劇場

些場景。」Bantam Doubleday Dell出版公司有聲部的總裁兼發行人珍妮・佛洛斯特（Jenny Frost）說，最棒的讀者「在進入錄音間之前確實會對劇本進行仔細的研究。」❾

其他對聲音及劇本有需求的行業，包括發聲玩具廠商、網路有聲聊天室、光碟遊戲還有培訓教材等等。

年度會議、投資人聚會、還有商展都提供了舞台式劇場的場合，這些通常都是由例如國際加勒比納（Caribiner International）、PGI或者迪克・克拉克製作公司這些專業公司舉辦。後者是電視節目《美國音樂台》（*American Bandstand*）的主持人迪克・克拉克（Dick Clark）所創立的，對於舞台式事件要價是15~1,000萬美元。「所有這些演出都有著同樣的形式：一段講話，一段附有圖表說明的財務報告，然後結束。」克拉克說：「我想說，我可以採用電視中那種方式：請觀眾入場，吸引他們注意，使他們愉快，同時傳遞公司的訊息。」❿ 工作包括修改標準化腳本，然後根據腳本製造舞台事件。

搭配式劇場

搭配式劇場，比如說電影和電視，是將不相關的一幕一幕連接成為整體，最終的結果是將工作的各個獨立部分、在不同時間不同地點進行的工作都組合起來。在進行搭配式劇場表演的時候，不僅要注意那些可用素材的數量，還要注意這些片段內容的一致性，以及採用怎樣的方式將它們結合起來以完成整個演出。從事娛樂業的人很少用「搭配」（matching）這個詞來描述他們

的工作,而是籠統稱之為「拍電影」或跳接式(jump-cut)劇場,表示整個過程中需要在不同的場景和鏡頭之間跳躍,然後剪接成一個整體。⓫ 正如普多夫金(V. I. Pudovkin)這位1920~30年代偉大的默片導演所說的:「電影藝術的基礎就是剪輯。」⓬ 當一些公司開始將不同的商業活動的不同產出連結成為一個整體的時候,他們也就是在進行搭配式劇場的演出。

搭配式劇場將工作的各個部分連接成為一個整體

　如果你看過這樣的電影或電視節目:⑴銀幕上出現一個角色;⑵畫面切換到另一個角色;⑶鏡頭重新回到第一個角色,但他的位置、姿勢、表情、氣質、甚至外觀都和第一次出現時不同了,那麼你看到的是糟糕的搭配式劇場。因為它引導觀眾去注意到這樣拙劣的表現,而讓觀眾興趣盡失。同樣地,潛在的搭配不當還時常存在於許多商業流程中,尤其是將大量製造的工作分成各個功能性的動作時,這些垂直切割的功能常常無法相互配合。而那些擁抱持續改善(Continuous Improvement)或精實生產(Lean Production)模式的企業,透過搭配式劇場,將重點放在水平式地將作業活動結合成緊密的一體,而解決了這個問題。

　和舞台式劇場的導演一樣,搭配式劇場的導演也是從一個寫好的腳本開始工作的。在製作的整個過程中,腳本通常會有大幅更動。實際上,這樣的更動一定會發生,為什麼?因為在實際的製作過程中,會不斷發現原先腳本中的缺陷。正如任何生產過程——初級產品、商品、服務、體驗——在編制的過程中也會不斷地發現和彌補不足,然後再發現。所以搭配式劇場的腳本往往是

搭配式劇場的腳本往往是動態的

動態的，有時有大量的改動和修訂，有時會即時修改（在舞台式劇場中，對腳本的修改也常常發生，但是那是在構思的過程中，是在整個表演開始之前。如同大量生產一樣，舞台式劇場在執行時是不允許有改變的）。在公司進行持續改善時，隨著工作的一步步改善，所有部分都服從於高品質產出這個目標，透過改善創造了價值。

只要工作人員想改善產品的基本品質，他們就應該採用搭配式劇場，這包括行銷經理（他們所雇用的廣告商則否，後者要用即興式劇場來產生新的活動）、速食店的服務生（廚房中的工作人員則否，在那兒舞台式劇場對他們來說最合適）、零售商店的櫃台服務人員（業務人員則否，它們應該用街頭式劇場的技巧），空服員更不用說了，他們一遍遍地重複著問候和招呼，送別旅客和致敬，還毫不悔改。

在更高的層次上，公司在與同樣的顧客多次互動時——往往是由同樣的工作人員為之——應該採用搭配式的表演方式，在這裏工作人員依需要改變搭配。想想業務代表在與顧客進行例行會面的時候，會面時發生的任何事，都必須與過去的印象和未來的表現相互搭配。舉例來說，如果一名業務代表要讓客戶對他產生專業、見多識廣、樂於助人的印象，那麼在每一次的會面中都必須加強這些印象——最好是全部，而且不能有損害這些印象的體驗出現。

其他的溝通方式如電話、傳真、電子郵件或書信來往也是如

此，這些表現同樣要給顧客一貫良好的印象。如果一家公司要取得這樣的效果，那麼它在進行任何行為之前都必須考慮到之前往來的經驗。正如嘉信理財（Charles Schwab）的電子交易資深副總裁亞瑟・蕭（Arthur Shaw）對《商業週刊》所說的：「最大的挑戰是使事件的所有分支和脈絡都成為無縫隙的體驗。」❸ 確實如此，與客戶溝通的每一個片段，無論是採用什麼樣的媒介，都應該達到這樣的要求，才能成功實現公司與客戶之間溝通的目的。拙劣的業務員往往不管這些，對以前的往來經驗置之不理；優秀的業務員則謹慎地搭配每一個細節，最後的結果就是：工作需要的步驟減少了，而且更容易達到溝通的目的。

當同一組織中的多人在一段時間內與同一顧客溝通時，人員的搭配也需要審慎處理。需要這樣搭配的包括所有零售工作、不同分公司的業務代表與同一顧客接觸、不同的操作程序、技術支援以及客戶服務的人力支援。這些直接和顧客打交道的人和前述的幾樣要素一樣，也要包括在搭配中。這樣的情形不僅點出需要有一個人負責引導整個演出，同時每一個業務代表必須清楚他的行為必須與同事一致。員工的制服——無論是胡特斯（Hooter's）餐廳隨意的工作服飾，還是以前IBM公司的藍外套、白襯衫——都表達出管理者希望代表公司的員工保持搭配的一致性。同樣，我們也可以注意那些設施、道具、姿勢還有其他細節，它們共同作用可以增強公司的互動體驗。

在同一時刻、同一地點和同一顧客接觸時，業務團隊人員的搭配也很重要，即使是那些沒有安排發言的成員也必須和那些發

言的同事做好搭配。他們的肢體反應不僅要增強他們正在發言的同事（也許是「明星」）的意圖，還要準備對特定問題作出反應。他們應該採取一種有助於提高整個演出可信度的謹慎態度：點點頭、專心的注視、一些不經意的動作被關鍵決策者覺察到了——這些都會對整個演出產生影響。就像在經典名片《北非諜影》（*Casablanca*）中，最後的眼神和眼淚一切盡在不言中，一筆生意之所以成功，極可能由所見到的而非所聽到的來決定。

　　搭配式劇場其實並不容易，它需要謹慎和思考。然而日常商務活動的節奏不允許花很多時間一幕幕地排練整個活動的過程。在這種表演藝術中，投入排練的時間（以及對於NG的容忍度）會根據媒介的不同而不同。大型的動畫片、獨立製片、三十秒的廣告、娛樂性節目還有肥皂劇等，都有不同的門檻。商業活動中同樣如此，對會議的準備時間各有不同，而且就是這「再來一次」往往決定整個演出的成敗。正如舞台式和即興式劇場一樣，搭配式劇場的技巧也是可以學習的。湯瑪斯·巴布松（Thomas W. Babson）給那些進行搭配式劇場演出的演員以啟示，他的著作《演員的選擇：從舞台到銀幕的轉換》（*The Actor's Choice: The Transition from Stage to Screen*），描述了如何從舞台式劇場向搭配式劇場轉換。巴布松的「三層次系統」透過「六要素選擇」（角色、關

在與顧客重複互動時應使用搭配式劇場

係、目的、開放式感情、過渡以及他稱為「表述出來」——演員在不說話時所想的）來引導角色的肢體動作、動機與情感，這可以應用於電影，也一樣可以應用到任何商務活動中。❶

街頭式劇場

第四種，可能也是最吸引人的劇場模式就是街頭式劇場。在歷史上，這曾經是江湖術士、魔術師、說書人、木偶戲、小丑還有默劇表演者的領域——所有這些，演員都必須先將觀眾吸引過來，在人們面前展示他們的能力和技藝，然後也是最重要的——要他們掏腰包。當莎莉・哈里森—派波（Sally Harrison-Pepper）還是紐約大學表演藝術研究的博士生時，就在下曼哈頓的華盛頓廣場（Washington Square）研究那些街頭式劇場的表演者。在她的著作《在廣場上畫個圈》（*Drawing a Circle in the Square*）裏，哈里森—派波如此描述這種劇場的核心要素：

> 突破了劇院的高牆，在燈光黯淡的觀眾席上，固定的座位，提前付費的觀眾和使人放心的審查，街頭式劇場的表演者投入並控制著周圍的環境——擁擠的交通、嘈雜的聲音還有經過的路人，都會成為他們表演的道具。公車轟隆隆地駛過，直升機在上空盤旋，詰問者不時打斷他們的表演，而雨天、嚴寒還有警察，都會把這樣的演出徹底毀掉。觀眾圍著街頭式劇場的表演者，焦躁不安地等待著。就這樣，街頭式劇場的表演者成功地將城市空間轉化為劇場空間，使那些駐足觀望的行人成為觀眾。❺

這是對成功銷售多麼貼切的描述！當他們進入潛在顧客的辦公室、工廠或家裏時，業務人員對於他們遇到的事物無從控制，

他們必須「投入並且控制」這個完全陌生的環境，然後把它轉化成他們銷售表演的舞台。最優秀的業務員可以將他們手中的任何東西都轉化為有用的道具，這有賴於他們將過去的經驗成功地運用到現在面臨的新情境，不怕打擾，也不會因為被打斷而窘迫，他們用適時的言語，將這些破壞性的因素轉化為整個演出流程的一部分。在變戲法、變魔術、小丑表演還有推銷的時候，街頭式劇場的表演者證明了他們高超的技巧和能力。⑯ 他們是如何做到的？練習，練習，再練習。

看起來就像是即興發揮一樣，街頭式劇場的表演者實際上經過認真的準備——就像是舞台式劇場所做的一樣，甚至更多。而且在街頭式劇場中，每一次看到的表演都是不同的，這取決於觀眾的成分以及在表演中觀眾的一言一行等表演的外部「因素」（例如：一輛救護車突然經過廣場），這裏還沒有提到表演者當天的情緒如何。表演者必須仔細地分析觀眾並進行分類，確定哪些觀眾會跟隨他們的演出，哪些觀眾不願意（有時會因為觀眾看起來沒有達到「合適」的狀態而推遲或延後戲劇的進行）。然後，他們將每一次的打擾都轉化為表演的一部分，他們唯恐會因為失去這些觀眾而不得不從頭開始。他們沿襲過去成功表演的經驗，在表演的過程中，街頭式劇場的表演者當場決定在已經準備好的節目中選擇表演哪些，而哪些應該放棄。最後的結果是：成為一場透過重新運用已知事物創造新價值，而且以現場觀眾的體驗為目標的表演。

街頭式劇場吸引觀眾，取悅他們，然後讓他們掏出錢來

換句話說,與其說他們的表演是即興發揮,不如說街頭式劇場的表演者實際上是在「客製化」他們的表演。這些組成部分——無論是一次聰明的評述、一種特定的途徑、一種銷售的技巧,或是對某個沉默的觀眾突如其來

看起來是即興演出,實際上,街頭式表演者是在「客製化」他們的表演

的點醒——都是標準化的模組,它們在需要時動態地連接在一起,創造出天衣無縫的表演。每一個〔片段=模組〕都來自一個穩定的腳本,而最終的表演來自表演過程中的選擇,如同圖7-2所描述的,就像客製化商品來自於互動設計過程的各個選擇一樣。

所有的街頭式劇場的壓軸都是一樣的,正如哈里森—派波所說:「通常整個街頭式劇場的表演安排,都是圍繞著最後的壓軸展開的——那些高潮⋯⋯街頭表演者清楚地知道什麼時候應該出現高潮,必須恰到好處地將觀眾高漲的熱情轉換為大筆的鈔票。」我們再來看推銷:當一名業務人員進行常規銷售的時候,他表演的就是街頭式劇場。整齣戲漸漸地向壓軸好戲發展,要求顧客購買。❼業務員已經準備好腳本,就像圖7-2所示,包括開頭部分,要點A、B、C,以及最後一幕,但是在實際運作時會根據觀眾的需求進行適時的調整。如果他發現客戶正處於興奮中,那麼他就會適當地延長某個要點;而當情況相反的時候,則適當壓縮相應的部分;或者當發現某種特殊興趣的時候,他就會採用一種全新的順序來安排各個要點。在整個表演的過程中,他同時對那些障礙和打斷作出必要的反應(和那些大街上的詰問和

圖7-2　街頭式表演腳本

資料來源：Sally Harrison-Pepper, *Drawing a Circle in the Square* (Jackson, Misissippi: University Press of Mississippi, 1990)，p. 177.

打斷的道理是一樣的）。由此，業務員可以將準備好的節目按照正確的順序展現。

　　有趣的是，街頭式劇場的各個方面和即興式劇場一樣，也採用源於即興喜劇（commedia dell'arte）的技巧，畢竟那是最先出現「在市集，在那裏人們被吸引、被取悅，然後掏出錢來——如果是為了謀生的話」。[18] 隨著時代演變，即興喜劇的演員逐漸熟知各種被稱為「lazzi」的片段和吸引觀眾的技巧，這當中有許多即便在今天人們也能一眼就認出來：阿萊齊諾（Arlechino）騎在豬的身上發出很大的聲音；男僕（Zanni）用「你1元，我2元」的方式分錢；皮埃羅（Pierrot）在軍官要坐下的時候突然抽走他的椅子；阿萊齊諾假裝捕捉頭上嗡嗡作響的蟲子。而一旦表演停頓的時候，一名角色就會拿出一根長棍打一個配角（從中衍生出今天的「打鬧劇」）[19]。這些並不都是即興的，而是可靠的、可重複的方法，從以往的表演中可以知道是有效的，因此在情況許可的時候，就可以採用這些方法。

哈里森一派波在談到1980年代知名的「華盛頓廣場之王」
——吐火表演者托尼・維拉（Tony Vera）時，說他總是這樣開
始他的表演：在南廣場的人行道附近用一支巨大的粉筆畫一個
圈，然後在圈的四周寫下他的名字，如此，他就將空地轉換成表
演展開的舞台，「我要做的就是走到那個圈子中，這個時候人群
已經開始集中了，」他這樣說：「這一切就這樣發生了，真是神
奇。」[20] 為了吸引人群，維拉專心地在圈子裏布置他的道具而暫
時忽略觀眾（這樣的做法可以追溯到西方19世紀的賣藥人
〔medecine man〕）。最後，在表演開始前，他會審視一下四周，
然後開始揮動一把小掃帚（很像是雅各球場的清潔工）。

維拉的每一舉動都經過精心選擇，他採用的是他認為會獲得
最多金錢回報的組合方式。他會表演他最拿手的技藝，使觀眾的
興奮達到高潮。但是和芭芭拉・史翠珊以及她嚼口香糖不一樣的
是，他會這樣結束演出：透過一種讓人迷惑的手段，從嘴裏吐出
直徑10英呎的火球。在這整個過程中，他同樣很老練地處理一
些不可避免的突發性打擾。維拉實際上希望在他的表演中有消防
警報響起，那樣他就能將表演發揮到極致。正像另一位街頭表演
者所說的：

　　我所見過托尼最偉大的一次表演，就是當他點著一個大火
　球的時候，火警的聲音從某個角落響起，他向四周看了看，
　然後把火炬交給了觀眾群中的某一位，然後走開，站在觀眾
　當中，就像「La dee da，我什麼都不知道！」一樣。對觀眾

來說，一切看起來都那麼自然。我相信，這在以前一定也曾經發生過。你看，一切都是那麼精準、完美。多麼地流暢啊！❷

這正是處理那些可能會分散觀眾注意力事件的方法。無論我們的職責是什麼，我們都應該做充分的準備，以處理突如其來的各種問題、反對、打擾和障礙，這在與客戶溝通的過程中是不可避免的。

一位主管在財務分析師面前的陳述，毫無疑問要採取舞台式劇場，如果到一種問答式的階段，那麼他當然不能只依賴即興的技巧了。他應該採用街頭式表演以預見可能發生的各種情況，並對這些問題提前做好準備。然後練習、練習、再練習，直到每一個問題提出的時候，可以自然而然地回答出來。對於每一個表演者來說，無論所處的環境如何，他都應該做好各種準備，以抓住任何良機。

舉個例子，在客服中心從事客戶服務的人員，更需要街頭式表演的技巧，來和客戶建立聯繫，並幫助客戶取得他們所需的資訊，安撫他們在訂貨中產生的不滿，或者僅僅回答一些簡單問題。一些公司邀請教練對它的客服人員進行處理電話的培訓。這些教練當中最棒的一個就是「電話博士」（Telephone Doctor），由密蘇里州聖路易市的南希・弗雷德曼（Nancy Friedman）塑造的一個角色。這位優秀的博士在16卷教學錄影帶中展示超過100種實例，主題包括「確定來電者的需求」、「如何處理憤怒來

電」、「如何用歡迎的方式對待每一位打電話來的人」。每個實例
都傳授客服人員一種處理的方法，他們可以透過練習而熟悉，然
後根據需求運用。

　　哈特福（Hartford）保險公司在它的「私人熱線保險中心」
（Personal Lines Insurance Center）採用街頭式表演，它們意識到
沒有一名業務人員可以完美地接待所有來電者。❷ 該中心的前任
主管、現任哈特福親和力私人熱線（Hartford's Affinity Personal
Lines）總裁休・馬丁（Hugh Martin），將這個組織調整為由一系
列特定角色所組成：一般人員，負責接電話並盡力處理來電；特
別服務人員，處理特定事件、難度更高的問題，比如嘮叨不休的
來電以及特定狀況的調整。當一般人員所處理的超出他能力範圍
時，他們手上都有一些備用的處理方式可供運用。通常，一般人
員都有大量的工作等待完成，不過人員是可以替代的。馬丁說，
這個中心對每通來電建立了一個「立即反應團隊」，儘管「隨需
求而變化」這個名字可能更恰當。他進一步說明：「沒有任何兩
通電話是完全相同的，因為沒有兩通電話有著完全一樣的需求。
但是我們不能總是在花力氣找答案，所以我們對這些建立了回應
系統，雖然這一切看起來很自然。這都是那些已經很熟悉答案的
工作人員做出來的。」

　　實際上，街頭式表演可以用來描述很多從事客製化的企業，
包括安德森公司、阿拉馬克、GNC美好生活、羅斯控制、巴黎
三城以及其他一些本書前面提到的公司，他們的工作由一個個的
模組片段組成，透過這些模組，讓表演者和觀眾可以直接互動。

每一個表演者都必須在機會到來之前多多練習

公司勾勒出觀眾的需求作為開始溝通的起點，在整個過程中，為了吸引觀眾，會將很複雜的東西簡單化，並只顯示那些客戶需要理解的環節。接下來在最後一幕之前，觀眾必須耐心地等待街頭式劇場的最後高潮：客製好的商品。

這樣的〔街頭式劇場＝客製化〕並不能偽造。街頭表演者必須發展高度的專業技能才能開始嘗試去吸引〔觀眾＝顧客〕。他必須全力準備好他演出劇目的〔片段＝模組〕，他必須學會如何以新的、令人興奮的方式，動態地將這些部分連結起來，而且，最重要的是，對於走過他舞台的觀眾的特質，具有感知和反應的能力。❷

一次改善一個片段

從一頂帽子裏不可能變出街頭式表演的所有片段來（即使是魔術師也不可能），演出者在展現他們的技藝時，總是採取每次一個片段的方式——決定哪些舊劇情的片段已經沒有吸引力，對於觀眾的不同打擾類型做出新的反應，或創造出新的表演組合方式。因為新的表演方式從來沒人表演過，這樣的演出也就不再局限於街頭式劇場了：從某種意義上來講，更像是即興式劇場。所有的新片段第一次都是即興產生的，不管是在觀眾面前還是在排練的過程中，但是即興表演很少能夠產生完美的片段。一個早已被人遺忘的舊片段，也許可以發展成一個極成功的表演組合。或

者一個關於新片段的點子出現錯誤，然而它可
能導向一條未知但充滿希望的路。然而即使表
演者不斷努力，成功地開發出新片段，他也不
能立即在觀眾面前施展。第一，他必須練習、

**從一頂帽子裏面不可
能變出街頭式表演的
所有片段來**

練習、再練習，直到他能夠對其中的要領了然於心，運用起來得
心應手，這就意味著他在進行舞台式劇場的演出。接下來，他必
須用搭配式劇場的技巧，進一步提煉他的成果，確保他的每一個
舉動和反應都是合宜的，並且採取必要的調整，使這個片段表演
起來具有連貫性。最後一步是確定每一個片段都銜接良好。只有
在這時候，演出者才能夠將他認為適當的片段在合適的時機展現
在觀眾面前。只有在這時候，他才能夠更新他的街頭式劇場的節
目，用新的片段改善自己的表演。[24]

　　這一活動的循環過程，從街頭式劇場到即興式、舞台式再到
搭配式，最後回到街頭式劇場，[25]使得街頭式劇場的表演者可以
在適當的時候，成功地將新片段運用到表演中。這也就是托尼‧
維拉為他那依照需求進行的完美表演不停地創造片段的偉大之
處，正如他對哈里森─派波所說的：

　　「你每天在街頭工作，發現有些地方做得不對，是嗎？你
　　做錯了某些事，就不要再做了，嘗試一些別的東西。有效的
　　話，就把它們保留在表演中。重複這樣的過程一直到你的演
　　出完美無瑕。」在他提到「有效」的時候，他的意思是什麼
　　呢？他回答：「他們笑了，他們感到很愉快，而且你可以在

演出結束時透過你帽子裏的東西來證明。如果不太有效，那麼你就沒有那麼多的錢，反之亦然。」

最重要的是，街頭式劇場的表演者透過這種嘗試錯誤、增加、刪除、調整模組結構的方式來建構他們的表演。隨著表演的進行，這樣的調整時時刻刻都在發生。每一個調整都是隨著「有效」想法的出現而產生，也就是取悅觀眾，獲得最大收益。但是，維拉並不是隨機地選擇表演的片段，他將整個表演作為一個整體來處理，每一個選擇都對他接下來的選擇產生影響。㉖

這就是所有的街頭表演者的客製化方式，不管他們的舞台是在城市的實體街頭，還是在虛擬的街頭——商業劇場中。

現在該你來表演

The Experience Economy

角色必須稱職。讓我們從製作人、導演、劇作家、編劇、技術人員、舞台工作人員等角色,看看在企業中對應的角色,還有如何運用一些技巧。

　　了解了表演之後，許多工作人員可能會對舞台產生恐懼感：即興表演？我台詞背熟了嗎？能不能和搭檔的夥伴配合良好？我的天啊！你可能感覺自己像詹姆斯‧史托克戴爾（James Stockdale）一樣，他是羅斯‧裴洛（Ross Perot）在1992年美國總統大選的競選搭檔，也許他夠資格參選，但他顯然沒有準備好和艾爾‧高爾（Al Gore）和丹‧奎爾（Dan Quayle）這兩位副總統候選人一較高下，因為他已經被諸如「我是誰？」「我為什麼會在這兒？」之類的問題困住了。然而，這種對演出的恐懼並不能成為反對劇場模式的證據，而且這種恐懼的存在，恰恰證明如今在提供體驗時必須學會的一些演出技巧。

　　獨立執業者（單一的表演者）會很清楚要扮演企業中所有的角色是什麼滋味。然而，大多數的企業需要各種各樣的人合作以產出成果。工作人員的數量越多，就越形成一種組織的模式──也就是一組若隱若現地關於如何組織人們的工作的假設──這會影響到他們做事的成效。❶這些假設其實存在已久，並且根據企業文化不同而有所差異；同時，它們一般都是在大量生產的理念下誕生的。因此，這些假設其實都是企圖以統一的行為標準來約束工作的各個層面。於是我們會立即想到：每個人都有自己的職稱，老闆打考績，人們打著領帶工作。今天，許多商務活動都在挑戰這種做法，他們試圖尋找新的方式來吸引、激發和維持高品質的工作動力。逐漸地，我們將看到沒有職稱的組織方式、全方位的業績評估、隨意的服飾。這些都是在重新思考如何對人力資源進行最有效的運用。

劇場在提供舞台體驗的同時，也提供了具有特殊價值的新的框架，擁抱劇場模式可以防止舊經濟模式的失誤，如數據「採礦」和服務「工廠」——在新興的體驗經濟對競爭的需求下，那些舊模式將會使工作面臨千篇一律的風險。❷ 如果工作僅止於提供服務（還有更壞的，如商品的製造和初級產品的提取），就無法以獨特的方式吸引〔觀眾＝顧客〕。對所有工作人員來說，從公司高層主管到第一線的業務人員，現在是需要用新的方式來理解、回應這個逐步變化的世界的時候了。就是現在。

在工作場所建立舞台

理查・雀奇納的角色扮演模型（如圖 6-1）可以放大為圖 8-1 的表演模型，在這裏，人在任何商務活動中都是處於中心地位。他們就是演員（cast）。要把劇場原則完全運用到商業中，首先要選角，也就是選定演員扮演特定的角色。顯而易見，任何商業的成功都要靠挑選合適的人扮演恰當的角色，那種雇用不怎麼出色或過於出色的人的做法，是導致員工不滿和背叛的根源：為了選擇「最優秀人才」，而將角色分派給不適任的人（裴洛選擇史托克戴爾當他的競選搭檔，就是有疑義的做法）。為使劇中角色更能發揮自己的才能，挑選角色應該使個人能力與他們的崗位相匹配。為有效地確定〔戲劇＝策略〕，公司必須任用合適的〔演員＝員工〕來實施相應的策略。

你的成功取決於選擇適當的人扮演角色

圖8-1　表演模型

劇場舞台

整體

個性化

角色

演員

員工

責任

表現

組織

工作場所

通常，一個角色（role）由一名或多名員工扮演，它被分成各個功能性的責任模組以支援〔腳本＝流程〕之外的表演。企業在舞台上表演的成功大部分取決於幕後活動，有些甚至完全在表演前就完成（舞台設計之類的工作），有一些則是在表演過程中完成（舞台經理還有完成戲劇的所有成員）。雖然在通常的情況下，演員指的是在舞台上的表演者，但是也適用於所有工作人員和他們的責任。正因如此，迪士尼認為所有的員工都是劇團的成員。當每一行業都認為所有工作人員都在進行著角色演出時，角色就成為吸引觀眾和消費者的更有效途徑。然而如果沒有限定〔角色＝責任〕，工作就會變得無人關心，僅僅是為做而做了。

如同第6幕討論的，出色的表演需要每個角色的個性化（characterization）。個性化指的是工作人員看待他在〔劇場＝工作〕中角色的方式，以及與此相關的一舉一動。人們扮演著角色，但是表演的還是他們自己，如同身兼業餘導演和律師的舞台技巧教練的吉里安‧德雷克（Gillian Drake）所說的：「在劇

場，每一個被觀眾看到的事物都是選擇，甚至
包括服裝的扣子、角色的髮型、道具還有燈
光。對於律師來說也是一樣的。」❸ 在會計、

**人們扮演角色，但重
要的是把個性演出來**

銀行、娛樂、乾洗、工程，事實上，在每一個行業中，都需要透
過〔個性化＝表現〕的選擇來吸引觀眾。

　　當演員在劇中扮演帶有個性的角色時，〔表演＝產品〕已經
超越了一般的服務。個人的個性要符合「整體」（ensemble）的
效果，根據國家教科書公司（National Textbook Company; NTC）
的《戲劇術語辭典》（*NTC's Dictionary of Theatre and Drama
Terms*），「整體」的定義是：「在表演中，劇團作為一個完整的
集體，創造集體的效果而不是一群人行為的總和。」❹ 個性化的
力量就在於將所有角色的演出聯合成為一個有機的整體。無論是
一個團體、一家較正式的表演公司、一家製造商，或是街頭演員
的集合，〔整體＝組織〕都給每個演員創造他們自己個性的自
由。同時，他們塑造的個性要能夠推動整體的效果。在表演藝術
中，當一名演員的演出超越其他的角色，將自己的表演凌駕於整
體效果之上的時候，「明星表演」就會產生。在商業中，我們把
它稱為「玩政治」。優秀的演員經年累月地吸收工作夥伴的菁
華，才成為真正的明星。他們觀察、聆聽、尊重所有劇團的成
員，真正在提高每場演出的水準。在這個過程中，他們提高了自
己的能力和聲望。想想那些與明星一起工作的人的感受是什麼？
可能就是：「和傑克一起工作會是什麼感覺？」

　　出色的角色扮演應當存在於所有的行業，而不僅僅局限於娛

個人的個性必須融入整個劇團演出

樂業。伴隨著越來越多的服務經濟工作方式的自動化，商業中人與人交流的中心正轉化為提供體驗的舞台。❺ 因此，每個角色應該在公司的體驗商品中形塑出一種獨樹一幟的觀眾—演員關係。最後，公司的

〔全體演員＝員工〕

必須承擔

〔角色＝責任〕

透過做出的選擇而形成吸引人的

〔個性化＝表現〕

形成具有凝聚力的

〔整體＝組織〕

以令人難忘的方式吸引客戶

這個結構形成了體驗經濟商務的核心本質，同時也深刻地暗示，所有台上台下的工作人員都包括在內。雖然這種經濟轉型的深刻影響還沒有被企業及其員工完全理解（工業革命對各行各業的劇烈影響在一百多年中都沒有被完全理解），我們還是可以討論在新的體驗經濟中工作的實質。在第6幕中，我們已經解釋過作為一名演員意味著什麼，在這兒我們將說明身為製作人、導演以及支援他們的各種角色（劇作家、編劇、技術人員、舞台經理和整個工作團隊）分別意味著什麼。我們也會討論星探的角色，他們幫助製作人和導演找到合適的人員擔任合適的角色，包括台上和台下的角色。

製作人的角色

在任何產業中，作為企業財務後盾的都是製作人／生產者（producer），他們可能是創投資本家、私人投資者，或是代表幾百萬股東的高階經理人。製作人決定企業生產什麼——提煉的初級產品？標準化的商品和服務？或是全新的體驗？組織裏沒有其他人能回答這問題，因為這問題指向另一個更基本的問題：我們要展示什麼樣的生產？對於這個問題，沒有簡單的答案，也沒有現成的解決方案。製作人啟動變革，因為對於策略的擬定將會影響企業的需求和未來的視野。製作人選擇他們想服務的〔觀眾＝顧客〕以及他們〔劇場舞台＝工作場所〕的本質，在那兒，戲劇將在付費大眾的面前開演。

如果製作人不能清楚地界定他們的表演想要改變什麼，就表示他們沒有扮演好自己的角色。不幸的是，我們今天看見的很多使命聲明都只是很含糊地描述他們這一行業的既定目標。這些是適用於所有商務活動的一般看法，而他們並沒有改變機械式的思考。使命聲明、策略規畫、行動方案都必須基於你的企業的獨特性，這不是你如何和競爭對手區隔開來的簡單問題，而是在探索你內部還未覺醒的部分。這種自我檢視——和所有演員所做的一樣——可以提供組織再生的泉源（就像檢視顧客的獨特性，就是一種發現他們未說出的需求的方法）。唯有角色了解到，企業透過他們的商品會對這個世界產生怎樣的影響，製作人的願景才會有

意義。〔組織＝整體〕的每一活動都必須促進外部變化的發生。

看來，許多的公司都對未來很冷漠，而沒能理解他們的行為才是事業發展和經濟形式更替的最大影響力量。在商務活動中，是人在做選擇，而不是所謂的自然法則在決定人的命運。優秀的製作人透過做這樣的事情決定他們的命運：不斷探索在經濟上可以帶來優勢的策略支撐點。

即將出現的體驗經濟，為新的策略開啟了可能性。新的策略超越以商品和服務作為利潤來源的舊方式。面對著迅速客製化的商品和服務，以及越來越多的需要體驗的消費者，製作人必須要求他們的主管和管理者能夠回答下列的關鍵問題。這些問題包括：

- 了解如何加入新的體驗因素，以增加需求和／或提高商品和服務的價格：怎樣吸引人們的感官來增強你的商品？為了使顧客更能融入具有吸引力的主題，哪些負面因素應該去掉，哪些正面因素應該加入？你如何大量客製化你的商品以提升經濟價值的層次？

- 判斷哪些商品和服務可以有更高的價格，然後，將其作為關鍵資源，提供給真正的體驗提供者，重新定位自己的商品作為道具，以自己的服務作為舞台，為潛在顧客提供新的體驗：你的公司如何幫助其他公司提升經濟價值？你的東西能否「活」起來，以加強顧客對商品的體驗？服務能否重新布置成顧客體驗的舞台？

- 為了提供體驗，要去除一些既有的做法，因為免費並不是
讓商品和服務銷售更多的有效途徑。重新定義這些因素，
讓它們成為可以有特定價格的獨特體驗：對於收費你將如
何制定出不同的標準？你如何將現有的體驗融合娛樂、教
育、逃避、審美於一體？

- 藉由展示全新的體驗，將競爭對手商品化：為了設定舞
台，你如何為體驗設定主題，增加積極的因素，消除負面
的因素，讓各種印象和諧地聯繫在一起？如何在值得記憶
的事件中，吸引所有的五種感官？哪一種劇場形式最能表
現你希望創造的體驗？

這些策略探索僅僅是所有探索的開始。工作開展的底線就
是：優秀的製作人會堅持，在有足夠的資金支援全部的生產之
前，這些問題必須有令人滿意的答案。因為〔戲劇＝策略〕的答
案要由〔組織＝整體〕來提供。

導演的角色

導演（director）的角色，包括要使〔戲劇＝策略〕的概念
材料變成可能的現實。❻ 這個角色所面對的壓力比其他角色都來
得大，因為導演對發生在商業劇場舞台上的每件事都有責任指
揮，他需要所有參與者的配合──演員、劇作家、編劇、技術人
員、舞台人員──而且在演出的關鍵環節必須有製作人的配合。

或許還不止這些呢。

導演需要組織的能力：安排和指導試鏡（在星探的幫助下），確保技術人員在規定的時間前完成相關設備的製作，以及服裝和道具的選擇，還要決定每天劇團的活動或休息。導演必須幫助演員透過正式的排練做好準備，就像是運動員身邊的教練一樣。他們必須花時間研究〔腳本＝流程〕，醞釀他們自己如何領導整個團隊的想法。他們也必須留足夠的時間給製作人，一起研究如何使〔戲劇＝策略〕完全的實現。總而言之，導演必須創造一個和諧的整體。

為滿足所有這些要求，導演的角色必須有絕對的權威，導演要不時地告訴人們要做什麼。然而，開明的導演並不是盲目地指

導演技巧是合作與命令的結合

揮劇團人員，而是將命令和合作結合為一個整體，命令與合作的結合就是導演技巧。為了使兩者成功地結合，導演要有激勵人心的能力。這種對演員混合指揮的結果，不能讓演員喪失自己發掘角色特質的感覺。個性化的角色塑造經由合作而產生，而且往往是在演員和導演對演出還各持己見的情況下醞釀出來的。

導演還必須具有詮釋能力。❼ 應該設計什麼樣的舞台？應該挑選什麼樣的演員？對這兩個問題的回答，都需要將宏觀的策略轉化成合適的行動方案。當經濟發展的過程從想法過渡到實作的時候，這樣的詮釋應該體現為一系列在排練過程中做出的決策：在每個節目中，什麼應該涵蓋，什麼應該排除？在劇目的展現過程中，什麼應該維持或排除？哪些工作應在台下而不是台上完

成？這些決策過程的基礎，就在於辨識出哪些策略最有利於戲劇的表現。這種辨識能力必然將導演置於概念和原則的世界中，再轉化為詮釋的行動。為了達到目標，導演必須學會在30,000英呎高空飛行的同時，處理地面上排練的細節。

最後，導演要有講故事的能力。實際上，每個導演最終都想製作出「讓觀眾完全融入到故事裏的節目」。以前為好萊塢、現在為IBM工作的編劇彼得·沃頓（Peter Orton），在與IBM經理人進行案例分析時說：「故事可以吸引注意力，創造期待，幫助記憶。故事提供我們熟悉的動人情節，有助於我們消化那些吸引我們的資訊。」[8]《高速企業》（*Fast Company*）中一篇文章的題目，就引用沃頓的話：「每位領導人都在講故事。」

把戲劇變成表演，把策略變成產品

為實現他們的主要任務——把戲劇變成表演，把策略變成產品——導演需要四個角色的支援，每一個角色都對應到為〔觀眾＝顧客〕展現體驗的四個要素（如圖6-1所示）：

• 劇作家幫助創造〔戲劇＝策略〕
• 編劇幫助發展〔腳本＝流程〕
• 技術人員輔助〔劇場＝工作〕的完成
• 舞台工作人員協調〔表演＝產品〕的操作元素

每一個角色，都有助於導演創造和諧一體的演出。

劇作家

　　劇作家（dramaturg）在導演考慮〔戲劇＝策略〕的時候提供建議。劇場藝術的教授大衛・康恩（Davie Kahn）和多納・布里德（Donna Breed）解釋說：「劇作家可能對導演的分析有重大的影響力，他們指出模式、問題、形象、個性功能和其他影響戲劇的因素。劇作家應該熟悉對戲劇結構的操作技術，要能判斷腳本如何建構和什麼模型對分析有用。」❾ 在商務活動的劇場中，內部的企畫人員和外部的策略顧問可能會擔任這一角色。總之，劇作家研究分析公司計畫推出的產品可能面臨的競爭環境，接著為導演綜合歸納各種發現。對於劇作家角色最重要的是一種能力——他要能區分哪些消費現象將影響公司制定決策，尤其是注意有哪些利基（比如數位化和網際網路的潛在功能）可以為公司所用。

　　在藝術領域，劇作家幫助劇團成員將以前寫下的戲劇表現為今天表演的藍本。同樣地，以前的策略必須因應當今的需要而重新詮釋。當然，所有的策略在出現的同時就已經過時了。劇作家不必改變既存的策略以適應當前的環境，而要在當前環境的前提下操作所有的其他因素。在實現這些角色的過程中，劇作家必須記住三個重要規則。第一，劇作家必須使演出夠吸引人。第二，他必須將難以詮釋的地方清晰化。第三，他對於導演和演員的劇本和指示應該是去描述，而不是去規範。無論在組織內或組織外，劇作家

劇作家應該去描述，而不是去規範事情

都不是製作人或導演——那不是他們的工作。

　　導演對於他們希望的劇作家風格可能各有不同,並據此選擇合適的劇作家,但是他們不應容忍任何濫用導演權力的人。任何允許劇作家介入自己角色的導演——從投入到產出——實際上已經削弱了自己的導演權威,劇團成員終究會知道這一點。為防止這種情況,劇作家不應試圖提出所有的答案,而應把他們的能力用於創造更有效的成果。

　　最後,導演依賴劇作家講出他們想要的故事。例如,在3M,公司內部的劇作家——它的計畫者和策略家,促使它的導演——每個事業單位的經理人——全面重新調整他們的策略劇情,形成公司主管戈登‧蕭(Gordon Shaw)所稱的「策略故事」:「故事性的計畫很像傳統的講故事。像一位擅長講故事的人一樣,策略規畫者需要布置舞台——以清晰的、連貫的方式描述當前的情形……下一步,策略規畫者必須引入情節衝突。最後,故事以令人滿意的、信服的方式結尾。」[10]對公司的劇作家來說,講述內部的策略故事以幫助實現導演的對外演出,實在是責無旁貸。

編劇

　　導演會要求編劇去決定採用怎樣的流程以產生最後的演出,[11]因而編劇必須關注四種不同形式的劇場,和圖7-1中強調的〔腳本=流程〕和〔演出=產品〕的獨特組合方式。即興式劇場需要有系統的技巧,來幫助演員發現觀眾的反應並且回饋他們;舞台

式劇場要求正式的創作文本；搭配式劇場必須有十分精緻的、經過仔細研究的流程安排，確定好誰在什麼時間做什麼；街頭式劇場需要一系列動態的要素來產生獨特的表演。在每一種劇場形式中，由編劇提供的〔腳本＝流程〕對演出影響很大。

由於全面品質管理（TQM）和企業流程再造（BPR）的結果，在商業上編劇已經獲得充分的重視。關於TQM和BPR，已經有許多文獻，所以只有幾個重點需要在這兒提一下。TQM試圖將一系列的持續改善流程寫成腳本，而BPR透過大幅度的流程重新設計，進行劇烈的、斷裂式的改善。BPR的擁護者已指出，TQM的持續改善所產生的高品質工作流程並不是必需的。「不要試圖自動控制或湮沒」這類流程，麥克‧哈默（Michael Hammer）這麼說。[12] 這一說法和那些對TQM之結果感到不耐煩的生產管理者是一致的。同時，那些BPR的編劇在某一方面是對的：許多年來，公司應用資訊技術只是使已存在的商業流程自動化，而每一個新技術的應用都需要將現有的商業流程完全改變，也就是說，會導向一種全新的工作演出。[13] 儘管人們十分清楚兩者完全不同，但是BPR與TQM都是以業已存在的情形作為假設。在新技術的條件下，人們需要重新考慮生產流程和策略，正如蓋瑞‧哈默爾（Gary Hamel）和普哈拉（C. K. Prahalad）教授所說的，他們呼籲整個企業界透過富有想像力的編劇來改造。[14]

今天，由於TQM和BPR，大量的流程管理技術對商業的編劇來說是現成的，得益於哈默爾和普哈拉，越來越多人了解到在設計有效的生產方式和富有想像力的策略方面創新流程的重要

性。僅僅參考劇作家的意見以創造他們的〔戲劇＝策略〕的導演（還有製作人），常常失去對整齣戲的控制，而在編劇也發揮作用的情況下，就可以得到更富有想像力的策略。

來看看幾個新流程導致新策略，從而深刻影響整個行業的例子。在1980年以前，要配新眼鏡的消費者必須到當地配鏡師的小工作室裏，在那兒驗光之後，他們要從幾十個不同的框架中選擇鏡框。工作人員把訂單送到中心工廠，幾個星期後，技師生產出一副眼鏡，再送回配鏡師進行改進和修配。眼鏡巧匠公司（LensCrafters）的創建者——他們不僅是企業家，也是製作人、導演、編劇——了解怎樣把眼鏡製作的過程帶到銷售點，而且做到最好。眼鏡巧匠公司的新〔腳本＝流程〕帶給公司競爭優勢，從而導致行業的本質發生了改變。如今，零售店為驗光師提供空間，驗光師為消費者驗光，並在一個小時內將眼鏡客製完成。巴黎三城（第5幕提到的）現在又有機會透過流程創新使產業發生革命性變化了，它讓消費者佩戴眼鏡的最佳效果化為電腦螢幕上的圖像，接著他們同時客製化生產鏡片和鏡架，時間將會證明他們是否成功。

透過編劇，已經誕生了一個非常成功的大量客製者：戴爾電腦。戴爾捨棄大量生產並將產品運到零售店的做法，而是根據訂單製造個人電腦，開始是在大學的宿舍裏，最後是在德州的奧斯汀和全球工廠裏。略過中間商，直接在工廠和家裏為最終消費者服務，戴爾電腦削減了製成品的庫存。到1998年為止，它已把手邊的零件存貨週期減為7天，而且，這一系統使得戴爾得以先

競爭對手一步將新技術引用到他們的電腦中，還創造了新的資金週轉週期（從公司向供應商支付貨款到收到消費者的付款的期間）——負8天。[15] 難怪其他的電腦製造商都開始聲稱要根據客戶的訂單來生產個人電腦了。

其他公司包括小型鋼鐵生產者，例如努克（Nucor）、查普羅鋼鐵（Chaparral Steel）、加拉丁鋼鐵（Gallatin Steel），編劇使新

流程的編寫必須圍繞著策略開發

策略得以實現，他們比過去的大量生產者大大地降低生產成本，同時提高生產的靈活性。又如美國線上，幫助人們連接其他的網絡。而英國的比爾金頓兄弟公司（Pilkinton Brothers），建立了一系列的流程，使得大型平板玻璃可以透過整合的流程生產出來。[16] 編寫流程本身是一種創新，而且必須圍繞著策略開發。在藝術中，有誰能夠想像沒有劇本的戲？那為什麼還有那麼多企業不曾考慮流程對他們的商品的影響呢？

技術人員

不同的技術人員對描述公司商品的特徵會產生影響，對演出的技術性陳述為〔劇場＝工作〕限定了脈絡或演出環境，這個陳述通常包括場景設計、支援的道具和服裝，這些技術元素的結合和表達方式，因劇場的形式及所對應的商品而不同。業務人員在拜訪客戶時通常無法控制場景，因此，他們的即興式或街頭式表演，便高度依賴身邊道具的組合和利用（或是偶發事件）。舞台式和搭配式劇場就可以為體驗所需的設備提供更大的施展空間。

場景設計師。當〔劇場舞台＝工作場所〕處於公司的控制下時，如同在舞台式劇場那樣，場景設計師將專注於構成場景的六個面向：後台、舞台、觀眾席、舞台前部裝置、入口和出口，其中只有後台是觀眾席上的觀眾看不見的，所以可以根據它的功能單獨設計，而其他的地方必須綜合起來考慮以支持〔劇場＝工作〕。入口和出口不能忽略，因為它們能導引和強化顧客的記憶。場景設計師必須特別注意舞台，當然，也要注意觀眾占據的觀眾席和觀眾視野之內的舞台前部裝置。例如安大略磨坊購物中心的每個商店，都有一部分建築的外表向商場延伸，非常奇特，像舞台一樣，以使過往的顧客能夠進入店裏。有一條連接商場南北兩半的寬敞通道，叫做離開牛仔車道（Off Rodeo Drive），實際上屬於一個單獨的商店（Bernini's），它是由一個聰明的場景設計師設計的，看上去像一條誘人的小路通向與左右兩邊表面上完全分開的小店入口。

很清楚的，場景設計屬於建築藝術的範疇，而有經驗的表演者必須聽取建築專家的意見——為了內部和外部的目的——以設計出新的體驗裝置。對這種技術工作，只有三點規則要遵循。首先，傳統的建築設計方法必須增加有關場景對於顧客影響的考慮，有時更考慮到顧客可能遇到的每一種情形。迪士尼用於迪士尼樂園的暗示是樹：一個簡單但不可或缺的設計，以完全普通的外表和日常現實性幫助實現所需的幻想。就像傳記作家湯瑪斯（Bob Thomas）解釋的：迪士尼「想讓樹變成迪士尼世界的美和戲劇性的一部分。為了扮演好角色，它們必須很高大……迪士尼

場景設計師必須確保沒有不相稱的東西

想讓每棵樹能適應它所在的地方——楓樹、小無花果樹和樺樹代表美國的河流；松樹、橡樹代表前方的土地，等等。他們經常以『它不相稱』這樣的意見拒絕一棵樹。」❼場景設計師必須確保沒有任何東西是不相稱的，否則，將會破壞整個演出的完整性。

第二，設計應該圍繞著五種感官：視覺、觸覺、聽覺、嗅覺甚至味覺。例如，GNC發現消費者想看到他們自己的Custom VitaPaks的製造過程——儲存櫃的翻動、在管子中移動的維他命、印表機的動作、還有打孔器的運動，這些都證明是難以抗拒的體驗。於是場景設計師將機器從櫃台後面移到店的前部，使它們具有吸引新顧客的作用。對於其他情況，場景設計師必須從抓住適當的感官環境出發，像雨林咖啡廳提供五種感官的水霧。像設計的其他面向一樣，感官的設計必須與它的組成元素融為一體。

第三，不要被習慣所約束：你自己制定自己的規則！就像倫敦中央藝術設計學校（London's Central School of Art and Design）多年來的劇場設計系主任法蘭西斯・雷德（Francis Reid）所說的：「劇場已經達到一個容納任何實際事物的高度，對這個高度來說，產品的風格不再是過去的衍生或根據新哲學的邏輯推理。這兒唯一的要求就是內在的一致性……一個產品實際上可以把任何建議看做它的起始點，只要接下來有事物可以繼續。」❽在商業劇場中，這個起點就是體驗的主題，接下來的所有表演都來自這個主題和它的場景設計。

道具管理者。除了場景設計師，一個導演常常需要技術人員來決定〔劇場＝工作〕中使用的合適道具組合。在吸引消費者時，巧妙運用道具將發揮非常大的作用。道具可以只是為了美感的目的（製造特別的感覺），或者為了某些功能性的目的（幫助一個演員完成某些表演）而引入，而美感的考慮實際上也來自對功能的考慮。

再來看看法律這個行業。德州加耳維斯敦市（Galveston）的陪審團顧問羅伯‧賀許霍恩（Robert Hirschhorn），建議律師事務所應該研究一下會出現在他們表演中的每個實際物品，不僅在舞台上，還有場景的出口和入口處。賀許霍恩說道，「你永遠不知道在停車場中，陪審員來看你時是進入你的車裏還是在車外。」[19]所以他建議律師遠離豪華轎車，選用小型貨車或沒有裝飾的實用車。這是欺騙，還是為了延伸的法庭業務做準備呢？在回答之前，記住汽車對法律以外的行業一樣重要（你可能也使用這個道具）。為此，總部在紐約州阿蒙克市（Armonk）的國際商業機械公司，要求它的業務人員在拜訪底特律三大汽車廠的時候只能開美國製的汽車。更有甚者，一家總公司位於俄亥俄州辛辛那提市的消費性商品公司，堅持號召其五十個州的所有子公司使用本土的汽車。很明顯，一家公司對汽車的選擇，其意義遠超過交通工具。為了他們的搭配式劇場，全球一些最大的公司專門使用一些商品作為純粹的道具。

有時在舞台上的演員同時也是自己的道具管理者。公事包、記事本，甚至是書寫工具的選擇都可能有利於他的表演。但是，

不管誰選擇了這個道具,要記住削減負面的影響,誤用或選錯道具可能失去它的作用。在與一位潛在客戶的會議中,不要話說到一半停下來檢查你的文件;如果必須那樣做,就要用即興的表演方式將這個中斷變成一個加分的機會(如果這樣可行,把它加入你的祕密武器中)。最重要的一點是要關掉行動電話,它有可能使得客戶火大,因為在人與人交往過程中,電話鈴聲已被證明是一種干擾。

陳述用的材料提供了另一個教訓:絕不要把道具當拐杖使用。塞滿文字的幻燈片會變成一場災難(回憶一下第7幕中琳達在準備簡報時的情形),而超出預定時間很長

絕不要過度依賴道具

的演講,絕不能用小心翼翼的書寫替代。不要期望道具 —— 即使是設計良好的道具 —— 可以掩飾表演中的瑕疵。而且,道具管理者應該注意到:演員會使用道具來使一齣戲更能實現或強調某個特徵,而沒有道具的話演出就會大打折扣。如果出問題的話,應該幫助他們了解怎樣避免使用道具,至少是少用。

服裝設計師。在演出中,對於能熟練地設計和選擇服裝的技術人員的需求也已經出現。在商務活動中,工作者的服裝向來很重要,特別是在特定的服務行業裏:航空公司的飛行員和空服員、旅館職員、餐廳服務生、快遞公司的司機、安全警衛等等。在大多數例子中,這些工作人員的服裝由適合他們的制服組成,是舞台上所有演員的標準服飾。制服向消費者傳遞一種看得見的暗

示，幫他們確認公司的成員。有誰不能馬上認出一位UPS的司
機，他棕色的裝扮（更別提他正在駕駛的棕色道具）太令人熟悉
了。

　　一些置裝的原則幾乎對工作的任何部分都有幫助。[20] 首先，
不同的服裝分配由角色決定，就像在即興喜劇中的角色一樣，他
們能透過與眾不同的服裝和面具立即讓人認出來。航空業在將戲
劇中的元素融入表演這方面做得很好，例如，在登機處的人穿著
一種制服，飛行員是另一種，地勤人員又另一種（在英國航空公
司，乘客排隊管理員穿著紅色的外套）。如果一個搬運工從後台
走到前台的走道上，他膝蓋的襯墊和耳上的飾物會使得他很刺
眼。

　　第二，服裝設計師必須確保每一件服裝都傳遞一種訊息，這
種訊息和導演想描述的角色的個性、體驗的主題一致，[21] 比如
「雜耍特攻隊」的滑稽服裝。這就解釋了為什麼西南航空公司廢
除傳統的航空服裝而採用更隨意的服飾。傳統服裝傳遞出一種權
威的氣氛，特別是如果這種服裝設計是為了軍事的動機。而西南
航空公司的polo衫和輕便的服裝說明了什麼？我們是有自信的！
已經準備好帶你們（以四個相連的航班）到加州，就像參加一次
運動會一樣。不要被這個例子誤導：相對於隨意的服裝，制服的
設計更重要。來看英國航空公司新的無裝飾航線Go，替空服人
員準備的碳灰色制服，還有石灰綠和紫色的T恤。Go的執行長
芭芭拉・卡薩尼（Barbara Cassani），稱這個模樣「很專業但不保
守」。[22] 這個服裝是非正式和正式的組合，精彩地修飾了英國航

空公司以低成本和高品質的體驗來經營新航線的承諾。

第三條服裝規則，要求導演和設計師允許演員個性化他們的服裝，充實他們的個性，即使只是很小的細節。例如，卡爾森公司（Carlson Companies）的一個事業單位星期五連鎖餐廳（T.G.I. Friday's），在員工紅白紋襯衫的基礎上允許他們選擇自己喜歡的帽子，並鼓勵他們用口號和各種所能想到（但不能褻瀆）的符號裝飾自己的帽子和襯衫（甚至包括懸掛物、短襪和褲子）。這些簡單的服裝特徵，強化了顧客在星期五餐廳用餐時的視覺和聽覺感受，形成獨特的用餐體驗。

在許多商業角色裏，傳統上用來表現男性服裝個性化的唯一方式是領帶。然而，在過去的30年裏，這一狀況已經改變。現在我們看見各種顏色和風格的襯衫和領子，更不用說短襪、鞋子和皮帶。甚至連守舊的IBM和寶齡大廳也已經放鬆了它們的要求。但是當公司放鬆服裝標準時往往會出差錯，那麼，誰來整理這些服裝，確定這些角色的穿著完全符合每一場景呢？沒有正式服裝的角色，比如在東傑佛遜綜合醫院的小組，它用「EJ Look」詳盡規範了醫院服裝上的要求，但是這些要求經常達不到。

因為服裝設計不只是正式／隨意的問題，所以對服裝和飾物的選擇要比速成的「成功穿著」研究包含更多的東西。服裝設計包括對服裝細節的選擇、迅速變化服裝、和演員運用服裝強化他的角色的能力。看一下第7幕琳達的一個真實版本：麗貝卡·馬克（Rebecca Mark）是能源巨人安隆公司（Enron Corp.）國際事務的領導人。麗貝卡利用一個200億美元的工程專案，使得安隆

公司的營收從零成長到11億美元，她每天經常穿三、四種不同的服裝。她變換服裝是為了不同的會議（表演）、不同的地方（舞台）、不同的人（同台演出者）以及為了不同的顧客和潛在顧客（觀眾）。「這是一個小舞台，」麗貝卡向《富比士》雜誌承認。❷ 實際上，如果算一下她服裝中各種選擇的排列組合，西服套裝、二件式套裝、夾克、淑女裝、寬鬆的上衣、襯衫、裙子、鞋子和她服裝上的珠寶，就知道這並不是小事一樁。作為一個企業名流，麗貝卡通常是外國官員崇拜的對象，他們簇擁在機場等她。這些曾經只有電影明星才會發生的景觀，現在就出現在你身旁的商業舞台上。

再來看看Dogs-of-the-Dow（與道瓊作對的？）投資顧問——傻瓜投資網站（Motley Fool），由演員兼導演的大衛和湯姆・賈德納（David and Tom Gardner）扮演，他們的服裝只是將一款不尋常的物件加在值得信任的投資專家的傳統服飾上——他們戴了兩頂搞笑小丑的帽子。年長的大衛解釋這帽子的意義：「這是一場金錢的戰爭。我越研究它，就越意識到那些穿著細條紋西裝的傢伙——你永遠搞不懂他們衣服上的複雜圖案和數字——不在我這一邊，也不在你那一邊。其實，如果這些傢伙聰明——他們老是在電視上和嘵舌的財經雜誌上老王賣瓜——那我們寧願是傻瓜。」❷

但是，他們這些傻瓜可聰明了，而且更認識到服裝對於展示體驗的重要性，傻瓜投資網站在全球資訊網以及美國線上，現在客戶每個月點選該網站1,700萬次。傳統的投資顧問可能不願意

戴上詭異的帽子，因為害怕被人們與星期五餐廳的服務生聯想在一起，但這些「傻瓜」可不怕。《價值》（*Worth*）雜誌報導，有一次大衛·賈德納趕赴佛羅里達的馬克島（Marco Island），為在那兒召開的一個大會提供投資建議，當他抵達該島時，只穿著一件藍色的襯衫和時髦的卡其布褲子，沒有戴帽子。會議的主事者立即驚訝地叫道：「你沒有戴帽子來嗎？」賈德納立刻安撫她：「當然有，你認為我是一個冒牌貨嗎？」❷❺當然不是，他只是一個謹慎的懂得怎樣扮演他的角色的企業家而已。

對於服裝設計來說，形象最重要　在服裝設計上形象最重要，就和設計的其他技術層面一樣。在工作場所隨意穿著的潮流，開啟了為迷人的體驗創造獨一無二的〔劇場舞台＝工作場所〕的機會，比如安隆公司的一個銷售活動或傻瓜投資網站的投資建議。但是放鬆服裝的標準必須積極地導向精心設計的體驗，以免角色混亂。

舞台工作人員

　　舞台工作人員有一個單純的責任：「確保每個人和每件物品都在正確的時間出現在正確的位置上。他們記錄著舞台上的任何人、任何物品在整個過程中的移動，他們必須冷靜面對每一個危機，耐心處理易煩躁的脾氣，清晰理解每個人的問題。」❷❻這個團隊必須正確處理設備、道具、服裝，甚至演員何時何地要上場，以使〔表演＝產品〕順利地完成。終究，這個團隊的成員是後勤人員。無論是廠商的一個工人要發送目錄給一個經銷中心，

還是酒店的女服務生鋪一張床，團隊成員都必須在編劇決定的流程中，運用技術人員設計的設備，來取得、維持、運輸和傳送導演開出的資源。

舞台工作的團隊成員都是後勤人員

為了扮演好這個角色，舞台團隊必須同時有戰鬥力和效率，他們必須主動關注每一個細節，以提高產出的品質。如果沒有精確的關注，可能使一場精彩構思的戲劇和一個腳本極佳的策略變成一次糟糕的演出。但是團隊也要注意不能因為財力、人力和時間的浪費而提高製作成本，他們必須捲起袖子做好那些極容易被忽略的後台工作。

舞台監督負責確保所有事情依照計畫進行，他也必須駕馭好演出——從定期報告到監督和駕馭每時每刻的移動。除了街頭式劇場外，舞台監督和他的團隊必須做好各種紀錄，以便每一個演出者的表演能夠重複。他們必須評估、評估、再評估，因為，正如現在我們知道的，如果你不評估，你就無法管理。他們必須待在圈子外，當舞台演員準備進入、表演和最後退場時，他們也必須隨時待命，當某些東西出錯時他們能立即出現。

他們的任務可能看起來並不偉大，但是他們應當理解，對整個演出來說他們具有多麼重要的意義。畢竟，舞台團隊推動著生產中所有的操作元素，他們使任何技術上的設計增加了價值。場景設計、道具和服裝的存在，幫助演員將沒有寫下的潛台詞（srbtext）轉化為活生生的表演。舞台團隊必須確保每樣東西都在它應該在的位置，讓舞台上的演員能表現那些潛台詞。

來看看舞台團隊是怎樣幫助美國前總統雷根熟練地利用潛台詞完成白宮記者會的表演。打開東方房間的門，讓照相機照到吉帕（Gipper，雷根從影時曾經飾演過的角色）在一個遠端房間裏。他接著刻意走下鋪著紅毯的長走廊到達平台，在那裏人們雀躍地看著他來到講台上。朱利烏斯·法斯特（Julius Fast），一位肢體語言方面的權威如此評價雷根的表演：「這些潛台詞在他發言前就已傳達出活力、權威、輕鬆。」❷ 當他發言時，態度和風格與他的講話十分匹配。他的魅力——像所有的好演員一樣——顯示他不是透過如何演說，而是透過他話中的意義在進行演講。舞台團隊為此架設照相機、鋪置地毯、開門、在恰當的時間向雷根發出信號使他登場。沒有這些幕後的舞台團隊，雷根總統的表演將不可能成功。第一線人員——表演中的舞台演員——不可能只靠自己完成所有的表演。

公司可採納的選角方式

為了完全實踐圖8-1中的表演模式，人力資源部門必須成為一個選角指導，為導演、劇作家和編劇所創作的作品提供適當的演員、技術和舞台團隊，而聘用員工意味著選擇演員來扮演〔角色＝責任〕，這意味著人力資源部門的重大變化。任何希望展示舞台體驗的企業，必須停止以面試作為聘用員工的主要方法，而開始用「試鏡」的方式。

語言是關鍵，辭彙會影響行為。將你的商品稱為一種體驗、

你的工作是一個舞台，而你透過試鏡來聘用員工，這些都將使你向正確方向邁進。但是不要誤會：要持續發展，光是這樣還不夠。人力資源部門和他們雇用的製作人和導演，必須合力籌備真正的試鏡，只有透過這種方式才能鑑定演員實際演出能力的高下。

人力資源部門必須籌備真正的試鏡

許多從傳統面對面的面試蒐集來的資訊，都是將演員看做一個人而已；他的表演能力（也許他也渴望演出這個特別的角色）只能透過試鏡表現出來。必須進行資訊蒐集，但這只是試鏡前的一個重要步驟。哈佛商學院教授李歐納德‧史勒辛格（Leonard Schlesinger）曾經在速食業擔任高階主管，他描述現在的速食店如何進行試鏡：「作為Au Bon Pain整體篩選過程的一部分，應聘者在最終的面試之前，必須在店裏帶薪工作兩天，透過這一經驗，應聘者和速食店可以進行雙向選擇。」[28]

試鏡有幾個原則。[29] 首先，也是最重要的，公司必須為這種模擬、角色扮演或實地測試找個專用的場所，來進行真正的試鏡。當應聘者不再在面試者辦公室裏進行談話時，就需要一個新的地點——人力資源部門內部的舞台體驗。許多顧問公司已經將應聘者放到真正的辦公室和小組房間裏進行角色扮演，其他公司也應當這樣做。如果你正在面試一個採購部門的採購員，就讓他打電話給虛擬的賣主。如果是面試一個銀行櫃台人員，就建立一個虛擬的銀行櫃台，讓應試者進行存款、簽付支票和檢查帳戶餘額等動作。如果客服中心需要更多客服人員，建立虛擬的電話服務來測試

試鏡是人力資源部門內部的表演體驗

應試者的處理方式。在每個例子中，建立一個地點——甚至是真正面對顧客，就像在 Au Bon Pain 所做的——這樣你能觀察到應聘者對這個角色的表演情況。應聘者不需要在所有觀眾面前表演整個節目，只需將一些重要的場景展現在主試人員面前。

接下來，如果你正在創建這樣一個特殊的地點，那就把它簡化，剩下必要的部分，縮減道具，去掉在日常工作中的某些特質，而且將主試人員放在應聘者清晰可見的地方。透過這些刻意的行為，觀察應聘者在沒有幫助的狀況下的處理方式。例如在銀行櫃台人員的崗位上，清除那些工作說明書、和一些貼在電腦螢幕旁的「小抄」。僅僅用一支電話和固定住畫面的電腦來成立客服中心即可。畢竟，芭芭拉·史翠珊的例子證明，道具是否真實並不重要，只要這個表演能夠切合角色。觀察每個人怎樣個性化這個角色並且融入角色，以鑑定出合適的人員。

迪士尼是更早開始使用這種面試環境的企業。1989 年羅伯·史騰（Robert A. M. Stern）這位著名的後現代建築師，設計了許多迪士尼的設施，包括新的慶祝生活體驗，並創造了迪士尼用於面試演職員的角色分配中心（Disney Casting Center）。迪士尼專案對此的描述是：「史騰的角色分配中心告訴我們在迪士尼工作意味著什麼，或者，像史騰所說的：『澄清迪士尼的聘雇過程，並且給它一個建築學上的尺度。』透過給應聘者一個管道，史騰向他們展示了迪士尼世界的效果，人們了解到主題公園的祕密：所有的一切都是幻覺。」❸ 它也是迪士尼觀察每個演員是否能適應大型幻想世界的一個微觀世界。

　　由於存在著各種可能性，所以，在選擇過程中不要預設正確或錯誤的標準。我們必須接受這樣的事實：人們並沒有獲得足夠的機會以建立一個完善的〔個性化＝表現〕（角色分派後會有很多時間可以建立），相反地，我們應考慮每個人是怎樣發展這個角色的。

　　再來看棒球界的球探，他們不停地透過真實的比賽進行充分的面試，即使是在這種理想的情況下，也有許多規則可循。公認是棒球界最優秀球探的東尼‧盧卡迪洛（Tony Lucadello），五十年來不斷訪問俄亥俄、印地安那、密西根等州的優秀高中，以發掘大聯盟的未來明星。在此期間他簽下的球員成為明星的，比其他球探多出五十個之多，包括棒球名人堂的球星麥克‧史密特（Mike Schmidt）。盧卡迪洛提出一般球探用來評價球員能力的四種辦法，他稱之為4P。[31] 低能的（Poor）球探，他不是一個計畫者，也從來沒做準備，只是根據球員在舞台上的表現來判斷，而不是去發掘明日之星。透過這種能力評價很多人會很快發現他們不適於這個角色。下一類的星探，剔除者（Picker），他們只要挑出球員的一點缺憾就放棄他，儘管該球員有其他顯著的能力。基於表現（Performance-based）的挑選方式，占很大的比例，它根據候選人在面試中的表現做出結論。這樣的方式存在著明顯的缺憾，就是過分強調在某個情境中的表現，比如一位高中明星球員面對較弱對手時的表現。最後是放映機式（Projector），這是盧卡迪洛自己，和其他了解面試本身並不重要的球探採用的方式。這名演員有沒有表演的基本技能？扮演角色時是不是能夠進行超乎尋

常的演出？面試時讓這些答案浮現出來，並投射到未來的表現。

那麼怎樣挑選出適合角色的正確人選呢？嚴格說來，根本不是在尋找「理想」的候選人，至少不是根據某個已經確定的特徵標準，而應該根據候選人表現出來的天賦和敏銳度。這樣，你就能找到理想中適合這個角色的人——就像沙特利夫找到芭芭拉·史翠珊，盧卡迪洛找到麥克·史密特一樣。

避免局限於任何一種你認為最適合這個角色的特點

隨著面試本身變得不再重要，那些本來應該面試演員的人應該問自己一些問題，比如說：

- 演員怎樣溝通？特別注意他是怎樣傾聽的。

- 演員怎樣與其他人建立聯繫又怎樣結束？注意在面試中他如何和其他演員對話，在什麼情況下他需要或不需要協助。

- 透過每一次的互動他想要什麼？觀察那些能激勵演員的訊號。

- 演員怎樣處理不熟悉的情況、中斷、和打擾？在事情超乎他控制的時候，他如何尋求自我定位？

- 他的節奏感能跟上觀眾嗎？對試鏡者使用一些事件來考察他對各種後果、快節奏的反應，還有在似乎很平靜的時刻的表現。

- 他是否有幽默感？這個演員認為什麼是有趣的，他如何透過即興的方式表現出自己的智力和學習的意願。

- 這個演員是否有一些非常有創意的表現？在面試過程中找
  找看屬於他自己的獨特的選擇組合（不僅看他們的選擇，
  如何組合更重要）。
- 他們能否帶來正面的驚喜？這個演員如何面對觀眾的期
  望？

現在設計一個可以為上述問題提供答案的試鏡。不要在面試中放入任何既定標準：試鏡，畢竟只是人為的布置。實際上應該去評價演員對於創造整個〔個性化＝表現〕過程中的〔角色＝責任〕的表現。

不應該在完成所有試鏡之後立即作出選角的決定，應該在試鏡所提供的資訊基礎上，就一些可能的人選打電話給他們看看（今天的人力資源部門所做的恰恰相反，他們面試了所有的人然後雇了一個）。現在開始注意每個人在舞台下的表現，記住，那些保有很多生活經驗的人，在試鏡後會作出最有意思的選擇。最後，在做出這些選角決定時，考慮一位導演建議過的，你是在「建立角色之間的關係，而不是只挑選單獨的角色。」❷任何新的演員，不管如何適合演出，只有在演員的〔整體＝組織〕中有加分效果，才是合格的。

再強調一次，選角指導不應該將他對角色的理解作為聘雇的標準，這不是他的職責。選角指導應該協助製作人和導演找到他們合適的角色。

確認劇中人

很多人看過百老匯劇《節目單》（*Playbill*）的演職員表或者是電影結尾的字幕，但是並不知道它的名稱：劇中人（dramatis personae）。根據《NTC戲劇術語辭典》（*NTC's Dictionary of Theatre and Drama Terms*）的解釋是：「源於拉丁語，指的是劇中的角色；也可以指他們的名單。在電影開始時或節目單上出現。可以只列出角色和演員的名字，也可以包含簡單的描述。這個詞也可以用來幽默地指涉參與任何事件的人」。[33] 在體驗經濟中應該更進一步思索這個詞，以及更廣泛的應用它。

在偶爾的情況下，企業會用書面方式將員工名字公開。年度報告中列出高階主管的名字，有些值日卡上列有當班的職員名字，比如計程車司機。我們拿到的提示卡透露保管我們外衣的是7號服務員，這個數字代表的可以是任何人。你的顧客也不可能知道與他們的商品和服務相關的所有人。為什麼？因為只有舞台上的表演才有可能讓劇中人揚名，所有的體驗提供者都應該扮演其中的一個角色。當然，客戶也許不關心服裝設計者的名字或那位幫助提供體驗的人到底是誰（因為在電影結尾字幕出現時，只有少數觀眾會留下觀看）。沒關係，因為劇中人不僅僅是為了顧客而存在，他們也是表演者；不只是為了明星而存在，還為了那些從沒踏上舞台一步的工作人員、劇作家、編劇、技術人員及舞台工作人員（更別提那些星探）。劇中人名單將他們和那些舞台

上的演員、製作人及導演一起呈現出來。當然,後者除了字幕以外還會獲得名聲和收益。這個名單藉由感謝前者,而為下一齣戲設置了舞台。

就像商業演出可以從表演藝術中透過長期的實踐獲益一樣,藝術也可以從商務中學習。在《票房行銷》(*Standing Room Only: Stategies for Marketing the Performing Arts*)一書中,西北大學凱洛格(Kellogg)管理學院的行銷學教授菲利浦‧科特勒(Philip Kotler)和他的同事瓊安‧雪芙(Joanne Scheff)倡言藝術的管理者應該更強化商務原則以保持藝術的活力。[34] 他們提議將「以藝術為中心」的方法和「以市場為中心」的方法結合起來。音樂會鋼琴家和教育家大衛‧歐文‧諾里斯(David Owen Norris)對音樂演出的看法也類似:「我們必須使體驗與聽眾連結,或滿足他們或使他們獲得期望以外的驚喜」,[35] 科特勒和雪芙認為,應該把這種看法運用到每一次表演中,不管在哪裏,也不管是如何進行,無論在劇場的舞台上或是在工作場合。

那些在農場上和工廠裏工作的人,他們的生產向來都是戲劇演出的結果,而創造出許許多多與我們日常生活截然不同的世界。《李爾王》(*King Lear*)兩小時的演出和聯邦快遞隔夜送達的演出同樣是在壓縮時間,他們幫助我們從不同的角度看這個世界,人們一直認為其中一個比另一個更有價值,但是究竟是哪一個?今天,成功的商務活動,就像好的藝術一樣,必須吸引觀眾。如果企業將顧客看成和平常的事務沒有兩樣,就不能提升經濟的價值。

體驗經濟將劇場從舞台領域引入商業活動。舞台上的演出，包括政府出資的表演廳、社區劇場、電影工作室和主題公園，都將繼續面對來自意想不到的領域的競爭——不僅是從遊戲競技場和荒野體驗，還有銀行和保險公司，航空公司和旅館，還有來自每一個街角、重新裝潢的購物中心。因為，各行各業都是一個舞台。

顧客就是你的產品

體驗不是最終的經濟產物。當你為某人客製化體驗,滿足他的需求時,你勢必「改變」他。當你客製化體驗時,體驗就會自動變成「轉型」。轉型是經濟價值遞進的最後一步。在這個意義上,顧客就是你的產品。

每一個行業都可以是體驗經濟的舞台。企業必須體認：無論它把商品和服務賣給個人還是團體，現在的顧客需要體驗。結果呢？體驗帶來趣味、知識、轉變和美感，對這些永恒特性的追求帶動了體驗經濟，因為不是任何體驗都有樂趣、具有啟發性、令人為之瘋狂或興奮。

為什麼人們願意忍受身體疼痛而花大錢上健身中心？為什麼付給心理醫師每小時100美元，結果只是又一次地經歷心靈折磨？基督教組織「信守諾言者」（Promise Keepers）的宗旨是改變男人的行為，然而為什麼有成千上萬的男性繳費參加由它舉辦的活動？為什麼年輕的經理人寧願放棄高薪工作，拿著昂貴的學費去唸商學院？所有這些問題似乎只有一個答案：希望體驗能對自己有用。

體驗決定了我們是誰、我們能做什麼、我們將去哪裏。我們將逐漸要求企業推出體驗，來改變我們。人類總是在尋找激動人心的新體驗，來學習、成長、發展、進步、修正、改革。當世界進步到體驗經濟，以往在非經濟活動中獲得的東西，也能在商業領域內發現，這代表一個意義重大的轉變：過去免費的東西，現在也要收費了。

這種模式出現在文化的各個領域。我們看到守舊的地方限制人們的信仰，人們就在這個限制之外尋求心靈成長，「信守諾言者」就是一例。另一例是心靈導師的崛起，有位作家稱之為「心靈的私人教練」。❶ 有問題的家庭不再只求助同信仰或同社區的成員或朋友，他們經常向廣播節目中類似勞拉・斯萊辛格博士

（Dr. Laura Schlessinger）等人尋求建議，或是一些標榜自我改善的書籍和錄音帶。在教育方面，不再只依靠那些公立學校，企業不斷創建自己的學院。同樣地，更多的家庭擔心唸公立學校無法找到工作，而把子女送到私立學校。工作性質的轉變也引發對新型經濟體驗的需求。伴隨著工農業經濟的退化，靠沉重體力勞動維生的人數大量減少。很多人在工作之餘到健身中心消費，以獲取或保持良好的身體狀況，然而，下班後光顧健身中心的大都是辦公室工作者，而不是屠夫或水泥工人。

人們選擇這些，他們真正想追求什麼？沒錯，就是體驗；不只是體驗，還希望重塑自我，讓自己與眾不同。當體驗比服務更長久時，參與體驗的個人渴望它比記憶更長久，超越商品、服務或體驗所能提供的。成為健身中心的會員，購買的不是痠痛，而是做運動以增強體魄。許多妻子鼓勵丈夫參加「信守諾言者」的活動，因為她們認為這種體驗將改善他們的舉止，使他們成為更好的丈夫。規律運動、討論會、學習課程和信仰的探索，引發出比體驗更令人嚮往、更有價值的東西。

在醫療業，病患除了需要醫藥產品、醫療服務和住院體驗之外，更想要健康。企管顧問也是一樣，垂死掙扎的企業除了需要資訊化產品、顧問服務，甚至教育體驗，它更想要的是成長。企業重視它們提供的產品、服務和獨立的體驗，但更重視可以帶來成長的方案，這形成大多數顧問業發展的基礎。

經濟活動距離產品和服務越來越遠，那些推出體驗的公司，如果沒有考慮體驗對參與者的影響，也沒有用類似創造完美轉型

的方法來設計體驗的話，那麼他們最終逃不了體驗被商品化的命運。第二次的體驗不如第一次有趣，第三次又更遜了，如此下去，最後你會發現體驗不再像過去那樣吸引你。歡迎進入體驗商品化的時代，最具有代表意義的是這樣一句話：「順利完成任務」（been there, done that）。❷

再論經濟價值遞進

體驗不是最終的經濟產物。企業可以透過適用於所有經濟產物的方法——客製化，來避開商品化的陷阱。當你為某個人客製化體驗，供給他的迫切需要時，你勢必「改變」他。當你客製化體驗時，你自動把體驗轉化為轉型（transformation）。企業可以在體驗之上建構轉型，就像在服務之上創造體驗一樣。如圖9-1所示，轉型是獨立的經濟產物，是經濟價值遞進的第五個，也是最後一個方案。身體不好的人、感情受挫的人、年輕的經理人、醫院的病患和垂死掙扎的企業，都渴望轉型。

當你客製化一種體驗時，你就改變了那個人

企業推出一套體驗，比單一事件更能使購買者產生持久印象。體驗了獨特而且一連串的事件之後，轉型就會出現。大量體驗的出現滿足了顧客需求，推出體驗的公司將會意識到，任何體驗都能成為引導轉型的新產品的基礎。

回到一個我們喜愛的體驗：慶生會。越來越多公司加入迪士尼、遊戲工廠（Gameworks）、查克乳酪（Chuck E. Cheese's）的

圖9-1　完成經濟價值遞進

競爭行列，提供生日活動，更不用說像在新龐德農場（New Pond Farm）特有的體驗，這類體驗將承受商品化的後果：降價。終究，一些體驗提供者會意識到，「生日轉型」將可以增加顧客價值。想推出「生日轉型」的公司可以怎麼做呢？不光只是專注今年的生日，要引導家長陪著孩子度過好幾個生日；而且它的任務不光是舉辦慶生會，還包括禮物的選擇、親朋好友的邀請和會後事宜。例如，禮物要符合孩子成長的需求；在孩子感興趣或父母希望孩子接觸的領域，親朋好友可以扮演專家來指導。感謝函、貼好郵票的信封，可以是轉型的生日方案的補充物，使孩

子學著更懂事、更感恩。❸最重要的是：每年的慶生會，只是孩子的整個成長過程中的一部分。這種生日指導方案，不一定要來自提供生日體驗的企業，也可以來自玩具製造商（促成孩子成長）、親子雜誌（了解養育孩子是家長的任務）或是運動管理公司（可以作為孩子的模範）。

武術老師也許是體驗提供者中最早領悟到轉型力量的。許多家長鼓勵、甚至強迫子女參加空手道、中國功夫和跆拳道訓練，他們大部分是因為自己缺乏這方面的技能，或想要灌輸下一代適當的尊重和自制能力，也有人認為這是他們應盡的責任。武術學校的校長承諾，不僅會教授傳統的搏擊技巧，還會要學生遵守一套生活準則。某個事業部經理說，當家長為孩子報名時，他們會說「改造我的孩子」。❹然而，許多家長希望不要太過火。《富比士》雜誌一位作家指出，一些家長會考慮基督教和猶太教的武術學校，「以避免學校教給孩子東方的神祕主義」。❺

在更物質的層面，食品業和餐飲體驗（例如主題餐廳提供的體驗）也可以發展為轉型的產業。營養管理可能是下一個轉變，藉著主題化製造出有趣的、令人興奮的健康食品，諸如珍妮克雷格（Jenny Craig）、體重監控者（Weight Watchers）、減重（Weigh Down）等，目標在改善顧客的營養攝取的四個體驗領域：娛樂方面可以使吃變得更有趣，教育強調適當的吃，飲食美學提倡正確的用餐速度和數量，而在設施方面可以提供一個逃離舊飲食習慣的場所。從食品本身、餐飲服務、美食體驗，都由一個轉型誘導者來管理，不僅要對提供的食品收費，對圍繞食品展

開的服務收費，還要對以食品和服務為內涵的體驗收費，因為，透過這類體驗，消費者的膽固醇、脂肪、體重等健康指標都會有顯著改善。也有一些餐廳的轉型目標是提升人們的品味或增進夫妻關係。對於今天從事食品生產和服務的企業，這些都是可行的策略。

同樣地，曾經所有書店都附設咖啡廳，甚至閱覽室——人們在特別設計的場所付費閱讀，因為可以豐富閱讀的體驗——公司可以為提供閱讀轉型而鋪路。有了好書和值得閱讀的材料，人們將願意付費，接受這樣的引導，進行知識的追求。這不是傳統學校的感覺，而是嶄新的學習變革，保證人們可以獲得新東西。瓦爾登圖書公司（Waldenbooks）已經針對企業團體推出「明智」企業計畫（W.I.S.E. Corporate Program），透過單一窗口，實現向各公司員工的套裝銷售，而有別於量販折扣優惠的方式。為什麼不收費，以確保員工可以吸收到他們需要的知識（透過大量客製化的建議讀物），使得這個方案具有轉型意義呢？

另一個有潛力進行轉型的行業是高等教育。拿哈佛商學院來說，它擁有龐大的智識資源：教授、大學或研究所學生、行政管理人員教育專案、《哈佛商業評論》、哈佛商學院出版社，以及種類繁多的電子報、錄影製品、光碟、網站和其他教學資源，這些構成完美的組合，使每個人得以轉型為高階主管，有能力迎接任何挑戰。為達到這個目標，哈佛不只是銷售書籍、雜誌、資訊服務和教育體驗，而是著眼於「改變」消費者。所有在報導中名列前茅的學院和大學，要維持和鞏固其領先地位，這是必須要走

的路。

轉型將會出現在任何行業，只是今天他們還自認是服務業的一份子。醫療服務人員將改變依服務收費的觀念，在創造和維持健康的基礎上收費。航空公司和旅館的任務是把旅客轉型為休息充分的戰士，以備投入第二天的戰鬥。電腦服務公司和系統業者，把購買並擁有良好設備的客戶轉型為善用設備、妥善經營的企業。

轉型產物讓服務部門的幾乎每一個部分都浮現出來

他們為什麼不這樣做呢？他們的競爭者——管理顧問公司和外包廠商——已開始轉型了。大家都知道，顧客不再需要有形的報告、無形的分析，也不再依賴研討會來告訴他們下一步該如何做。這類公司只是起個頭，光靠他們無法使客戶變成更優秀的公司。有評論者說，聘用顧問就像「去脊椎按摩一樣，去了182次以後你還是得去」。❻聘用顧問的企業渴望更好，他們希望所接觸的顧問能為公司帶來持續的成果。EDS的阿巴斯‧里紮維（Abbas Rizavi）認為該公司「聯合承包」（co-sourcing）的做法，就是要成為客戶經營企業的合夥人，「我們認為你應該注重結果；外包的結果是有人為你做，而『聯合承包』意味著有人與你一起做，我們真誠幫助你轉型、結盟、再生和再造。」❼他所說的一語中的。

麻州劍橋的「生命線系統」（Lifeline Systems，最近被保全公司「第一保護」〔Protection One〕收購），也提供包括商品、服務、體驗和轉型。其中一項業務「個人反應產業」，主要是由大量類似呼叫器的裝置所組成，中間還有按鈕。當使用者按下按

鈕,訊號就沿著電話線傳輸到24小時監控中心。在監控中心,訓練有素的監控人員回電查明事件性質,如有必要,就會分派合適人選(朋友、親屬或公共急救人員)處理特殊情況。需要救援的電話不超過5%,大多數人打電話是因為感覺寂寞,找中心的人聊聊天。但最後的統計顯示,大部分的顧客(付費給「生命線系統」的人),是使用設備的人的親屬,他們真正購買的是心靈平靜,那才是生命線系統真正提供的東西。

監獄真正提供的是什麼呢?納許維爾的美國矯正公司(Corrections Corp. of America; CCA),為地方、州和聯邦政府提供祕密監禁和矯治服務。官僚的典獄長可能會認為他們的任務只是使罪犯在刑期內遠離人群。當《執行長》(*Chief Executive*)雜誌請該公司的執行長克蘭特博士(Doctor Crants)介紹公司「產品」時,克蘭特回答說,CCA生產的是品德矯正,除了禁閉犯人,還創造——

> 某些正面影響,使他們離開我們的管訓以後,有機會獲得更好的生活,否則他們會……對我們而言,品德矯正是指我們會教入獄者讀寫,大約一半入獄者沒有高中文憑,所以我們開設GED班和教學課程……對於那些已經有高中文憑的,我們為他們安排各類工作訓練課程。我們會傳授他們技能,例如引擎機械工、汽車機械工……而且我們設計了應該是世界上最好的藥物治療計畫,比貝蒂・福特診所(Betty Ford Clinic)的更棒,這個計畫需要7個月的時間。❽

我們承認CCA的措施對20%的有精神障礙的入獄者發揮不了作用，至少現有的方法不能使真正的精神病患者成為社會的生產貢獻者。❾克蘭特進一步解釋，把監獄託付給CCA管理的政府機構，大約可節省10%的成本，因為「符合成本效益意味著帶給每個犯人希望。犯人早晨起床後，會樂於從事一些出獄後有機會讓他重生的活動。」❿它只是一個機會，真正使頑固的罪犯或初犯者不會再犯才是獨特的產品，正如社會學家比爾‧史崔克蘭（Bill Strickland）談到在匹茲堡彼得維爾培訓中心（Bidwell Training Center）的烹飪學生時說：「他們是能透過有效方法適應環境的人……那就是成果，就是產品。」⓫

轉型和體驗的差異

就像體驗一樣，有些人一定會說，我們所稱的轉型實際上是服務的一種。但是在麥當勞吃東西和上健身房鍛鍊、提供資訊簡報和參與合夥經營、洗衣服和淨化靈魂，這中間都有很懸殊的差異，不應該歸為同一種經濟產物。如表9-1描述的，轉型是真正與眾不同的經濟產物，它有別於體驗，正如體驗不同於服務一樣。定義這個新的產物需要使用與商業和經濟產出較不相關的詞語。今天我們熟悉的服務經濟術語，如無形產品、客戶、依需求配送等，是經歷好幾年時間才朗朗上口的，同樣，體驗和轉型方面的詞彙也要一段時間才能自然應用。為了辨別五種經

轉型與體驗的差別，就如同體驗與服務的差別

表9-1　經濟產物分類

經濟產物	初級產品	商品	服務	體驗	轉型
經濟模式	農業	工業	服務	體驗	轉型
經濟功能	採掘提煉	製造	提供	展示	引導
產物的性質	可替換的	有形的	無形的	難忘的	有效的
主要特徵	自然的	標準化的	客製的	個性化的	獨有的
供給方式	大批儲存	生產後庫存	依需求配送	在一段期間內展示	持續一段時間
賣方	交易商	製造商	提供者	展示者	誘導者
買方	市場	使用者	客戶	客人	有志者
需求要素	特點	特色	利益	獨特的感受	特質

濟產物，請考慮以下幾點：

- 如果初級產品可替換，商品有形，服務無形，體驗令人難忘，那麼轉型就是有效的。其他經濟產物除了消耗，沒有持久的結果，甚至體驗的記憶也會隨著時間消退。而購買轉型的人還希望被引導到某個特別的目的地，轉型必須能觸發這個預期效果。這就是為什麼我們稱購買者為有志者（aspirants）──他們追求不同凡響。沒有態度、舉止、性格等方面的改變，就沒有發生轉型。不只是程度和功能上的轉變，而是種類和結構上的轉變。轉型對購買者影響甚大。

- 企業如果想真正抓住有志者，就必須長期堅持轉型。一種
  變化——以個人來說，例如減肥、改掉壞習慣或使財務狀
  況更好；或從企業體來說，減少固定支出、停止浪費、不
  受匯率波動影響——如果只是暫時的而不是長久的，那它
  就不是真正的轉型，只是在舊軌道上一時的進步而已。

- 最後，初級產品是自然的，商品是標準化的，服務是客製
  化的，體驗是個性化的，而轉型是個人獨有的；除了有志
  者渴望變化的那個東西之外，沒有其他東西，它就是變化
  本身。個人對體驗做出反應，然後產生記憶；轉型則更深
  遠，它改變了購買者的存在。因為體驗根深柢固是個性化
  的，沒有兩人能具有相同的體驗。過去的體驗和現在的心
  智狀態的差別產生不同的作用。同樣地，沒有人能忍受兩
  次相同的轉型——第二次嘗試時，他就不再是以前的他
  了。比起任何其他經濟產物，人們更重視轉型，因為它指
  出所有需求的最終來源：為什麼消費者想要購買初級產
  品、商品、服務和體驗。

事實上，作為企業的一種經濟產物，轉型使個人或團體發生
改變。有了轉型，「顧客就是你的產品」。轉型的個人購買者簡
單明瞭地說：「改變我吧。」企業的經濟產物既不是它使用的材
料，也不是它製造的實物；既不是它執行的流程，也不是它安排
的事件。當一個企業引導轉型時，它所提供的是非常私密的東
西。

　　這意味著，必須認真考慮所有特殊的轉型產物的精確形式和內容。無論透過生理、感情、智識還是精神層面，轉型誘導者都要了解顧客需求，才有希望產生影響。這種顧客需求當然和他的期望有關，但是這期望不是針對外在的商品和服務，而是以顧客自己和他理想中的自我為中心。❷

轉型的個人購買者簡單明瞭地說：「改變我吧！」

　　一旦體驗經濟邁開步伐，轉型經濟一定會跟進。成功的基礎在於領悟客戶和企業的需求，並引導他們全面認識這些需求。

　　保險業是一個明顯的例子，讓我們看看它如何透過一連串的過程來實現轉型。正如我們在第4幕所見，先進保險公司的理賠程序，提供給顧客穩定情緒的時間和方法，而讓該公司步入體驗經濟。深入現場的實地檢查，解除了顧客對於如何處理特殊狀況的擔憂。傳統的保單只保證客戶在經歷損失時才得到賠償，如圖9-2所示；也就是說，意外事故發生，他們才拿得到錢。但是，先進保險的體驗「保障」了投保人，讓他們找回自信、鼓舞、信任或滿足感。當意外發生時，投保人不僅獲得先進保險的理賠，而且可以對整個不幸泰然處之。

　　在轉型經濟下，做到

圖9-2　「保險」業的經濟產物遞進

轉型
確保　　確保真正的事件、情況或結果

體驗
保障　　獲得自信、鼓舞、信任或滿足的感覺

服務
保險　　有意外發生時獲得理賠

上面所說的還不夠；保險公司還必須「確保」投保人安全，也就是說，公司必須確保真正的事件、情況或結果為何。例如，瑞典斯德哥爾摩的斯堪地亞公司（Skandia）的一種en-surance的擔保概念，叫做能力保險（Competence Insurance）。不同於公司一般注重智慧資本，❸這個計畫是為了解決工作者跟不上工作所需的能力、知識的問題。斯堪地亞公司的提案書是這樣的：

> 保險的宗旨是建立安全能力，與當今典型的社會保險相比，這種保險具有預防危機的特色。在危機發生之前，發覺能力亟待提高之時，針對個人能力帳戶預作儲蓄，正是這個保險的初衷。今天，社會保險的內在問題是直到員工、工作場所或整個事業陷入困境後，才採取相應措施，但通常為時已晚。❹

目前，斯堪地亞公司的這項計畫要等待有關當局批准，尚無法實施，但該公司有望在不久的將來，為投保人提供這種新的「確保」式保險。

伊利諾州第爾非市（Deerfield）的MMI公司，某種程度上實現了這種轉型。MMI對醫院和醫師沒有誤診和其他風險提供了保險，只是它自認為屬於風險管理行業。MMI認為，醫院除了聘請律師和（勝訴時）向當事人求償之外，還應該努力確保不被控告。管理者應該追求醫療系統的安全性和高品質，減少失誤。醫院只有在明確表示同意參與這些專案後，才能購買MMI保險——這些專案包含資料蒐集和分析、教育課程和即時諮詢

——這一切都有助於確保醫師、其他醫療專業
人員和衛生管理者，努力關注導向安全與品質
的衛生體系，以降低風險。每年MMI沿著這
條線分析各個機構的發展，調整計畫以適應產

在你的產業裏，保險、保障和確保相當於什麼？

業變化，重點放在提高醫療水平，減少被起訴的機會。❶ 執行長
瑞克‧貝克（Rick Becker）說：「今天的社會是個訴訟成風的社
會，人人都不能免除遭訴訟的可能性。我們對於讓顧客變成顧客
的生意不感興趣，除非我們可以替他們降低風險。」

如果你是服務提供者，想想你所在的產業，與保險、保障、
確保相當的是什麼呢？你很難用簡單的詞語描述從服務到體驗再
到轉型之路（你可能得發明一些用詞），但當我們決定從體驗經
濟邁向轉型經濟時，是值得用心思考的。

製造商可以做什麼？體驗經濟出現時，我們已看見他們將自
己的產品體驗化，也就是專注於顧客使用他們商品時所產生的體
驗；轉型經濟時，製造商當然是使他們的產品轉型化，即設計和
銷售個性化商品，讓顧客和以前不一樣。這裏的重心從「正在使
用」轉移到「使用者自己」：使用產品時，個人怎樣改變。自習
課本、教學軟體、健身錄影帶和器材都可以協助我們達成目標，
但它們還不是徹底的轉型產品。❶ 如果真要使運動器材具有轉型
功能，廠商不可以把自己看做是「賣健身器材」的產業，而是
「發展更好體格」的產業，有人會不時地檢查成效！

有些公司正在開疆拓土。在賀卡行業，賀軒卡片公司
（Hallmark Card）的賀軒商用卡（Hallmark Business Expressions）

成長得最快,這種卡片旨在加強員工士氣和對工作單位的忠誠。
賀軒的設計小組幫助各公司評估他們的需求,確定用於特殊部門
和個人之間交流的合適資訊,然後規畫出客製化的可適用於不同
場合的卡片。由於目標是改變員工的工作態度,賀軒不再把它們
當普通商品銷售,而是作為主管和人力資源部門增進員工情感交
流和企業文化的工具。

再來看汽車業。關車門的聲音已經成為當今汽車設計中一個
重要環節,在轉型經濟下,人們不會輕易買一輛車,除非這能使
他們自己或他們的子女成為更好的駕駛人。另外像H E微波公司
(H E Microwave)的防撞雷達系統、通用汽車的向星(OnStar)
診斷系統(利用感測器、微處理器和同步衛星診斷緊急狀況,快
速提供一套合適的行動方案),這類特色開發將越來越多。[17] 我
們也期待開發一種限制青少年車速的系統,如果他們的車速超過
每小時100英哩,會產生一些特殊代碼,自動撥出電話、傳真或
電子郵件,通知家長,使他們確切知道子女的行為。

或許最大的商機是生物科技產業,特別是一種稱為
nutraceutical的產品;當我們攝取某些食物時,它保證能改變我
們的體質。[18] 愛爾蘭的伊蘭公司(Elan Corp)推出巧克力奶、即
溶湯包等食品,幫助帕金森氏症患者更容易吸收藥效。[19] 在芬
蘭,班尼可(Benecol)製造的健康奶油不含膽固醇,「即使比
一般奶油貴6倍,商店一般也會缺貨。」[20]

當今許多製造商利用體驗經濟的概念,生產可以勾起購買者
對體驗的回憶的紀念品;而在轉型經濟初期,廠商也可以生產一

些象徵物，讓有志者慶祝他們的轉型。戒指、
十字架、旗幟、戰利品、運動錦旗、獎章、徽
章、紀念章、勳章等象徵物，體現了佩戴者某

**廠商可以生產象徵物
供人慶祝轉型**

方面的轉型，從單身到結婚，從隊員到冠軍，從平民到士兵，從
士兵到英雄等等。這些象徵物可以使人們更意識到，並結交具有
同樣經歷的人，從而相互交流，形成社群。

引導轉型

　　有些專家遺憾地斷言，一個人在經歷嚴重創傷時，會產生一
連串體驗：震驚、沮喪、困惑、罪惡感和憤怒，然後才會復原。
有牧師、朋友或諮詢人員的開導，比單獨一個人更能應付這些情
形，更快走出悲傷，步入正常生活。同樣地，所有的轉型誘導
者，也要引導有志者經歷一連串的體驗。

　　經濟價值遞進組成一個「經濟金字塔」，高層的經濟產物建
立在低層經濟產物之上，如圖9-3所示。轉型誘導者必須決定可
以使生活轉型之體驗的正確組合，指引有志者達到目標（用商品
作為象徵物）；體驗提供者必須描述誘人的服務，然後推出它，
像是創造一個值得回憶的事件一樣（用商品作為紀念物）；服務
提供者，必須設計合宜的商品外形（如速食店的桌子和自動販賣
機，乾洗店的掛鉤、塑膠袋和洗衣設備），以方便客戶進行活
動；當然，商品製造商必須開發合適的初級產品來源，作為它生
產有形產品的原材料；初級產品交易商必須開發原材料產地，並

圖9-3　經濟金字塔

（金字塔由上而下）
決定和引導
轉型

描述和展示
體驗

策畫和提供
服務

開發和製造
商品

發現和提取
初級產品

提取原材料以供應市場。

　　所以，轉型只能被誘導，不能被提取、製造、提供甚至展示。古諺有云：「你能把馬牽到河邊，但不能強迫牠喝水。」任何人都不能被強迫改變。有了顧客，才有轉型機會，因此轉型一定要由顧客來做。斯堪地亞的執行長兼總裁畢庸‧沃爾拉斯（Björn Wolrath）意識到這一點時說，該公司的能力保險計畫「主要的支柱不是老闆或社會想幫助員工找到合適的位置，而是員工自己確信一旦他們覺得需要，他們有能力提高資本」。[21]

　　轉型誘導者最好拿出一些可以導致變化發生的對的情境，也

就是推出包含優質服務的良好體驗……好，這意思你明白了，但光是這樣還不夠。如圖9-4所示，轉型這種經濟產物的建立需

要經過三個階段：分析渴望、推出體驗和跟進實施。

分析渴望

顧客追求什麼？顧客哪些地方與這種渴望有關？從哪些面向進行，轉型才能成功？沒有適當的分析，顧客不能實現轉型。有一種情況是，面對眾多的商品和服務，顧客不知道或說不出他們嚮往什麼，有志者也一樣，甚至可能產生錯誤的嚮往——對自己有害的目標。就像金融服務機構有責任去阻止顧客做出錯誤的投資決策，主題公園工作人員有責任監督維護顧客的安全，轉型誘導者對防止有志者做出不當或不道德的行為也是責無旁貸。當然，結果如何，還要仰賴個別誘導者的良知和世界觀。

了解顧客真正的渴望和客觀現實之間的距離，對任何轉型都至關重要——即使顧客沒有意識到或迷失了方向。顧客真的有能力實現願望嗎？如果能，怎樣把他引導到正確的轉型之路上？有些情況下，分類比分析重要，個人或團體可能缺乏實現轉型的能力。在這種情況下，即使踏上轉型之路也感覺不到，除非一些轉型活動能加強有志者在艱難狀況下的信心。

拿健身中心來說，在分析階段，先了解顧客對體重、肌力和

沒有適當的診斷，顧客無法達成其渴望

體型的要求，評估目前的狀態，然後針對各項目標設計有效的鍛鍊計畫。同時還要了解顧客的健康狀況，保證計畫不會造成傷害。查明精神和心理狀態，以免鍛鍊中途遭遇障礙。在醫療界，醫師（包括心理醫師）認為，所有的病患都希望身體（心理）健康，但是其願望卻可能因人而異，有的想完全康復好投入工作，有的希望儘早離開醫院，回家安靜死去。與其他轉型誘導者一樣，醫師可能認為有些目標訂得太低，有些太理想化，應該放棄，但他們制定治療步驟時，無論如何要關注病患的最大利益（保留一線生機）。同樣地，管理顧問在規畫行動方案之前，必須掌握企業的策略需求和現在的能力水平，並了解公司和顧問兩邊都是有偏見的。

推出轉型體驗

什麼樣的體驗可以導致必要的轉型？顧客如何從現狀轉變到他的理想狀態？轉型理所當然建立在體驗之上，尤其是那些可以讓顧客意識到自己的願望的、使人生改變的體驗。

比如說，心理學家為病患舉行一系列的討論會，每次會議的動機不同，但都是要漸漸影響病患，讓他們從心理生病狀態過渡到心理健康狀態。（儘管大部分的心理醫師被指控他們視所有人均有心理問題，或被投訴他們在「治療」健康的人。）一些教育機構，包括商學院，提供了一系列體驗，有深有淺，目的都是教育、修飾、塑造學生成為有一定能力和知識的畢業生。高爾夫和

其他運動教練為了幫學員提升技巧，必須把身
體活動與知識理解、感情激勵結合起來。就像
其他的轉型一樣，職業選手不會把擊球練習看
成是體驗的全部；為使學員從笨拙變得靈活，

**轉型誘導者可以選擇
體驗的四個領域中任
何一個來實現轉型**

教練從許多方面輔導：首先是心理準備、技巧、擺幅；其次是熟
悉木桿、鐵桿、切球、開球、推桿入洞；最後是規則、球路、進
洞技巧等等。

　　轉型誘導者可以選擇體驗的四個領域中任何一個作為轉型的
基礎。娛樂的體驗改變我們的世界觀，教育的體驗驅使我們重新
思考如何適應這個世界，逃避現實的體驗把個人能力和品質提升
到新的境界，審美的體驗讓我們驚喜、增進對美的感受與鑑賞
力。四個領域中眾多元素形成美好的出發點，大多數生動的人生
轉型體驗以此為中心展開，不管轉型的最終目標為何，因為在這
一點上，體驗最誘惑我們，最吸引我們對轉型本質的關注。

跟進實施

　　體驗為轉型打造了舞台。一旦發生，怎樣堅持下去？怎樣保
證轉型不退步？只有經過時間考驗的轉型，才算是真正的轉型。
高爾夫選手得有明顯的弧形動作和擺動，才能實現成功的一擊，
高爾夫教練也不例外。沒有人能經過一次練習就立刻進步。「匿
名戒酒協會」和其他自助性組織在轉型的實施階段表現卓越，他
們了解：放棄一次飲酒是可能的，每一次都放棄很難。同樣地，
婚姻調解者使夫妻在不倫事件發生後重新溝通，也許還能達到相

互原諒的地步，但重建破碎的信任則是艱鉅而漫長的工作。

轉型誘導者認為跟進實施是最難的階段，也是很多人做不到

除非轉型持續進行，否則不是真正的轉型

的。管理顧問如果不透過有利的轉型指導顧客，只提出策略性分析，這只能算是服務業，不屬於轉型業。教育者傳授知識，沒有確保學生學有所用，頂多算是體驗業。醫師不管病患的精神需求，只治療肉體疾病，只能算完成了一半工作，醫療業在這一點上正逐步達成共識。

綜合行動

1994年9月，英國醫學雜誌《手術刀》（*Lancet*）有一篇文章，提出這樣一條原則──「醫師的工作是演出」，使得醫療界勃然大怒。在〈醫學界的演出〉一文中，西安大略大學的希爾‧費斯通博士（Dr. Hillel Finestone）和大衛‧孔特博士（Dr. David Conter）主張，醫師必須被訓練成演員，並遵守上面有關轉型三個階段的方法，才能真正改變病患。他們說明了醫師和轉型誘導者在每個階段應該如何實施：

> 如果醫師不具備評估病患心理需求（對人的整體分析），並針對這些需求採取有效措施（一系列體驗）的技巧，那他們就沒有做好工作。因此，我們認為醫學培訓應包括一項表演課程，針對病患的心理需求做合適的回應。

　　在我的實務經驗中⋯⋯我經常碰到受慢性病煎熬的病患。
我發現，向病患傳遞鼓舞人心的、有希望的、甜美的資訊
（實施階段），不僅表達了你對他的關心，而且，對病患本身
的進步更重要。❷

　　我們只補充一點：既然工作是演出，內科醫師應該總是以表
演來傳達回饋和關注，而不只是在不得不為的情況下才這樣做。

　　許多醫師對「醫師必須是演員」的觀念抱持不贊同、貶低或
嘲笑的態度。一名幽默的醫師說，戲劇是「醫學院正式課程的一
部分」，我們會看到這樣的情景：「問題：肥胖。老方法：醫師
開出節食處方。新方法：嬌美夕陽下，音樂響起，醫師淚水湧
出，立下動人心魄的誓言『上帝見證，你將再忍饑餓！』」❷ 但
是適當的表演，可以幫助病患說出更多困擾他們的因素，選擇更
好的治療方法，決定最適合病患的體驗；最後，更能充分掌握療
程和其他措施，並堅持轉型。還有，醫學研究也支持「醫師必須
是演員」的論點。大量調查顯示，這些醫師更關懷、更有同理心
來對待病患，簡而言之具備更好的臨床態度，不僅少有官司，而
且業績更好。❷ 往昔人性化關懷的醫師並沒有落伍，這仍然是每
個醫師必須扮演的角色，對轉型誘導者來說也是一樣。

　　轉型的三個階段：分析渴望─推出體驗─跟進實施，不僅把
這種經濟產物和體驗區分開來，而且顯示轉型比體驗對每個消費
者的利益負有更多的責任。轉型誘導者必須夠小心，提出預先剖
析，為消費者轉型推出大量活動，並持續地實施。知名的哲學家

密爾頓·梅爾洛甫（Milton Mayeroff）著有最貼近這個主題的書《論關懷》（*On Caring*），是任何真正對轉型事業有興趣的人必讀的書籍。梅爾洛甫說：「關懷是幫助他人成長並實現自我的過程，它和發展有關，在這個過程中，相互信任，深化高品質的轉型，友誼之花綻放。」❷ 梅爾洛甫表示，這個過程就是一連串的體驗不僅體現而且激發關懷。（難道你沒有最好的朋友能與他分享你最深刻的體驗嗎？）

還有在企業裏，為了和需要轉型的有志者維持長遠關係，執行長必須放棄以「每月業績」為最高目標，轉而擁抱「長期的」營運原則。梅爾洛甫描述關懷時用了大量詞語：認識、耐心、誠實、信任、謙遜、希望、韻律、勇氣等。為什麼我們在企業的使命聲明裏頭找不到更多類似的詞語呢？別忘了，轉型誘導者還要留意關懷的持續性。如果沒有關懷，「一次性」的體驗幾乎不可能產生轉型。承諾有志者可以幫他達到目標的意思是：在堅定的原則之下推出一系列體驗。

在轉型事業中，對員工的第一個要求是他們的真心關懷。因此，在員工對顧客造成負面影響之前，轉型誘導者首先要訓練員工，學會透過工作對他人表示關懷。服務大師公司（ServiceMaster Company）董事長威廉·波拉德（C. William Pollard）提醒我們：「當人們服務和工作的時候，精神和心靈也得到充實，自己也在過程中進步。」❷ 在他的著作《企業的靈魂》（*The Soul of the Firm*）中，波拉德提到服務大師公司如何培訓員工，不是把服務「提供出去」，而是要「呈現給對方」。這需要領導者自願為員工

犧牲自己的需求，同時，員工也要為減少顧客犧牲而放棄自己的需求。波拉德還提到：蘇格拉底說「認識你自己」，亞里斯多德提倡「控制自己」，而耶穌則說「奉獻自己」。**❷**

現在，在一本商業書中提到耶穌，你有什麼想法？在即將到來的轉型經濟中，有志者只會把他們的未來託付給那些世界觀相同的人。轉型誘導者必須掌握轉型的精髓是變化（這也是企業提倡的價值），它最終導向「以全球視野進行市場區隔」的企業。企業不再用無知的態度看待道德上的對錯，在商品和服務的庇護下逃避敏感事件。和服務大師公司共事的許多企業，無形中提升了世界觀。轉型問題不能避免，人們提煉初級產品的行為，使地球變成一個「為人們服務的」地球，這影響了我們每一個人。商品會把它的

一切交易都涉及道德選擇

購買者轉型為使用者，不管是因為病痛或從中得益。服務使客戶轉型為接受者，無論是貶低還是啟發。體驗將客人轉型為事件的參與者，不管長期效果好壞。轉型使有志者變成「一個全新的你」，這中間有道德、哲學、宗教的啟示在裏頭。一切交易都涉及道德選擇。

第**10**幕

尋找你在現實世界中的角色

大部分的企業只把他們的產品看做是服務，是最終的結果，因此他們無法引導轉型的發生，也不能獲取更高的價值。更重要的是，很少有企業就轉型本身收費。作為一個轉型企業，它收費是因為完成了顧客渴望的目標（轉型），而非因為公司所做的任何事情。

　　《工作之終結》（*The End of Work*）這本書說，農業、製造業和服務業工作數量的流失都是因為技術創新，該書的作者，也是悲觀的經濟學家傑瑞米・雷夫金（Jeremy Rifkin）指出：「我們正進入世界史的一個新階段，在此階段只需要越來越少的工作者為全世界的人提供商品和服務。」❶ 雷夫金承認有「第四」經濟領域的存在，他稱之為知識產業，但他同時認為知識產業只會「吸收一小部分人口，而導致大量人口失業」，❷ 儘管他承認「有理由相信，意識的轉型和對社群的新承諾將會實現」。❸

　　實際上，這個願望的實現可能性相當大：因為經濟模式正從商品和服務走向體驗和轉型。正如圖10-1（對圖1-3的修訂）所示，在過去四十多年，只有農業部門真正大量的失業。體驗業和

轉型誘導者正在增加它們在經濟大餅中的占有率

轉型業的就業成長率是服務業的2倍，而1959~96年間，這兩個部門的GDP成長率超出其他部門── 轉型業年平均成長率甚至超過10%。❹

　　同樣地，圖10-2是針對圖1-2美國消費者物價指數統計的修訂，以醫療服務業為唯一的轉型產業，從聯邦政府的服務部門統計中分離出來。醫療業膨脹速度之快，不止超過服務業，而且（如預期的）比體驗經濟成長還快。❺ 不只是醫療業，管理顧問的費用在1990年代也急劇成長。在今天，大顧問公司的基層職員一天就可為公司帶來3,000美元的收入，是80年代收入水平的3~5倍，專案的收入可達數千萬美元以上。1980~96年期間，大學學費、學生住宿費和伙食費成長了2.5倍，幾乎是通貨膨脹率

圖10-1　各種經濟產物的就業和名目GDP成長率

資料來源：美國勞工統計局，Labstat；《美國統計史：從殖民時期到1970年》
美國普查局；美國普查、經濟分析局、國民所得與商品帳、未出
版資料；Stategic Horizons LLP and Diamond Technology Partners分
析。

的3倍。❻

　　簡而言之，就像體驗提供者一樣，轉型誘導者正在迅速增加
他們在經濟大餅中的占有率。今天，唯一在經濟中所處位置領先
體驗經濟的就是轉型經濟，兩者都在經濟中占很大比例，而且已
經成為經濟成長的發動機，創造了大量就業機會和產出，並彌補
低層經濟部門的衰退。這個事實將使人們對某些東西習以為常，
正如《理性》（*Reason*）雜誌編輯維吉尼亞‧帕斯楚（Virginia

圖10-2 各種經濟產物的消費者物價指數

資料來源：美國勞工統計局

Postrel）明確指出的：「實際上我們生活在一個越來越無形的經濟體系中，大量的財富來源不以實物的形式存在。我們還沒有習慣將美、娛樂、注意力、學習、愉快甚至精神滿足視為真實的經濟價值，就像鋼鐵或半導體一樣。」❼ 正是這樣，因為在新的經濟部門中，財富的來源是知識而非物質。

將智慧融入工作中

為了更滿足人們的需求，我們想到一個很少在商業中提及的詞：智慧。在《牛津英文字典》中，智慧的定義是：「具有聰明

的特徵,特別是在做選擇的時候;經驗和知識的結合,並有能力、有判斷力地加以應用;合理地判斷,謹慎地做事。」❸ 在轉型的三個階段中,誘導者都需要這樣的智慧。在分析階段,他們需要智慧以區分真實的意向與虛假的願望、高不可攀的目標和自我迷惑的渴望,他們更需要智慧來判斷有志者是否有能力達成想要的轉型。

在推出轉型體驗階段,轉型誘導者需要根據分析的結果,用智慧決定以正確的「選定的意義」達到「選定的目標」。接下來,同樣運用高水準的判斷、行動方案的選擇,以及對進行轉型以來的體驗和所需知識的運用,與開始時一樣不可或缺。如果不借助智慧,人們會發現所渴望的目標很難完成。

再回想一下上述《牛津英文字典》對智慧的定義,看看如何透過智慧將經驗和知識結合起來。如圖10-3,經濟價值遞進,每一級都有與之相對應、也許可以稱為高價智慧遞進(Progression of Valuable Intelligence)的部分。❾ 在底部,初級產品和噪音相對應,面對大量沒有經過組織、不具任何含義的原始資料,原料提煉企業需要花很大力氣才能發現有價值的東西(如金礦或石油)。經過

沒有智慧,人們會發現渴望很難實現

編碼,這些原始觀測值成為有用的資料,實體與金融資料的蒐集使工業革命成為可能。工業革命有賴勞動分工、標準化、專業化、效率的提高等等。實際上,工業革命的高潮就是以前被視為資料處理工具的電腦的誕生。在當時,資料如此之多,大大超過了人們的處理能力。❿

圖10-3　經濟價值遞進與高價智慧遞進

（金字塔，由上而下：）
轉型　智慧
體驗　知識
服務　資訊
商品　資料
初級產品　噪音

　　若回到1960和70年代，「資料處理」這個術語是正確的，今天再用就落伍了，因為我們現在稱之為「資訊科技」。這準確反映出從工業經濟向服務經濟的轉型，因為資料傳遞給他人而成為資訊的時候，需要一定的環境和架構。商品可以單獨地生產、分配和銷售，本質上是預先制定的一系列規格標準。而服務則不能單獨提供，供應商必須和顧客交流才能清楚顧客到底想要什麼。將商品大量客製化，當然就會以資訊取代存貨。

　　當我們從服務經濟轉向體驗經濟時，資訊科技這個術語又顯

得過時了。人們談論的是以知識為基礎的事務，如知識管理、知識基礎建設（knowledge infrastructure）等等。❶ 知識是一種體驗化的資訊，智慧則源於體驗，也借助於體驗而得到應用。❷ 剛才提到的術語都不是可嵌入電腦系統中的智慧，而是指人們掌握的可以立即應用的正確知識。❸ 當然，提供體驗需要具備人們對接收到的刺激會有什麼反應的知識。

我們遲早會聽到「智慧科技」（wisdom technology）這個術語，這是不可避免的。我們知道第一本以超越知識的企業為主題的著作是約翰‧科斯塔（John Dalla Costa）所寫的《工作智慧》（Working Wisdom）。科斯塔認為，智慧既是體驗的結果——通常是痛苦的體驗（就像在健身中心、心理治療或是悲痛的時候）——也是轉型的要件：

> 由於人們有著各式各樣的缺憾，在商務的運作過程中，不可避免地也會包括一些痛苦的體驗。有些政治、宗教、藝術團體認為痛苦很有必要，認為它是提升到一個更高層次的代價。但是，仍然有很多的企業認為痛苦是不成熟的、應該規避的。
>
> 造成這種習慣性幼稚的原因之一是，企業的利潤通常是來自於滿足了顧客希望減少痛苦、不要悲傷的需求。痛苦和悲傷這兩個詞，在過去的50年來已從消費文化中被排擠出去，因為大量的初級產品、商品和服務都在試圖減少悲傷、創造便利、帶來自我滿足和立即的愉悅。企業汲汲於提供抵

抗痛苦的疫苗，所以自然會盡量減少那些可能會造成顧客痛苦、降低利潤的因素。**⓮**

那些能夠運用智慧，將商品和服務轉型為體驗的公司會獲得大量利潤，不管轉型對他們的顧客而言有多痛苦。

想做到這一點，就牽涉到圖10-3中的兩種進步。每次向新的級別提升時，產品就越來越不可見，但其價值卻越來越具體。經濟學家經常探討商品和服務之間是以「可不可看見」來區別；對於體驗，我們可以用「可不可記憶」來區別；對於轉型，可以用「可不可持續」來區別。但通常經濟學家只談經濟產物本身的價值，而不考慮它們給顧客帶來的價值。在第1幕中提到，商品和

當經濟產物越來越不可見時，其價值卻越來越具體

服務仍然在每個顧客之外，而體驗只是留在顧客的印象裏而影響著他，也因此大大提升了產品的價值。但是，不管體驗有多深刻，隨著時間的流逝都會淡忘的。而轉型則是指引每個顧客實現自己渴望的目標，並長久保持這種轉型。沒有什麼東西會比實現自己渴望的目標更具體、更顯著、更有價值的了。

同樣地，在表現高價智慧遞進的圖中，每次向新的級別提升時，可獲得的智識雖不斷減少（噪音無處不在，智慧卻總是稀有），但智識本身卻變得越來越實在。在為顧客提供轉型時，沒有什麼比智慧更重要，更能為企業創造財富，也沒有什麼是比它更昂貴的了。

在《智價革命》（*The Knowledge-Value Revolution*）一書中，

日本作者堺屋太一（Taichi Sakaiya）指出，在 所有社會中「人們都傾向於保留稀有的東西， 卻理所當然地用光相對豐富的資源」。❺ 例

使顧客轉型所需的智 慧是最重要的

如，在美國，原料和能源豐富，所以煤、石油和其他自然資源浪 費了不少。富人修建大片豪宅，而且經常燈火通明以顯示他們的 富有。在日本，資源一向短缺，所以較為節省；相對地，人力資 源卻很豐富，所以富人習慣雇用大量僕人來維護他們的房子、草 坪、花園，以證明他們的富足。隨著20世紀後半葉的經濟發 展，熟練工人在各國都成為一種稀有資源，而那種大量生產、浪 費資源、用後即丟的一次性產品卻達到產量的高峰。

在他稱之為經濟型態轉換的過程中，他發現越來越多的公司 以及員工，不斷地提升高價智慧，提供一種在日語中稱為Chika ——智價（知識價值）——的東西，「不光指『智慧的價格』， 還包括『智慧所創造的價值』」。❻ 最後，他預言智慧本身會變得 相對豐富：

> 在我們即將進入的社會中，能夠對智慧進行炫耀性消費的 生活方式，會贏得最多的尊重。那些能證明其消費者是「行 家」的產品會最暢銷。這些產品，最能表明其主人有最好的 知識、最新的資訊、有足夠的智慧擁有我們所稱的「知識價 值」。我想說的是，我們正進入一個全新的文明階段，附加 在知識上面的智慧成為社會進步的主要推動力。❼

我們認為，最能展現知識價值的「產品」——智慧累積之後

產生的經濟產物——就是能夠使顧客轉型的產物。產物當然不是智慧本身，智慧只是一種載體，真正的產物是已經改變的顧客。顧客就是你的產品。

你屬於哪種產業，要看你針對什麼收費：再加上關懷

很少有企業改變顧客，或者說很少有真正意義上的轉型企業。大部分的企業只把他們的產品看成是服務，是最終的結果，所以他們不能誘導轉型的發生，也不能獲取全部的價值。更重要的是，很少有企業就轉型本身收費。作為一個轉型企業，它收費是因為完成了顧客渴望的目標（轉型），而不是因為公司所做的任何事情。

如果一家健身中心是真正的轉型企業，它就不會單純只收取會費，或者只根據會員花在器材上的時間進行收費；相反地，它會就會員滿足健康的目標而收費。如果在一個約定好的期限內，顧客的渴望沒有達到，健身中心就不收取任何費用——或只是收取一部分費用，與顧客得到的成比例。換句話說，企業不應就顧客的消費收費，而應該就顧客獲得的部分收費。

設想一下一個真正的轉型誘導者會怎麼做。首先，他要花更多的時間做先期的準備工作。在同意吸收顧客作為會員之前，需要了解顧客真正渴望的目標，更重要的是，顧客現在的能力——身體上和心理上的。許多人沒有毅力堅持下去，不能

作為轉型產業，意味著它是針對結果而收費

朝原訂目標前進。實際上，我們懷疑有許多健身中心是從那些遇到困難、半途而廢的顧客身上獲取利潤的。吸收這樣的會員也許可以有暫時的利潤，但肯定會導致不停地流失到期的會員，其代價相當昂貴。同時，對於有毅力堅持下去並達成渴望目標的會員，沒能收取全部價值的做法將使健身中心失去更多的利潤。（作為一種體驗，或是一種轉型，對於客戶成果的診斷本身就應該很明確，並且明訂合適的收費標準。）

一旦健身中心認為顧客身體和心理均有能力完成其渴望的目標，它就可以開始對這一目標的完成收費，這時就可以不對中期的成果另外收費了。而且這種收費不僅是目前器材使用費的2~3倍，也許是10倍。保證能減重30磅、增加5吋胸肌、仰臥推舉達到250磅，或更客觀一些，在跑步機上運動，使臀部收緊，誰不肯多付些錢？一旦做出承諾，健身中心就必須準確設計出一套計畫，確保顧客達到自己的目標——也因此而收取全部費用。因此私人健身教練要比健身中心的教練收費更高，因為他們更能夠確保顧客做完預定的訓練。

員工同樣需要私人教練，就像加拿大溫哥華的優先管理公司（Priority Management），他們打出了幫全世界人改變想法、改變行為的口號。它的確轉變了人們的行為——一般公司和個人的效率至少提高20%，還包括其他顯著的成果：他們診斷現有企業的效率，提供訓練場所及私人教練以提高服務顧客的效率。他們成功的關鍵就是：保證做到。當顧客不能達到目標時，就不必付費。該公司位於明尼蘇達州班斯維市（Burnsville）加盟店的老

閻羅傑・旺根（Roger Wangen）告訴我們：「在我們的訓練之下，大多數顧客提高了效率，達到他們的目標。如果顧客可能無法完成我們事先預定的目標，或偏離我們修訂過的計畫，那麼我們會加倍努力，確保顧客能完成他的目標。」這也難怪超過95%的顧客會繼續這一訓練計畫。儘管它還沒有稱顧客為有志者，它的確是一個轉型企業。

讓我們再來看一個B2B企業的例子。管理顧問公司，也是另一個針對其服務而不是針對顧客的真實轉型收費的典型行業。如果一家管理顧問公司自認為是轉型企業，它就應該像上述健身中心一樣，花更多的時間判斷顧客的策略需求，以及他們是否有足夠的能力轉型。他們將會停止寫那些分析報告（這在今天是唾手可得，而且完全仰賴PowerPoint），而做一些使顧客留下印象的事件，使顧客體驗一下，一旦他們的策略完成，生活和工作將會變得如何，而且真正創造了未來。當然更重要的是，他們必須確保每個顧客真正完成所訂定的策略目標，否則就有失去部分或全部費用的風險。❶ 徹底成功的承諾，將得到比提供現有的服務更多的收益。

我們注意到不少顧問公司以股票選擇權來支付全部或部分報酬的做法。波士頓的貝恩公司（Bain & Co.）目前就是這樣，而競爭對手麥肯錫（McKinsey & Co.）和波士頓顧問集團（Boston Consulting Group）則持懷疑態度，甚至認為這是一種沒有原則的做法。但是正如德州太平洋公司（Texas Pacific）的一位管理合夥人比爾・普萊斯（Bill Price）指出的：「我感到奇怪的是，

顧問業中有一種潛在衝突，這種衝突表現在傳統的現金支付上。因為太多的顧問只是把金錢變成報告，而不是結果。」[⑲] 如果僅就報告收費的話，顧問業還算不上是轉型產業。

你屬於哪種產業，真的要看你針對什麼收費來決定。當應用到不同層次的顧客價值時，我們必須牢記：

- 如果你就原材料收費，你就是初級產品企業；
- 如果你就有形產品收費，你就是商品企業；
- 如果你就你的活動收費，你就是服務企業；
- 如果你就你與顧客相處的時間收費，你就是體驗企業；
- 如果你就顧客所獲得的成就收費，你就是轉型企業。

要成為一家轉型企業相當不容易。從自然界獲取有形產品可能是最需要體力支出的；而誘導顧客轉型可能最需要智力支出，有時也需要龐大的體力支出（比如健身中心）和情感付出（比如醫院）。

工作就是劇場：第二幕，第一場

轉型誘導者仍然要提供舞台體驗，展示他們精心設計的主題、印象、暗示，甚至是值得記憶的事件。這麼做是為了讓消費者朝著自己渴望的目標邁進，而不僅是為了展示體驗。工作就像是演戲，但重要的角色變化在賣方和買方之間發生了。借助體驗，公司的員工就是舞台上的演員，他們創造角色，塑造形象，

確保顧客獲得娛樂、教育、逃避和審美的享受。在轉型的情況，所有這四個體驗領域只需設計成幫助顧客學習表演的舞台。社會學家艾文・高夫曼是第一個提出將戲劇作為工作的模型，他描述軍營是如何把一個憤世嫉俗的人轉型為真誠的戰士，因為「一個新兵一開始就要遵守軍隊禮儀，以免受罰，最終習慣了這些規矩，組織才會不以他為恥，他的長官和同事也才會尊重他」。[20]

**體驗為指導顧客表演
而設立舞台**

再想想生日轉型。選擇禮物、邀請客人、晚會後的感謝函等等，會幫助孩子學會「表演」：起初，他只是裝出感激的樣子，以後他就會利用以前表達感激的體驗使自己表達感激的行為合宜。這種經濟產物是對父母基本角色的一個補充，它幫助孩子學會自立。轉型誘導者扮演這樣一個角色，指引顧客做新的表演。（記住這個「後設劇場」的觀念：導演仍是一項工作，而工作仍是劇場！）

亞里斯多德這位著名的哲學家、學者、藝術家，早已知道戲劇的這種轉型力量。表演藝術公司Lift-Him Ministries，在戲劇、發音、鋼琴、編劇等方面就提供了支援。和美國荒野體驗一樣，它坐落於克里夫蘭郊區的一處零售購物中心，它的宗旨更讓人聯想到區域網路競技場和傳統錄影帶店的感覺，Lift-Him Ministries也許是設在購物中心、幫助人們學習表演的先驅，也可能只是一個特殊案例。很明顯，對於它的創始人而言，學習表演只是為了達到某種目的——心靈轉型——的一個工具，就像公司小冊子上說的：「我們的使命是在真誠友好的氣氛下提供表演

藝術課程和活動，使我們的學員在陶冶心靈的同時發展他們的才能和天賦。我們的學員不單是為了娛樂，他們將榮耀歸於上帝，並鼓勵其他人也這樣做。」

導演哈洛德‧克魯曼（Harold Clurman）說過：「對戲劇技巧的評價，必須依據它對人類需求、渴望、關注和哲學理念的貢獻，這些問題指向觀眾所扮演的角色……觀眾是戲劇的泉源，是重要的演員。這不是比喻，而是歷史事實。」[21] 觀眾這一角色逐漸變成戲劇本身的一部分，因此，在還沒開始演出之前，觀眾就不再只是觀眾了。如果顧客沒有變得不一樣，那麼就沒有發生轉型。轉型誘導者不能改變顧客，只能指引顧客轉型，而且還要顧客樂於接受指引。一家公司如何才能贏得顧客的信任而承擔上述責任呢？

首先：客製化。任何人都不會將他們的全部或一部分委託給一個尚未建立一對一關係的公司。大量生產、大量銷售、大量流通的產品給潛在購買者這樣的訊息：我們並不在乎你們每個人的個性或特點。購買者很自然的反應是：既然你不願了解我，你又怎能幫助我轉型呢？請立刻行動，大量客製化你的產品，與顧客建立聯繫，表明你關心他們。

第二：提供真正吸引人的體驗。與顧客建立聯繫的目的是要聽到顧客說，當你們一起工作時，他能發現一些以前不懂的東西。再進一步：顧客只有在與你進行互動的時候，才會對自己的某一部分有更深層的理解。讓顧客與你共處的體驗充滿回憶，這樣你與顧客之間就建立起聯繫，有助於你了解顧客的最終渴望。

第三：為排演新劇情創造環境。應用你所掌握的顧客資訊，精心設計恰當的劇情誘導轉型發生。把具有相同渴望的顧客聚在一起，讓他們不光向你學習，還可以相互學習。將他們組織成一個連結緊密的角色網，使他們相信個人的渴望是正確的，而不是讓他們各自孤立，變成匿名者。

羅伯‧魯西德博士（Dr. Robert Lucid）是賓州大學教授英語的榮譽教授，作為希爾之屋（Hill House）宿舍工作人員的領導，他很了解新生的心態。他說：「剛剛跨進校門的新生，幾乎都帶有某種特殊的動機——找份工作或其他原因，但同樣令他們感興趣的是，在大學這座舞台上他們將扮演自己特定的角色。他們思考了很久，一有其他演員出現，他們就馬上準備表演，而且幾乎是不顧一切地搜尋把劇本記得爛熟的其他表演者；他們正是想確定自己是在正確的位置。」❷ 響鼓要用重槌敲，大多數表演——特別是轉型的表演——必須與其他人共用舞台，以便使每一個角色融入這整齣戲的框架。演員之間的互動，經常是推動轉型的最重要因素。

最後：指導演員。如果顧客可以自己做到，他就不會購買你的轉型產品，或者委託外人。他們自知需要指導，但不希望僅僅被告知怎麼做。在輔助和干涉之間達到微妙平衡是導演的責任，導演就是引導者！一位經驗豐富的導演是身兼兩個矛盾的角色：合作者和指揮者。引導當然有合作的含義，與他人共用成果，與演員溝通怎樣才能將角色演得更好。但是在轉型中的某些時刻，導演必須強制決定並口述某一特定的行動過程，幫助演員認識他

們自己渴望達到的目標。導演時時刻刻引導著
主題、印象、給予暗示。

別的東西都只是支援
轉型的道具

　　別的東西都只是支援轉型的道具。任何商
品（和它包含的原料）必須能夠幫助顧客「表演」，就像教練用
面具和其他器材來減低學習的困難一樣。任何一種服務必須能促
進這種學習。同樣地，任何一次體驗必須有助於提升顧客的總體
個人價值。

　　在即將到來的轉型經濟中，可以保持最大價值的經濟產物，
是那些具有意圖（intent）的產品，那些可以將顧客轉變成他們
希望的樣子的產品。產品對顧客的影響效果，將決定客戶的購買
決策。現在，體驗經濟中的公司必須面對這樣的事實——一直都
存在，但是被以前以商品和服務為主流的經濟所掩蓋的事實——
針對誰設計的產品就會影響誰。各公司必須徹底反省自己的意
圖，反省的結論將會決定哪些公司能興盛，哪些將走向衰敗。

滿載而歸

　　一家公司想擁有更遠大的意圖，應當聚焦在四種共通要素
上，這些要素共同構成了公司創造價值的方法：

- 開始：從某些新東西中創造價值的工作
- 執行：從生產成品中創造價值的工作
- 修正：從改進中創造價值的工作

● 應用：從使用過的東西中創造價值的工作❷

最終提供為商業用途的東西，都必定有它的來源。初級產品，早在企業出現之前就存在了，是從動物、植物或礦物等物質中提煉出來的。經濟活動一開始，這些物質就是商品和服務的泉源──現在是體驗和轉型的泉源。

所有形式的經濟產出，都需要供應商執行一些關鍵的行動以創造產出。任何一種行動，不管它做得多麼漂亮，都會有失誤（我們畢竟是人，不是神），公司必須修正產品的任何缺陷。亨利・派特羅斯基（Henry Petroski）指出：「功能無法決定形式；而應該說，我們喜歡其功能的某種形式，往往源於另一種東西的失敗」。❷ 改進商品──或加或減或修改──直到它適用於某一特定的個人或企業客戶。直到這時，商品才能換取金錢。而讓某種商品發揮功能的這一行為，是和最初滿足顧客個人需求的要求相聯繫的。

每個行業都需要一種策略來管理這四個產生價值的面向。如同表10-1所示，公司必須從所表演的工作類型（開始、執行、修正和應用）向特定種類的購買者（市場、用戶、客戶、客人或有志者）描述它們的經濟產物（初級產品、商品、服務、體驗和轉型）。有系統地考察這一新的競爭前景並注入公司所獨有的意圖，每一行業必須定義它自己的產品、核心活動、修正機制，以及為了策略優勢而首先要探索、接著去利用的與消費者的關係。

原材料供應商阿齊丹尼爾密爾蘭（Archer Daniels Midland）

表10-1　新的競爭前景

	初級產品 ➤ 材料是產物	商品 ➤ 產品是產物	服務 ➤ 運作是產物	體驗 ➤ 事件是產物	轉型 個人是產物
開始	新材料被發現	新發明被開發	新產品被策畫	新腳本被描繪	新目標被決定
執行	提煉是交易商 的核心活動	製造是製造商 的核心活動	提供是提供者 的核心活動	展示是展示者 的核心活動	引導是誘導者 的核心活動
修正	貧乏之處引發 其他探索	一個問題引發 對失誤的修補	一個反應引發 一個回應	遺忘引發 對記憶的保存	一次復發引發 更強的決心
應用	連接市場的 貿易	連接用戶的 交易	連接客戶的 互動	連接客人的 事件	連接有志者的 持續不懈

和卡吉爾（Cargill）證明他們在低層次經濟中的競爭是可以取勝的，有時把重心放在提供原材料上是正確的策略。根據剛才討論的四種要素，以初級產品為基礎的公司必須：

- 開發新材料
- 更有效率地提煉原材料
- 探勘其他地點
- 在市場上交易

　　只有極少數農產品、礦產品公司在激烈的競爭中生存下來。絕大部分原材料透過固定的市場交易，但是一旦發現新材料，那麼提煉過程、探勘和交易就會形成一個新的市場。進入這些真實的市場依然是成功的關鍵，錯誤地選擇來源市場和目標市場，對

這類公司來說，就意味著災難。

但對於以商品為基礎的行業，地點的理論和實務就不再那麼重要了。公司依舊可以優化廠房、倉庫、經銷管道，但這些設施並不是維持策略優勢的主要因素。實際上，價值是這樣創造的：

- 開發新發明
- 有效率地生產產品
- 改正錯誤
- 與用戶交易

這些導致成功的因素，和以初級產品為基礎的公司有明顯不同。研發必須針對舊問題持續推出新的解決方案，因為產品生命週期越來越短。效率與品質是成功的關鍵，不管你是手工生產，還是採用先進技術。與用戶打交道必須滿足他們的要求。

商品生產過程的高品質日益重要，它導致新企業的誕生，最終產生全新的服務業。這些服務提供者設法推出高價值的活動，這些活動本來是製造商留給用戶自己來完成的。他們的任務包括：

- 設計新的流程
- 有效率地配送
- 提供回應
- 與客戶互動

服務的創新並不是由研發中心獨力完成的，而是透過與顧客

面對面的互動。雙向溝通——真實的對話——是至關重要的,它會把例行業務轉化為優秀的服務。

同樣地在提供體驗時,單純的服務是不夠的,工作必須精心設計。把例行業務轉化為值得回憶的演出,需要透過以下方式:

- 撰寫新的腳本
- 有效地展示事件
- 保存記憶
- 與客人接觸

任何一個企業,修理廠也好,停車場也好,都可以從單純提供服務轉化為提供體驗,只要它表明將躋身於體驗產業,並利用本行業中傳統服務固有的缺口,設計一個足夠豐富的事件來收費。

承認體驗的確是一種經濟產物,是未來經濟成長的關鍵。傑瑞米·雷夫金推測:未來需要的服務人員將越來越少,就像過去技術革新大大減少了生產商品所需的工廠、工人,以及更早的收穫農產品的農場工人。在這一點上他是正確的。但是雷夫金、新路德派(neo-Luddite)的柯克帕特瑞克·塞爾斯(Kirkpatrick Sales)、政治權威帕特·布坎南(Pat Buchanan)等人的抱怨,在自動化將會降低整體勞動力需求這一點上卻是錯誤的。將來的經濟成長將有許多機會創造財富,也創造新的工作機會。實際上,那些承認並創造體驗產出的公司會吸納大批勞動力——他們會學著做得更好。

能獲得高薪工作的,將是那些有效地將企業轉化為體驗提供者的人,而他們又進一步將富含理解和引導的體驗轉化為轉型。相對於其他層次的顧客所需要的,讓一位有志者轉型的過程顯得更嚴格,令人難以捉摸。這需要包括:

- 決定新目標
- 指引個人
- 強化決心
- 讓有志者堅持下去

企業當然會發現轉型是最難提供的,因為轉型誘導者必須有意圖地處理自身的流程,還要幫助顧客學著有意圖地「表演」。顧客會珍惜這種東西,因為他們清楚顧客的最終需求是什麼——為什麼購買者想要這些東西。

你打算怎麼做呢?

讓顧客轉型所需的能力,和讓整個行業轉型的能力大致相同:首先,他必須渴望帶來一種想要的改變,但不是為改變而改變,而是為了其他東西,否則會導致漫無目的的行動,經常會懷疑自己的方向。他必須將意圖納入策略之中。

策略大師蓋瑞・哈默爾和C・K・普哈拉,是倡導策略意圖（Strategic intent）的人,他們認為「很多使命聲明未能澄清使命的含義,因此我們更傾向將重點放在可以真正改變顧客整個人生

的目標上。」他們特別鼓勵組織抱著熱情與憐憫之心,他們指出,策略意圖「在指出方向的同時,對員工也創造了意義。」他們甚至讚頌耶穌的存在,「到世界各地傳福音也許是我們見過的最富野心、最令人敬畏的策略意圖了」。㉕

我們相信哈默爾和普哈拉是在談某種深刻的東西:策略意圖是一個組織的力量與抱負的基礎,它為原本平淡的事情賦予深刻含義。但是,僅認識到策略意圖的重要性,還不足以建立一個企業的使命,還有一個待解決的問題:意圖是什麼?

使命聲明的意圖、策略規畫、行動等等的動機必須以企業自身的特點為依歸,不能只顧盯著競爭對手,重要的是努力發現自身還沒有察覺的部分,而把因競爭所帶來的差異化看成是副產品。公司的自我檢查是創新的泉源(就像哈默爾和普哈拉經常提到,檢查顧客的獨特性是發現顧客難以清楚表達的需求的泉源)。當公司 **意圖的原則必須應用到策略上** 員工從思想上、從內心深處理解這樣一個計畫能夠怎樣改變世界時,公司的策略才有意義。企業的行為必須能促進外界的改變,如此,公司就能主動地贏取未來——而不是為未來競爭——而實現他們的策略意圖。只有深刻思考自己真正處在什麼位置,企業的目標才可能實現。

我們並不希望這一分析架構只是用來爭論他們今天是在提供服務,還是提供體驗,或者是轉型。這不是我們的意圖。任何爭辯應該是為了發現獲取價值的方法。經濟價值遞進表明了一個競爭的現實,為當今的企業提供策略上的選擇。機會是廣闊的,但

公司的每一個活動必須是為了促進外部的變化而進行

更多的則是挑戰。隨著體驗經濟的到來,製造業和服務業者會逐漸看到他們的產品越來越商品化,因為更多的收費已明顯地集中在難忘的回憶上。同樣地,由體驗經濟進化到轉型經濟時,甚至體驗提供者也會發現他們的產品也愈加商品化,因為收費集中在轉型活動上了。

你必須找到自己在這個世界中的角色。你的公司到底處在什麼級別,五種經濟產物 —— 初級產品、商品、服務、體驗、轉型 —— 導致五種不同的可能,對你公司的員工、顧客會產生巨大的影響。

謝幕

意猶未盡

The Experience Economy

轉型之後是什麼呢？

我們的顧客和同事經常問說：「轉型之後是什麼呢？」當人們開始關心轉型產品是否會和之前的其他經濟產物一樣，最終走向商品化時，這個問題尤其受到重視。考慮以下這些事：醫療業在1990年代透過統一服務範圍而壓低成本，以較低的價格提供例行治療。網上學習計畫將很快侵蝕大學教育領域，並且衝擊它的成本。管理顧問公司會發現他們的競爭不僅僅來自商學院的企管碩士，❶ 還有一些網站，例如運用網際網路為中小企業提供顧問服務的Ernst & Young LLP的Ernie網站，它的成本只有傳統顧問業的幾分之一。這是不是某種轉型的商品化呢？也許是吧！

記住，在轉型經濟的初期，顧客就是商品，轉型可以幫助購買者改變其行為方式。這些有效的轉型同時也會避開商品化，因為經過轉型的人差異是最大的。當然，競爭對手也可以複製這些分析的方法、經驗，並採用相同的設備。但是，沒有人能複製轉型最重要的層面：引導者與被引導者之間建立的獨特的關係。這就是綁在一起的結。

較高層級的經濟產物可以取代較低層級的，但是能夠取代轉型的只能是另一個轉型——針對自我的另一面向，或者用不同的世界觀來看待同一面向。世界觀，我們指的是以一種特定方式——常常帶有哲學或宗教色彩——來詮釋人的存在。在未來，我們認為企業和他們的顧客會逐漸意識到，各種不同的世界觀（或者說意識形態）才是真正的企業角力場，也是不同經濟產物的差異所在。「接下來呢？」這個問題就會變得高度個人化，要回答它，我們必須與你一起分享我們的世界觀。考慮每一種經濟產物

的基本屬性：

- 初級產品只是進行商品生產的初級原料
- 商品只是它們所提供的服務的物質載體
- 服務只是它們所展示體驗的無形操作
- 體驗只是導向轉型的值得記憶的事件

接下來是我們自己認為的：

- 轉型只是為了創造更壯麗的永恒的暫時狀態❷

所有經濟產物的作用都不只是眼下的價值交換，它們也多多少少促進了某種特定的世界觀。在充分發展的轉型經濟中，我們認為購買者會購買那些符合永恒原則的轉型，這也是那些販賣者所聲稱的──他們認為會永遠持續下去的東西。❸

像是其他的經濟產物一樣，轉型也會受到仔細的審視、考察以及批評──卻不會被商品化，它們必須以客製化保持差異性。想像一下最有可能被客製化的轉型。對於一個人來說，如何才能達到他需要的狀態而不再需要轉型？最終的作為商品的消費者將會是什麼樣子？最終的將會是完美，完美的人類。根據我們的世界觀，不會存在第六種經濟產物，因為完美人類是上帝的產物，而不在商務領域之中。正如使徒保羅（Apostle Paul）說的：「你們得救是本乎恩，也因著信，這並不是出於自己，乃是神所賜的。」❹ 我們相信在商務領域，沒有人可以延續這種產物，所以我們說，轉型是第五種也是最後一種經濟產物形態。

　　當轉型最終囊括了經濟商務中的所有優勢時，許多企業和個人都會宣稱將提供這種最終形態的產物，同時對揭開這個祕密而收取費用。透過這樣的舉動，他們將禮讚那些他們認為是最終的產物。因為所有的商務都是一種道德選擇，每一個行業都是禮讚某些東西的舞台。你的公司禮讚的是誰或什麼？你的答案或許能，或許不能幫助你接受未來的事物，但是它毫無疑問將引導你今天所做的事。

致 謝

　　每一個行業都是一個舞台，我們所有的思想和言論只不過是揭示此一現實而已。許多人加入或退出我們的工作，每個人都在這本書的製作中扮演某種角色。就像在奧斯卡頒獎典禮上的許多演說，以下的感謝辭也一定會遺漏某些值得感謝的人。不管如何，我們還是要感謝那些在整個過程中給予幫助、給我們啟發和忠告，以及曾經熱情相助的人。

　　首先，本書理念的雛形是在派恩離開IBM公司大約一年後的某一天出現的，當時吉爾摩還在CSC Consulting & System Integration工作。派恩在IBM的高級商學院就「大量客製化」的主題進行演講時，他提到一個常聽到的論點，即大量客製化可以把某一商品自動轉化為一種服務。有一位反應很快的聽眾舉手發問：「你說企業也可以把服務進行大量客製化，那麼客製化會把服務變成什麼呢？」派恩根據直覺回答說：「大量客製化可以把某一服務自動轉化為一種體驗。」話說出口之後，派恩意識到他這一即席反應的深遠意義，當晚他打電話給吉爾摩說：「猜猜我今天說了什麼？……讓我們好好思考一下它究竟代表什麼。」在連續數個月的思考、閱讀和討論之後，我們歸納出一個要點：體驗的確是不同於以往的經濟產物，就像商品和服務也是經濟產物

一樣。所以對於那位不知名的IBM員工，我們欠他一個人情，如果沒有他的發問，就沒有這本書。所以從這個意義上說，他的問題需要的不僅是一個即席回答，而是最終催生了這樣一本書。

我們還要感謝CSC公司和IBM高級商學院，特別要感謝CSC公司的Dave DeRoulet, Gary Cross和Roger Kallock，IBM公司高級商學院的Al Barnes，對於他們在我們有關大量客製化和體驗經濟的初期研究中所給予的支援（包括知識性和資金方面的支援）。我們在Diamond Technology Partners的同事（我們在過去幾年是在這家公司）也提供了許多幫助和支援，尤其是Mel Bergstein, Jim Spira, Barry Uphoff, Chap Kistler和Chunka Mui。Diamond公司的Rachel Parker蒐集查詢了政府統計資料，並且告訴我們各種經濟轉型的數據。這裏要再次感謝Rachel，當時我們是在不情願的情況下去學校蒐集這些資料的。

許許多多企業中的人們喜愛這些理念，當他們還在進行規畫時就邀請我們與他們的組織一同工作，並且在他們的顧客關係中應用這些理念。我們尤其要感謝ARAMARK的員工（特別是Lynn McKee），Scudder Kemper投資公司（特別是Mark Casady和Lin Coughlin），Hillenbrand公司（特別是Fred Rockwood, Chris Ruberg, Brad Reedstrom, Brian Leitten和Rob Washburn等），en·able公司（Mort Aaronson），Lutron電子公司（Joel Spira和Mike Pessina），CompuCom公司（Ed Anderson），Chem-Station公司（George Homan和Russ Gilmore），加州大學洛杉磯分校高級經理教育專案（Jim Agen, Grace Siao, Al Barnes等）、賓州州立

大學高級經理教育專案（Al Vicere, Gini Tucker, Maria Taylor和Bob Prescott等）和美國商務部的組織管理學院（Maggie Elgin和Nancy Turnbull）。現在在聯邦快遞工作的Rohan Champion，在他任職AT&T時，曾向其雇主力陳超越商品化服務的好處，並且正是Rohan首先想到以價值遞進的形式來表達體驗和轉型。

　　有許多人一直堅持把我們的發現往前推進，並且影響到我們如何擴展自己的思想，他們包括了MIT史隆管理學院的Jim Utterback；MIT和Technion大學的Shlomo Maital；芝加哥大學的Marvin Zonis；曾任職Lotus and Interval Research公司的獨立企業家David Reed；Dehco公司的Mark Dehner；IBM公司的Jim Rogers；Experience Engineering公司的Lew Carbone；IBM公司高級商學院的Stephan Haeckel；White Hutchinson公司的Randy White；Doblin Group的Larry Keeley；通用汽車／HE Microwave的Dave Wright；GATX公司的David Anderson和Stephen Fraser; The Hartford的Hugh Martin；MicroAge公司的Alan Hald；Diamond Technology Partners公司的John Sviokla和哈佛商學院的Jeffrey Rayport；Tim Gallwey（Inner Game系列書籍的作者）；Avery Dennison公司的Mark Hatch。我們各自尊敬的父親Haydn Gilmore和Bud Pine都審閱了手稿並且提供有價值的鼓勵和回饋，而且Julie Pine在把每一經濟產物如何和其他產物區分的初步描述予以形式化方面有所幫助。

　　我們還必須感激許多思想家和作者，他們在我們所發現的某些趨勢方面具有驚人的先見之明，其中許多是生活在我們之前很

久遠的年代，而且我們一直不知道，直到我們開始研究正在浮現的體驗經濟之時。回溯到 1970 年，未來學家艾文·托佛勒（Alvin Toffler）在《未來的衝擊》（*Future Shock*）一書中就專門撰寫了「體驗製造者」一章。甚至在此之前的 1959 年，社會學家艾文·高夫曼（Erving Goffman）在《日常生活中的自我表演》（*The Presentation of Self in Everyday Life*）書中把戲劇原理應用到工作和社會場景之中。1970 年，美國西北大學行銷學教授科特勒（Philip Kotler）預見了教育和旅遊將如何變得越來越具有體驗性。比較晚近的是，亞利桑那州立大學的 Mary Jo Bitner 教授、新奧爾良大學的 Raymond Fisk 和 Clemson 大學的 Stephen Grove 已經在學術圈內就體驗性的環境（Bitner 博士稱之為「服務逃避」〔servicescapes〕）的理念，做了大量的研究和推動，並且採用一個與服務相關的戲劇觀點。有許多傑出的作者以各種方式就服務向體驗的轉換進行闡述，最引人注目的有 Chris Hart, Christopher Lovelock, Leonard Berry, Earl Sasser, James Heskett 和 Leonard Schlesinger。曾在 Interval Research 任職、現為遊戲開發商 Purple Moon 負責人的 Brenda Laurel，在她的《電腦如同劇場》（*Computers as Theatre*）一書中把戲劇原理應用到電腦的互動上。全球商業網絡（Global Business Network）的 Jay Ogilvy 為 SRI 國際公司寫了名為《體驗產業》（*The Experience Industry*）的 1985 年度報告，指出對於「生動體驗」的需求已經帶動了美國經濟的邊際成長。當然還有其他我們應提及的人物，我們希望他們在預見和描述體驗經濟的興起方面的貢獻，得到適當的認可。

　　許多人並沒有寫過，或與我們討論過與本書主題直接相關的觀點，卻影響我們對一些相關主題的思考極深，這些主題在我們寫作時不禁顯露出來。這些智者包括 Stan Davis, Edward de Bono, Joel Barker, Don Peppers and Martha Rogers, Michael Schrage, Peter Drucker, George Gilder, James Brian Quinn, Taichi Sakaiya, Virginia Postrel, Larry Downes and Chunka Mui（再次提到他），Donald Norman, David Gelernter, Henry Morris, James Boice, R.C. Sproul。我們還盡可能地學習了戲劇知識，並把這些戲劇原理從此類表演藝術著作中應用到工作中，這些作者包括 David Mamet, Peter Brook, Richard Schechner, Richard Hornby, Michael Kearns, Michael Shurtleff, Eric Morris, Thomas Babson, Anthony Rooley, Charles Marowitz, David Kahn and Donna Breed, Harold Clurman, Sally Harrison-Pepper，透過他們的作品，我們對於街頭式劇場有了更廣泛的了解——這類型的劇場是吉爾摩自少年時代以來就相當敬重的表演形式，這源於他早年觀看一位名叫羅伯‧阿姆斯壯（Robert Armstrong）的小丑在舊金山街頭扮演「蝙蝠人」的表演。

　　當然，如果沒有一些人跨越諸多學科分際的貢獻，這本書的觀念可能早就被遺忘了。我們的經紀人 Rafe Sagalyn 幫助我們找到適合的出版社，並且在寫作的重要環節上提供指導。哈佛商學院出版社的許多人從一開始就熱情地支援我們，Nick Phillipson 首先發起對該專案的熱情。我們出色的編輯 Kirsten Sandberg 指出最初手稿中的許多瑕疵，並且推動和哄騙我們一次又一次地不

斷改進。另外，Sarah Merrigan 和 Morgan Moss 認真細緻的編輯工作，大幅改進了最終稿的品質。出版社的負責人 Carol Franco 從多年前介入《大量客製化》(*Mass Customization*)的出版工作時開始，就始終是我們想法的堅定支持者。我們所想到的許多東西都是先在《哈佛商業評論》上發表的，我們應當感謝與我們長期合作的編輯 Steve Prokesch，雖然如今他在波士頓顧問集團工作，但仍然從旁給予我們寶貴的回饋意見。其他人還有 Tom Richman, Cathy Olofson, Regina Fazio Maruca，當然還有 Nan Stone。為我們的手稿和產業分析提供個人編輯協助的分別是自由撰稿人 Robin Schoen 和 Chris Roy，而克利夫蘭 Word Plus Project Support 在繪製圖表上貢獻很多；我們要感謝 Ruthanne Fait, Petra Haut 和 Tim McCluskey。

當然，如果沒有我們的執行夥伴 Doug Parker，沒有他打點我們如此繁多的日常事務，並承擔更多沒有回報的任務，替我們省下寫作所需的時間、精力和注意力，我們將沒有圖表、沒有手稿、沒有生意甚至沒有一切。他還安排了所有維持營運的行銷活動，我們對於 Doug 真是感激不盡。我們在策略地平線公司的同事 Scott Lash，完成了許多重要任務，包括研究一些我們強調且重視的企業。

還要感謝我們的家人：Julie, Rebecca and Elizabeth Pine, Bath, Evan 和 Anna Gilmore，他們在生活中，給予我們執著的愛戀並且慷慨給予我們寫作的時間。感謝我們的父母 Marilou and Norman Burnett 及 Bud Pine 與 Haydn and Marlene Gilmore，以及

已經去世的Jean Gilmore，感謝他們充滿慈愛的支援和貫穿我們
生活歷程的指引。最後，我們要感謝上帝，他將所有這些人安排
到我們的必經之路上，並且給予我們充分的好奇心和探索能力，
以發現他已經明白的事情。

專文推薦

1999年4月間，這本書初版的時候，給當時關注「新經濟」的讀者留下深刻印象。時隔兩年，在「網際網路狂潮」煙消雲散之後，一個偶然的網上機會，讓我重拾這本書，不免又是一番感慨。如果你恰好拿起這本書，如果你恰好翻到我寫的這頁序言，那麼我勸你讀下去。因為，恰好在煙消雲散之後，這本書的價值才顯現出來。至少，作為與你一樣的讀者，我馬上要告訴你一些重要的理由，希望你讀完這本書。

我們人類的經濟生活，從「穴居時代」結束以來，按照這本書作者的觀點，經歷了四個發展階段：農業經濟、工業經濟、服務經濟、體驗經濟。前面的三個產業或許仍然被我們叫做「產業」，但這第四個發展階段——「體驗經濟」，已經不可以再稱為「產業」了，因為它所追求的最大特徵就是消費和生產的「個性化」。有些經濟學家把它視為「第四產業」，但我要立即補充說，這個「第四產業」的產業特徵是「大量客製化」（mass-customization）。但如果僅僅為說明上述的看法，我就不會向讀者推薦這本書了。

經濟活動是滿足人類衣食住行和更高需求層次的活動之一，不同的經濟發展階段為我們提供的衣、食、住、行，表現出實質

性的差別。例如,火柴盒式的住房和T型車是工業經濟為我們的住和行提供的典型解決方案,而「體驗經濟」提供給我們的典型解決方案,則是高度個性化的「超現實主義住宅」和「表現主義服飾」。在這一視角下,五光十色的網際網路運動只不過是即將到來的「體驗經濟」的準備階段。再過10年,網上長大的一代人,被稱為「e-generation」(e-世代)將主導我們的社會,他們當中許多人接受過網際網路狂潮的洗禮,經歷了眼下的幻滅和冷漠,磨練出更成熟的思考與信念。他們的經濟社會文化,被概括為「e-文化」。能夠適應e-文化的企業,將取代無法適應e-文化的企業,這是剛剛對全世界785家企業進行過深入調查的哈佛教授坎特的看法(R.M. Kanter, *Evolve!: Succeeding in the Digital Culture of Tomorrow*, Harvard Business School Press, 2001,中譯本《e變》機械工業出版社出版)。為保持閱讀的連續,不喜歡數學的讀者應當跳過下面的兩個段落。

農業經濟的基本單位是「家庭」,它既是生產者,又是消費者,它從土地(投入勞動)提取出各種用於消費的作物的「特徵」。典型的農業經濟是自足的,其理性選擇過程可以由廣義的芝加哥學派「生產者—消費者」模型刻畫:

$$\left\{ \max_{\left(\overset{\vee}{L}, \ \overset{\vee}{x}, \ \overset{\vee}{w} \right) \in \Omega \left(\overset{\vee}{\theta} \right)} \right\} \left\{ U \left(\overset{\vee}{y}, \ \overset{\vee}{L}, \ \overset{\vee}{w}, \ \overset{\vee}{\theta} \right) \right\}$$

$$y_j = f_j \left(\overset{\vee}{y}_j, \ \overset{\vee}{x}_j, \ \overset{\vee}{L}_j, \ \overset{\vee}{\theta} \right)$$

$$\sum_{j \in J} \overset{\vee}{x}_j \leq \overset{\vee}{x}_0$$

$$\sum_{k \in K} L_{ki} \leq L_{i0}$$

$$\sum_{i \in I} w_{ij} \equiv 1$$

$$j \in J$$

$$i \in I$$

　　公式中，U 是家庭福利函數；$\overset{\vee}{\theta}$ 是參數向量；w_{ij} 是家庭成員 $i \in I$ 在產品 $j \in J$ 中占的份額；$\overset{\vee}{L}$ 是家庭成員的勞動投入向量；$\overset{\vee}{x}$ 是土地資源投入向量；Ω（$\overset{\vee}{\theta}$）是由參數向量決定的可選擇集。

　　分工、交換、專業化，逐漸導致了「工業經濟」，這裏，基本的生產單元不再是家庭，而是企業，前者則蛻變為單純的消費單元。因此，我們可以用經濟學教科書裏常見的廠商模型來刻畫生產過程的理性選擇，用常見的消費者選擇模型來刻畫消費選擇。更進一步，家庭經濟演變為由一般均衡模型刻畫的消費與生產分離的完全競爭市場經濟。在這一高度簡約的世界裏，每個人都有自己的主觀效用函數（消費單元），生產職能從消費單元分離出去，勞動、資本、土地，這些「要素」被特定制度安排給每個人，並在要素市場上獲得競爭性價格。因此，刻畫這一時期的

消費者理性行為的最廣義模型，是貝克（Gary Becker）的「全收入」（full-income）消費者選擇模型：

$$\left\{ \begin{pmatrix} \check{x},\ l \end{pmatrix}^{\max}_{\in\Omega\left(\check{\theta}\right)} \right\} \left\{ U\begin{pmatrix} \check{y},\ \check{x},\ l,\ \check{\theta} \end{pmatrix} \right\}$$

$$\check{x} \leqslant \check{x}_0$$

$$l \leqslant L_0$$

$$\check{p}_y\,\check{y} \leqslant \check{p}_x\begin{pmatrix} \check{x}_0 - \check{x} \end{pmatrix} + w\begin{pmatrix} L_0 - l \end{pmatrix}$$

式中，l 是投入消費的閒暇時間；$\check{p}_x$、$\check{p}_y$、w 分別是消費投入品 $\check{x}$, $\check{y}$ 和勞動時間的價格。

那麼，隨著分工、交換、專業化進入更高的發展階段，即所謂「服務經濟」的階段，消費與生產的行為發生了怎樣的變化呢？貝克的「家庭經濟學」告訴我們，在上面的理性選擇模型裏，當工資不斷成長時，家務勞動逐漸被機器和具有規模經濟效應的專業化公司提供的家庭服務替代。換句話說，分工和專業化的邏輯，要求消費者不斷把消費活動中的「生產行為」轉移到生產部門中，而成為純粹的消費者。例如，習慣了自己買菜、做飯、打掃衛生的消費者，鑒於這些生產行為的內部成本（以工資水平度量）不斷上升和家庭服務公司的規模效益不斷提高，會逐漸習慣於到餐廳吃飯和請小時工打掃衛生。因此，宏觀經濟學教科書上明確定義「初級產品」（commodities）為「商品」（goods）與「服務」（services）的總和，換句話說，現代商品經濟包含了

曾被馬克思排除在物質財富生產部門之外的「服務」部門。而這一「服務」部門更在當代社會裏發展成為主導的、被人們叫做「virtual economy」（被誤導性地翻譯為「虛擬經濟」）的價值創造部門。

　　觀察表明，對以「服務經濟」為主導的社會而言，嚴重的問題是兒童撫養和教育問題。畢竟，兒童最需要的，不是服務公司提供的照料，而是親生父母的撫愛。經濟發展使得父母的撫愛變得越來越昂貴，儘管在鮑莫爾（William Baumol）看來，這一現象屬於「財務幻覺」（fiscal illusion）。也是基於父母對孩子的撫愛的價格上升，貝克等人從1990年代以來大力推動教育部門的經濟學研究，用他自己的話說，「教育」是生產「人力資本」的部門，這一部門在未來的「知識社會」中必將成為經濟的主導部門。當然，今天的宏觀經濟統計師仍然把「教育」納入服務經濟的範疇。

　　鮑莫爾在2001年接受採訪時指出一個有趣的「現代經濟」現象：當勞動力從生產率較高的部門轉移到生產率較低的部門時，整個經濟的成長率上升。反之，則經濟成長減緩（Alan Krueger, 2001, "an interview with William J. Baumol", *Journal of Economic Perspectives*, vol. 15, no. 3, pp. 211-231）。說這是「現代經濟」的現象，因為它不適用於例如勞動力從傳統農業轉移到現代工業的情況。大約在20世紀後半葉，成熟市場社會的勞動力開始從生產率較高的工業向生產率較低的服務業轉移，今天，這些經濟中服務業的就業人數占總就業的70%左右。服務業的勞動

生產率成長緩慢，因為在服務業，規模經濟受到極大的限制。例如，我們很難想像一家高檔餐廳可以經營到麥當勞這樣的規模。基於同樣的理由，我們都同意孔子的「因人施教」而不喜歡大規模的「教育產業化」。在這一意義上，標準化、規模經濟、大眾化商品，這些事情與服務的品質幾乎不相容。也就是說，在服務經濟內部蘊含了體驗經濟的萌芽，即客戶要求提高服務品質而導致高層次服務業的發展。一旦網際網路革命把客製化的費用降低到允許大規模經營的程度，我們便進入「大量客製化」的體驗經濟時代。這就是1995~99年期間在服務經濟裏面發生的事情。

英國一家顧問公司最近在為企業經理人舉辦的學習班裏，在實驗室條件下，把學員帶進2010年的社會。在模擬的未來社會中，學員體驗到未來的生產、未來的需求、未來的日常生活和未來的文化。這一場景具有雙重意義，它既是管理顧問的培訓，又提供了「體驗經濟」的體驗。《體驗經濟時代》的作者這樣描述體驗經濟的理想特徵：在這裏，消費是一個過程，消費者是這一過程的「產品」，因為當過程結束的時候，記憶將長久保存對過程的「體驗」。消費者願意為這類體驗付費，因為它美好、難得、非我莫屬、不可複製、不可轉讓、轉瞬即逝，它的每一瞬間都是一個「唯一」。

雖然我們都知道馬斯洛的「需求層次」理論，知道「衣食足而後知榮辱」的道理，但應當說，《體驗經濟時代》的作者第一次讓我們看到，現實經濟發展已經進入能夠普遍地、大規模地滿足馬斯洛所論的最高需求層次 —— 「自我實現」（self-actualization）的階段。在體驗經濟中，企業不再生產「初級產品」（commodities），企業成為「舞台的提供者」（stagers），在它們精心製作的舞台上，消費者開始自己的、唯一的、從而值得回憶的表演。在體驗經濟中，勞動不再是體力的簡單支出，勞動成為自我表現和創造體驗的機會，典型如「網頁製作」，勞動者需要發揮極大的想像力和藝術探索精神（因為要從千百萬各具特色的網頁中凸顯出來），需要深入理解閱讀的視覺（以及「多媒體」感受）、語言、心理過程，需要洞悉社會文化風土人情，需要盡可能豐富的各類知識，於是網頁製作便轉化為自我表現和創造體驗的機會。

我手邊恰好有兩本2001年出版的著作，它們試圖論證，在經濟不景氣的時期，競爭最激烈的，是爭奪「熟練勞動者」的人力資本市場（E. Michaels, H. Handfield-Jones and B. Axelrod, *The War For Talent*, Harvard Business School Press, 2001; R.W. Griffeth and P.W. Hom, *Retaining Valued Employees*, Sage Publications, 2001）。在爭奪人才的戰爭中，企業寧可重新塑造自己的形象以吸引新型人才，企業要求各級經理人把累積人才作為首要的生存策略。招聘不再是購買「要素」，招聘是品牌兜售，是公共關係，是尋求文化繼承人。在企業內部，人事管理正演變為對每一位「勞動者」客製化個性全面發展的規畫，在職培訓和研發交流是開發個性的一部分，新型企業的所有制正悄悄地轉變為知識勞動者的「合夥人」制度。

事實上，在任何經濟活動內部，都包含著體驗經濟的種子。

在競爭市場裏，我們常見到同類商品按不同價格出售，那件索取高價的商品或許加工得更細緻，拿在手裏更舒適，看上去更結實，造型更有品味，甚至，它讓我們心情不一樣……我們說得出千百個理由來為那些別致的商品支付高價，只要它有「個性」。這就是「體驗」。兩年前一個仲夏夜，我偶然看見熱鬧的街邊小攤上隨便扔著一隻布質小恐龍，它的神態讓我想到電影《在時間之前》裏那只父母雙亡的小恐龍，一步一回頭，孤獨地走向未知世界。這感受恰好與我當時的心情發生共鳴，讓我願意以兩倍的價格購買這只小恐龍。當然，那位年輕的看攤兒人懵然不知我的心境，因為那是「惟我莫屬」的體驗，這只小恐龍幫助我永久性地保存了這一體驗。對那些玩具來說，這只被我偶然看見的小恐龍被我賦予了「個性」，它再也不是一般的動物玩具了，它對我而言具有「意義」。通常為獲取規模經濟效益的生產，同時也是標準化過程扼殺了物品的個性意義的過程。後者被《體驗經濟時代》的作者稱為「商品化過程」(commoditization)，而個性凸顯的過程則被稱為「客製化」（customization）。注意，與經濟學教科書的定義稍有不同，《體驗經濟時代》的作者是在「標準化」、「福特主義」、「大眾化生產」這類意義上使用「商品化」這個辭彙的，從而才有了另一概念「客製化」，以及作者用以超越這兩種生產形態的「大量客製化」（mass-customization）概念。如果你寫過「日記」，你一定理解日記是怎樣替你保存「體驗」的。在日記裏，生活著的你（I）和靜觀著的你（Me）對話。透過日記，你一方面保存生活感受，一方面反省你的生活。

體驗的特徵之一是對體驗的回憶可以讓體驗者超越體驗。這被
《體驗經濟時代》的作者稱為「轉型」（transformation）。生存的
艱難困苦，多年之後或許我們仍然記得，我們知道，那回憶裏更
多地包含著自豪，因為巨大的苦難讓我們顯得偉岸。

　　體驗經濟，體驗人生。偶在的人，存在哲學家說，無意義地
被拋入其所在的特定歷史情境，開始了生活，開始了苦難，同時
也開始了創造屬於自己的人生的過程。所謂「自我」，只當自我
從事「自我」塑型時才存在，才有意義。缺乏意義的自我，西
蒙・波娃（Simone de Beauvoir）說，至少可以透過「自殺」來
昭顯「自我」的意義。這裏，自殺成為一種體驗，殘酷而頗具誘
惑。

　　體驗的舞台提供者必須盡力使體驗超越「體驗」本身，這被
《體驗經濟時代》的作者稱為「inspiration」。我們看到，這樣的
超越可能性已經包含在任何一種經濟活動中了。唯一需要的，是
表演這一超越體驗的「舞台」。哈伯瑪斯說，自我透過「表演」
（performance）獲得自我意識。一張照片，一片汪洋，一間祈禱
室……任何引發我們感慨的物品都可作為表演的舞台。透過表
演，我們洞察自己的靈魂。這正是《體驗經濟時代》的作者看到
的「新經濟」的特徵。當然，這本書發表以來，隨著「新經濟」
的幻滅，它的作者也開始「體驗」批評。例如，《商業週刊》曾
經批評說：這本書完全不討論新經濟的企業如何可以創造利潤，
而事實上，它讚揚過的那些提供獨特「體驗」的商業模式（「熱
帶雨林」餐廳、「時光旅行」一日遊、「未來模擬」保險推銷…

…），正面臨虧損轉型的前景。儘管如此，評論界仍然相信「知識社會」即將到來，承認《體驗經濟時代》的作者所刻畫的舞台場景發人深省。更重要的是，評論家公認，知識經濟的核心要素是人的創造能力，而「創造」恰是體驗昇華的產物。作為對諸如《商業週刊》這類批評的回應，《體驗經濟時代》的作者在最近（2002年1月17日）給我的回信中指出：如果說，他們在1999年發表這本書時只引用了兩個典型的體驗經濟案例，那麼，今天，他們已經蒐集超過20個這樣的典型案例。

最後，我要回到前面的數學模型。因為，「體驗」的數學描述不再是消費與生產截然二分的，體驗是消費的，同時又是生產的過程。這樣，我們就從貝克的「全收入」消費者選擇模型，回歸到更早的芝加哥學派的廣義「生產者—消費者」選擇模型。當然，這是更高層次上的回歸，傳統的「家庭福利函數」轉變為帶有他人效用的外部效果的個人效用函數，勞動投入也不再單純是「負效用」，因為只要足夠戲劇化和個性化，勞動就是體驗。選擇走那條佈滿荊棘的小路上山的人，畢竟知道那是一種快樂。但是，向著「生產者—消費者」選擇模型回歸的體驗經濟模型，要比農業時代的家庭經濟行為複雜得多。因為這裏的每一種「體驗」都要求「個性化」，從而要求在「質」的方面與其他體驗相區分。例如，在服務經濟的基礎上，人們不再滿足於日復一日地自己做飯，人們仍然需要餐飲業的「標準化」服務，但越來越多的人開始享受「個性化」的餐飲服務和個性化的烹調體驗（參加烹調表演、家政學習班、娛樂性「烹調派對」等等）。換句話說，

儘管在數學表述方面，我們可以把「家庭生產函數」從上面的那個「生產者—消費者」選擇模型中刪除（轉化為服務型企業的生產函數），但同時，進入個人的效用函數的消費體驗，卻變得無比多樣化起來，甚至每一單位的消費，都要求成為「個性化」的體驗。

於是，體驗經濟對經濟分析提出了修改數學模型的要求。不幸的是，這要求不能滿足，因為經濟學至今沒有提供解決上面那個廣義「生產者—消費者」選擇模型的數學方法，經濟學也沒有告訴我們如何刻畫「每一單位的消費都是個性化體驗」的理性行為，特別是當這些行為表現出「體驗」的累積效應時。我把這些問題留給讀者，這也算是我在開篇處希望讀者繼續讀下去的理由吧。

汪丁丁

2002 年 1 月 18 日於夏威夷海邊

註 釋

第1幕

❶ 有關華特・迪士尼世界的技術背景考察，可參見Scott Kirsner, "Hack the Magic: The Exclusive Underground Tour of Disney World," *Wired*, March 1998, pp.162-168, 186-189。

❷ 這類主題餐廳發展得非常迅速，以至於在1998年4月15日，網上的諷刺雜誌《洋蔥》（www.theonion.com）刊出了題為《最後一家無主題餐廳關門》的文章。描寫的明顯是愛荷華州Dubuque的Pat's Place被該鎮開張的第七家「Paddy O'Touchdown's愛爾蘭運動酒吧和好時光網路烤肉店」取代的故事。

❸ Steven E. Prokesch, "Competing on Customer Service: An Interview with British Airways' Sir Cohn Marshall," *Harvard Business Review* 73, no. 6, November-December 1995, p.103。約瑟夫・派恩發表文章回應Steven的觀點，並第一次將「體驗作為獨特的經濟產物」的概念公諸於世。參見B. Joseph Pine II, "Customer Service on British Airways," Letter to the Editor, *Harvard Business Review* 74, no. 1, January-February 1996, pp.162-164。

❹ Howard Riell, "Upscale Grocer Chain Grows," *Stores*, March 1995, p.26.

❺ Russell Vernon, "Fighting Back--A Small Retailer Takes on the

EEOC," *Retailing Issues Letter* 8, no.2, Center for Retailing Studies, Texas A&M University (November 1996): 2。也可以參見Leonard L. Berry, *On Great Service: A Framework for Action* (New York: Free Press, 1995)，特別是第90~92頁。

❻ 例如Louise Palmer, "There's No Meetings Like Business Meetings," *Fast Company*, April-May 1996, p.36, 40。

❼ Tibor Scitovsky, *The Joyless Economy: The Psychology of Human Satisfaction*, Revised Edition (New York: Oxford University Press, 1992), p.67.

❽ Julian L. Simon, *The Ultimate Resource 2* (Princeton, N.J.: Princeton University Press, 1996), p.416, 109, respectively。這本書涵蓋了人類在地球上所發現的所有產品的龐大（也許是最終的）資料。

❾ 關於「美國製造系統」以及大規模製造系統的內容，可以查閱B. Joseph Pine II, *Mass Customization: The New Frontier in Business Competition* (Boston: Harvard Business School Press, 1993), Chapters 1 and 2.

❿（聖經）《申命記》（舊約中的一卷）28: 11（金・詹姆斯版本）：「上帝會為你提供富足的物品，透過你的身體，運用你的牛群、你的農田和你的土地，上帝以聖父的名義發誓給你財富。」其中，工作（身體的果實）被明顯視為是從動物（牛）、蔬菜（農田）以及礦產（土地）中提煉出產品。

⓫ W. W. Rostow, *The World Economy: History and Prospect* (Austin: University of Texas Press, 1978), pp.52-53, 在Alfred D. Chandler, *Scale and Scope: The Dynamics of Industrial Capitalism* (Cambridge, Mass.:

Belknap Press of Harvard University Press, 1990), p.4當中引用。

⓬ David A. Hounshell, *From the American System to Mass Production, 1800-1932: The Development of Manufacturing Technology in the United States* (Baltimore: Johns Hopkins University Press, 1984), p.228.

⓭ Bureau of Labor Statistics, Labstat (a web-based database).

⓮ 關於在製造中將服務捆綁於商品之上的原則和架構,可以參見 Christopher Lovelock, *Product Plus: How Product + Service = Competitive Advantage* (New York: McGraw-Hill, 1994).

⓯ 例如,"Big MacCurrencies," *The Economist*, 12 April 1997, p.71。

⓰ Suzanne Woolley, "Do I Hear Two Bits a Trade?" *Business Week*, 8 December 1997, 112. Patrick McGeehan and Anita Raghavan在"On-Line Trading Battle Is Heating Up as Giant Firms Plan to Enter Arena," *The Wall Street Journal*, 22 May 1998中說,當Rickets這樣說的時候,網上佣金急劇下降,「很可能陷入荒謬的結局」。

⓱ 在 *Blur: The Speed of Change in the Connected Economy*(Reading, Mass.: Addison-Wesley, 1998,中譯本《新商業革命》時報出版)一書中,Stan Davis和Christopher Meyer證明了商品服務市場的運作越來越趨向於金融市場的方式,它們已經商品化了。然後作者提出了在這樣的「模糊」世界中生存的策略,請特別參見第96~110頁。

⓲ 如Davis和Meyer所提到,服務商品化與製造商圍繞其商品的捆綁服務的雙重力量,已經使得兩者之間的界線模糊起來。又見 Michael Schrage, "Provices and Serducts," *Fast Company*, August-September 1996, pp.48-49。

⑲ Adam Smith, *An Inquiry into the Nature and Causes of The Wealth of Nations*, Modern Library Edition（New York: Random House, 1994，中譯本《國富論》先覺出版）, p.361.

⑳ 這也是為什麼最好的娛樂業經營者可以獲得天文數字的利潤。參見Robert La Franco and Ben Pappas, "The Top 40," *Forbes*, 21 September 1998, pp.220-246。

㉑ Bureau of Labor Statistics, "Relative Importance of Components in the Consumer Price Index, 1997," *BLS Bulletin #2499*, April 1998。

㉒ 較高級經濟產物的價格升高的趨勢，不僅是因為消費者對其需求更大，也因為在一段時間內生產這些商品的企業的相對生產力較低，以至於產出的效率較低。因為生產力和效率與商品化的力量緊密相關，這一點是可以預期的。直到競爭變得更激烈，提供體驗的商家才會有將成本降低的誘因。

㉓ 同樣可以參見晚近的經濟學家Julian Simon和馬爾薩斯主義者Paul Erlich的著名對賭，關於地球是否正在耗盡所有的自然資源。Simon在 *The Ultimate Resource 2*, 35-36頁曾提到。Erlich和他的兩名同事選擇五種初級產品，並且打賭在1990年這五種產品的價格之和將會比1980年時為高。結果他們輸給Simon，因為Simon清楚知道初級產品的價格相對於商品和服務的價格是逐漸走低，就像那些已經商品化的商品和服務的價格會低於那些沒有被商品化的商品和服務，當然對於體驗也是如此。

㉔ 採用名目GDP是因為它使用的是實在的物價，並沒有將通貨膨脹因素考慮在內。正如在前面已經提過的，剔除通貨膨脹就不能準確反映出從商品到服務的過渡（更無法反映到體驗的過渡）。因

此，採用實質 GDP 不能準確地反映出服務和體驗的成長。同時，
也像前面提到的，高層次商品的高價在某種程度上反映出更高的
需求，而不只是更高的投入成本。

㉕ 這些產業是指同時存在於兩套統計資料中的影片、消遣和娛樂服
務，以及僅存於就業率統計資料中的教育服務、博物館以及植物
和動物園（用政府的統計資料工作總是充滿麻煩）。因為難以單
獨區分，在服務業的統計中當然還包括體驗的部分（主題餐廳、
零售店的設施等等）。同時，因為代表體驗經濟行業的數量很
少，體驗經濟的基數比服務業就小得多。儘管在較小基礎之上發
展的確比較容易，近 40 年來那些代表體驗經濟的行業其成長速度
確實超過服務業的成長。如要進一步了解體驗經濟成長的資料，
可以參考具有驚人先見之明的 James A. Ogilvy（目前服務於
Global Business Network）的 "The Experience Industry: A Leading
Edge Report from the Values and Lifestyle Program," Business
Intelligence Program Report No. 724, Fall 1985。

㉖ 經濟學家 Stanley Lebergott 在 *Pursuing Happiness: American
Consumers in the Twentieth Century*（Princeton: Princeton University
Press, 1993）中提到，「消費者在琳琅滿目的街頭市集採購，他
們只是為了最終獲得各種他們所需要的體驗」（第 3 頁）。接下來
顯示大量資料，說明這一類的商品和服務已經使消費者的體驗在
20 世紀當中有顯著的成長。同樣參見 Virginia I. Postrel, "It's All in
the Head," *Forbes ASAP*, 26 February 1996, p.118。

㉗ Peter Guttman, *Adventures to Imagine: Thrilling Escapes in North
America* (New York: Fodor's Travel Publications, 1997) 描述了這類

探險活動，Guttman 親身經歷了每一種探險活動並且留下照片。書中同時還列出從事每一種探險所需的物品清單。

❷ 引自 Tim Stevens, "From Reliable to 'Wow'," *Industry Week*, 22 June 1998, p.24，其中增加了一些強調。其他一些實例包括 Paul Levesque, *The Wow Factory: Creating a Customer Focus Revolution in Your Business* (Chicago: Irwin Professional Publishing, 1995); Tom Peters, *The Pursuit of Wow! Every Person's Guide to TopsyTurvy Times* (New York: Vintage Books, 1994)；以及雖然有一些小出入，但是仍然具有代表性脈絡的 Ken Blanchard and Sheldon Bowles, *Raving Fans: A Revolutionary Approach to Customer Service*（New York: William Morrow and Company, 1993，中譯本《顧客也瘋狂》哈佛企管出版）。

❷ Bernd Schmitt 和 Alex Simonson 在 *Marketing Aesthetics: The Strategic Management of Brands, Identity and Image*（New York: Free Press, 1997，中譯本《大市場美學》新雨出版）一書中提供了經營體驗性品牌的大量素材。

❸ 「體驗化」和「感性化」都不是十分悅耳的詞語，但是正如 Stan Davis 和 Bill Davidson 對「資訊化」的注解：「我們使用這個詞語，因為它更完整而且具有自我解釋力，儘管存在著一些阻礙的因素。我們懷疑『體驗化』在剛開始出現的時候聽起來也是一樣的不自然。」參見 *2020 Vision*（New York: Simon & Schuster, 1991，中譯本《2020一六八》時報出版），p.207, n.1。

❸ 參見 Carl Quintanilla, "Planning a Vacation? Give Some Thought to Spamtown USA," *The Wall Street Journal*, 30 April 1998;；還有

Robert Gray, "Learning from Experience." *Marketing*, 20 March 1997, pp.27-29。

❷ 郊區和城市的孩子脫離農業經濟的環境已經很久了，以至於到農場就是一種體驗。事實上，提供農場體驗是農業市場的第二次浪潮。參見Julie V. Iovine, "A New Cash Crop: The Farm as Theme Park," *The New York Times*, 2 November 1997；以及Rick Mooney, "Let Us Entertain You," *Farm Journal*, March 1998, H-8, H-9。

❸ 術語「價值遞進」及其含義最早來自Rohan Champion，當時任AT&T新服務策略部副總裁，現任聯邦快遞策略與聯盟委員會副總裁。

❹ 當然，每一種經濟產物都相應於自己的邊際貢獻有特定的成本消耗。如生產初級產品的農場，生產商品的工廠，提供服務的辦公室和銷售點，還有為提供這種特定的體驗所經營的農場。

❺ "Ogden Allied Serviced: Celebrating a Century of Service," Ogden Corporation company brochure, 1988.

❻ 同樣參見Laura Bird, "Retailing: Move over Mall Rats, Wild Beasts Are Taking Your Turf," *The Wall Street Journal*, 8 July 1997。記者描述其感受說：「參觀者將從一條混凝土小徑來到第一個動物的種屬，其間要穿過茂密的樹蔭和一片紅杉林。林子裏裝有氣味的鐵罐釋放出森林的味道。荒漠種屬將用一棵假的聖樹（Joshua tree）作為標誌，還有大量真實的毒蜥蜴以及荒漠烏龜。在海岸種屬，觀賞者可以在潮汐中觸摸海星……在種屬的背後是動物圍欄的走廊和隔離式的空調系統。這樣，餐廳裏烤漢堡的氣味就不會飄到動物籠子這邊，反之亦然。」

❸ 參見 Eben Shapiro, "Discovery Zone Slides into Bankruptcy Court," *The Wall Street Journal*, 26 March 1996.

第2幕

❶ 例如，Colin Berry, "The Bleeding Edge: If You're Looking for What's Next in Online Technology and Commerce, Just Follow the Gamers," *Wired*, October 1997, pp.90-97。

❷ 也可以參見 Amy Jo Kim, "Killers Have More Fun," *Wired*, May 1998, pp.140-144, 197-198, 209。

❸ *The New Shorter Oxford English Dictionary,* vol. 1, A-M, s.v. "entertainment."

❹ Stan Davis and Jim Botkin, *The Monster Under the Bed: How Business Is Mastering the Opportunity of Knowledge for Profit*（New York: Simon & Schuster, 1994，中譯本《企業推手》天下出版），p.125.

❺ Judith Rodin, "A Summons to the 21st Century," *Pennsylvania Gazette*, December 1994.

❻ 儘管她沒有採用「教育娛樂」這個詞，科特勒（Philip Kotler），西北大學凱洛格管理學院行銷學教授，第一次將教育與娛樂聯繫在一起。參見"Educational Packagers: A Modest Proposal," *The Futurist*, August 1978, pp.239-242。其中他提到「將教室比喻為劇場」，以及鼓勵教育的包裝者（有別於出版者）像好萊塢的製作人一樣提供「多媒體的體驗」，這樣「學生既被教育也獲得了娛樂」。

❼ 也參見 Barbara Bailey Kelley, "Bamboola!" *Bay Area Parent*, June 1997, pp.22-25。

❽ 心理學家Mihaly Csikszentmihalyi將這一類最適體驗稱為「生命完全融入的過程，我稱之為暢流（flow）」。參見 *Flow: The Psychology of Optimal Experience*（New York: HarperPerennial, 1990，中譯本《快樂，從心開始》天下出版）, xi。

❾ Michael Krantz 稱那些以影片效果吸引顧客的做法及其同類為「體驗產業」，參見"Dollar a Minute: Realies, the Rise of the Experience Industry, and the Birth of the Urban Theme Park," *Wired*, May 1994, pp.104-109, 140-142。

❿ 有意思的是，Iwerks Entertainment的創始人Don Iwerks曾在迪士尼公司擔任了35年的燈光工作，他的父親Ub Iwerks早年是迪士尼的動畫師。

⓫ 來自William Irwin Thompson的陳述，只是稍加改動。參見*The American Replacement of Nature: The Everyday Acts and Outrageous Evolution of Economic Life* (New York: Doubleday Currency, 1991), p.35。應該指出的是，Thompson非常反對展示體驗，因為他認為這取代了自然的體驗。

⓬ 科特勒教授也有相同的看法，他曾在相關文章中探討過逃避現實的體驗。參見"'Dream' Vacations: The Booming Market for Designed Experiences," *The Futurist*, October 1984, pp.7-13。Tibor Scitovsky在*The Joyless Economy: The Psychology of Human Satisfaction*, Revised Edition (New York: Oxford University Press, 1992)中指出，許多有錢的富人為了更加舒適的生活付出金錢，實際上是降低了日常生活可獲得的愉悅。在這種環境中長大的人「習慣於從事危險的體育運動，捲入無休止的冒險。因為生活過

於舒適,無法獲得一般的樂趣。難道他們只能在刺激和威脅中尋找快樂嗎?也許這就是為什麼富人階層的暴力傾向不斷加強的原因」(第74頁)。

❸ John Ed Bradley,「SWM,29歲,高大英俊的職業美式足球員,尋找漂亮聰明的年輕女士幫助設計夢幻之家並且建立和美國隊(America's Team)一樣的家庭。必須喜歡在家度過安靜的夜晚,或者喜歡逛美國線上,或者醉心於觀賞熱帶魚。必須樂意在達拉斯牛仔隊比賽的看台上度過星期天。最好不喜歡49人隊和紅人隊,但不強求。」選自 *Sports Illustrated*, 15 January 1996, pp.80-90。

❹ Steve Hamm, with Amy Cortese and Cathy Yang, "Microsoft Refines Its Net Game," *Business Week*, 8 September 1997, p.128.

❺ 麻省理工學院教授Sherry Turkle在 *Life on the Screen: Identity in the Age of the Internet*(New York: Simon & Schuster, 1995,中譯本《虛擬化身》遠流出版)中,討論了電腦媒體的發展趨勢,鼓勵人們在網際網路上扮演不同的角色。有些人沉迷到認為現實生活不過是「多開一個視窗」(第14頁)。

❻ Frank Rose, "Keyword: AOL," *Wired*, December 1996, p.299.

❼ Ray Oldenburg, *The Great Good Place: Cafés, Coffee Shops, Community Centers, Beauty Parlors, General Stores, Bars, Hangouts and How They Get You through the Day* (New York: Marlowe & Company, 1997).

❽ 在 *The Theming of America: Dreams, Visions, and Commercial Spaces* (Boulder, Colorado: Westview Press, 1997), p.115中,Mark

Gottdiener指出許多主題的環境實現了「對於社區和公共交往的渴求,以及將枯燥乏味的日常生活變為節日的需求。人們似乎刻意追求這種市井型的親密關係。在當代社會中,由於郊區化和對於都市犯罪的恐懼,公共交往的空間遭到破壞,因此,人們更加緬懷那種形式的交往」。

❶⑨ 暢流(flow)體驗的概念曾被Mihaly Csikszentmihalyi和Rick E. Robinson應用於美學方面。參見 *The Art of Seeing: An Interpretation of the Aesthetic Encounter* (Malibu, Calif.: J. Paul Getty Museum and the Getty Center for Education in the Arts, 1990)。

❷⓿ 在第一家原型商店展示的活蝴蝶有飛落到客人碟子裏的不良習慣。

❷① 引自Chris Niskanen, "Big Big Business," *St. Paul Pioneer Press*, 29 March 1998.

❷② Michael Benedikt, *For an Architecture of Reality* (New York: Lumen Books, 1987), p.4.

❷③ 同上,第48頁。然而,我們認為,建築的經典之作也是類似的「非現實」,因為它們始終是我們自己創作的作品而已。如果細究Benedikt的定義的話,那麼真正的審美體驗只能發生於上帝的創造物。

❷④ Ada Louise Huxtable, *The Unreal America: Architecture and Illusions* (New York: New Press, 1997), p.75.

❷⑤ 同上,第58頁。

❷⑥ Tom Carson, "To Disneyland," *Los Angeles Weekly,* 27 March, 2 April, 1992。Carson也從Charles Moore著的 *The City Observed* 書

中關於迪士尼世界的一章中引用了下面的話,「人們往往將迪士尼世界視為是靈巧膚淺與偽造的同義詞,但不能否認:這種環境體驗的令人訝異的綜合體,對整個建築學教育提供了許多有益的成分,在社群與現實、個人記憶與居住,以及親近關係(propinquity)與舞蹈(choreography)方面也很有益處」。

❷ Charles Goldsmith, "British Airways's [*sic*] New CEO Envisions a Marriage of Travel and Amusement," *The Wall Street Journal*, 6 November 1995.

❷ 美國運通公司同時還階段性地提供其他一些獨特的體驗,諸如為顧客客製的加州納帕山谷葡萄酒莊之旅(Napa Valley Wine Country Tour),在紐約的法國廚藝學院練習烹飪技術,鄉村音樂表演,以及赴法國參加香檳節。將這些活動作為體驗,美國運通公司規定要有數量龐大的回饋點數,有時高達50萬美元,這意味著該公司放棄了本來應由美國運通卡持卡人支付50萬美元的機會!

❷ 在 *Performance: Revealing the Orpheus Within* (Longmead, England: Element Books, 1990), pp.108-109中,Anthony Rooley 解釋了圍繞「亮點」的七種表演舞台:「演出必須令人愉悅,以吸引更多的注意和更深層的思考。一場演出中的七個舞台分別為:

   (a) 愉悅感官

   (b) 引出好奇

   (c) 涉及心靈

   (d) 鼓勵進一步的研究

   (e) 鼓勵有規律的實踐

   (f) 擴展愛

(g) 開拓知識

❸⓪ Michael C. Perkins and Anthony B. Perkins, "Case by Case," *The Red Herring*, June 1996, p.47.

❸① Witold Rybczynski, *Home: A Short History of an Idea*（New York: Penguin Books USA, 1986，中譯本《金窩‧銀窩‧狗窩》貓頭鷹出版），p.66.

❸② 同上，第62頁。

第3幕

❶ 從英語中關於「主題」（theme）的解釋，可以了解主題和地點之間的關係。John Ayto, *Dictionary of Word Origins* (New York: Arcade Publishing, 1990), p.527這樣描述：「希臘文théma原指『被安置的某物』，因此是一個『敘述』（它是來自字根the-，是tithénai〔放置好〕的字源，也是英文do的遠親），在英文中這個字源於拉丁文的thēma和古法文的teme，但很快就變得更接近拉丁文的拼法」。體驗在不同地點發生，那些最佳地點就被主題化。

❷ James Champy, *Reengineering Management*（New York: Harper Business, 1995，中譯本《改造管理》牛頓出版），pp.56-57. 也參見I. Jeanne Dugan, "The Baron of Books," *Business Week*, 29 June 1998, pp.108-115.

❸ 引自Bob Thomas, *Walt Disney: An American Original* (New York: Hyperion, 1994), p.11。

❹ 同上，第13頁。

❺ 同上，第247頁。

❻ 同上,第246頁。

❼ 參見 Brent Hurtig, "The Plot Thickens," *New Media*, 13 January 1998, pp.36-44。這是一篇非常有見地的文章,它探討在「新媒體」(CD-ROM、網際網路還有超越這些範圍的領域)中說故事的藝術。

❽ 作為竹子島的設計者,Randy White 說:「用故事來表達主題是非常有力的。它將客人帶到充滿幻想的世界當中,使他們的眼睛、大腦和心靈都得到滿足」。參見 "Beyond Leisure World: The Process for Creating Storyline-Based Theming," *FEC Magazine*, November-December 1998。

❾ Mark Gottdiener, *The Theming of America: Dreams, Visions, and Commercial Spaces* (Boulder, Colo.: Westview Press, 1997), pp.144-151。在 *Marketing Aesthetics: The Strategic Management of Brands, Identity and Image* (New York: Free Press, 1997), pp.137-139 中, Bernd H. Schmitt 和 Alex Simonson 建議企業將五種文化領域的內容作為主題的資源:自然世界;哲學/心理學概念;宗教、政治和歷史;藝術;時尚與流行文化。他們同樣建議(第129~135頁)企業將主題——他們定義為「內容、意義和所投射的形象(第124頁)——與企業的使命、願景、目標和策略相聯繫,與核心能力、傳統、企業或品牌的個性以及價值相聯繫。對於現存的企業來說,我們認為突顯經營的傳統尤其重要。

❿ Schmitt and Simonson, *Marketing Aesthetics*, pp.128-129.

⓫ 想更了解 Mike Vance 的「思維的廚房」(Kitchen of the Mind),參見 Mike Vance and Diane Deacon, *Think Out of the Box* (Franklin Lakes, N.J.: Career Press, 1995,中譯本《跳出箱子外的思考》書

華出版），特別是第96~97和103~109頁。

⑫ Henry M. Morris with Henry M. Morris III, *Many Infallible Proofs: Evidences for the Christian Faith* (Green Forest, Ark.: Master Books, 1996), p.118。Morris進一步指出，三維宇宙中每一個都是三位一體：空間具有三維；事物可以是能量、運動和現象；時間有過去、現在和未來。

⑬ 它現在還在舊金山。Lori's忠實地再現1950年代餐廳的場景，包括酒類、男侍者的耳環、女侍者的刺青。一切都令人難以置信。

⑭ Schmitt and Simonson, *Marketing Aesthetics*, pp.172-185.

⑮ *Roget's International Thesaurus*, 4th ed., rev. Robert L. Chapman (New York: Harper & Row, 1977), xvii-xxiv。不要買字典式的百科辭典，分類式的才好。

⑯ Steven E. Prokesch, "Competing on Customer Service: An Interview with British Airways' Sir Colin Marshall," *Harvard Business Review* 73, no. 6, November-December 1995, p.104.

⑰ 同上。

⑱ 執行長Betts和他的團隊合作演出那樣的體驗，以至於在1997年2月，迪士尼公司頒給East Jefferson和「奧斯卡」獎相對應的「冒斯卡」（Mouscar）獎，該獎以前從未頒發給迪士尼以外的成員。Betts說「以後再也不怕別人說這是像米老鼠管理的醫院了」。

⑲ 提到機械學（mechanics），關於服務行銷的「服務視野」（servicescapes）在業內有著激烈的討論，亞利桑那州立大學教授Mary Jo Bitner最先使用這個詞來描述服務提供者周圍的物理環境。這非常像卡邦（Carbone）提到的「機械線索」（mechanics clues）。參見 Mary Jo Bitner, "Consumer Responses to the Physical Environment in Service Settings," in *Creativity in Services Marketing*, ed. M. Venkatesan, Diane M. Schmalensee, and Claudia Marshall (Chicago: American Marketing Association, 1986), pp.89-93; Mary Jo Bitner, "Servicescapes: The Impact of Physical Surroundings on Customers and Employees," *Journal of Marketing* 56, no. 2 (Spring 1992): pp.57-71; Kirk L. Wakefield and Jeffrey G. Blodgett, "The Importance of Servicescapes in Leisure Service Settings," *Journal of Services Marketing* 8, no. 3 (1994): pp.66-76；以及結集一些優秀文章的書 John F. Sherry, Jr., ed., *ServiceScapes: The Concept of Place in Contemporary Markets* (Lincolnwood, Ill.: NTC Business Books, 1998)。或許該領域的第一篇文章應該是 Philip Kotler, "Atmospherics as a Marketing Tool," *Journal of Retailing* 49, no. 4 (Winter 1973): pp.48-64。

⓴ Donald A. Norman, *Turn Signals Are the Facial Expressions of Automobiles* (Reading, Mass.: Addison-Wesley, 1992), p.19.

㉑ Tom Huth, "Homes on the Road," *Fortune*, 29 September 1997, p.307, emphasis added.

㉒ 如同 Alvin Toffler 很久以前在 *Future Shock*（New York: Bantam Books, 1970，中譯本《未來的衝擊》時報出版），p.226中預言的，消費者有朝一日將會「開始像蒐集物品一樣有意識地蒐集體驗」。

㉓ Robert Frank, "Music: A British Nightclub Empire Rocks around the World," *The Wall Street Journal*, 20 July 1998.

❷❹ Leonard L. Berry, *On Great Service: A Framework for Action* (New York: Free Press, 1995), p.10.

❷❺ 同上，第91頁。

❷❻ 在 *Performance: Revealing the Orpheus Within* (Longmead, England: Element Books, 1990), pp.103-104，Anthony Rooley 指出：「五種感官形成兩種截然不同的層面：嗅覺、味覺和觸覺屬於身體，它們是較低層次的感官，主要是功能性的訊息吸收；視覺和聽覺則哺育心靈。」

❷❼ 也許有人說，英國航空和其他航空公司都只是因為客戶進入他們的「地方」而收取費用，但這裏「只是」（just）非常重要。儘管他們操縱著整個飛行工具的環境，他們並不「只是」因為客人登機就收取費用，而是因為將客人從一地送達另一地。有趣的是，以色列的航空公司埃航（El Al）提供一種「哪裏也不去」（Flight to Nowhere）的服務，組團的話每人費用約85美元，客人可以登機、用餐、唱歌、看電影。埃航發言人 Nachman Kleiman 說：「你無須飛到倫敦或巴黎才能享受這樣的服務。」Associated Press, "Israeli Airline Offers 'Flight to Nowhere'," *The Daily Tribune* (Hibbing, Minnesota), 29 December 1997。

❷❽ 好萊塢星球餐廳、雨林咖啡廳和其他主題餐廳遇到困難的一個重要原因是：他們沒有收門票。因此他們提供的體驗只能由客戶支付的用餐費補償，而其餐飲價格超過了消費者的預期。一個起司漢堡竟然是可怕的8.95美元。如果收取5美元的門票，那麼標價3.95美元的漢堡會變得非常吸引人。當然，這樣做的前提是提供的體驗本身確實值5美元。

㉙ 引用和資訊來自 Joshua Levine, "Zap-Proof Advertising," *Forbes*, 22 September 1997, pp.146-150。

㉚ 在「Malling Society: Mall Consumption Practices and the Future of Public Space」一文中，Ozlem Sandikci 和 Douglas B. Holt 討論了這一現象，並且將此稱為「前戲產品」（product foreplay）。他們這篇文章收錄於 Sherry, *ServiceScapes*, pp.305-336。他們甚至提議（第333~334頁），「購物中心的演化」將促使購物中心管理者「把空間出售給消費者」，因為「購物中心的發展是由『把社會體驗商品化』（即把它當作某種具有價值的東西而出售）的需求所驅動的」。

㉛ "Niketown Comes to Chicago," Niketown Chicago Press Release, 2 July 1992，被引用於 Sherry, "The Soul of the Company Store: Niketown Chicago and the Emplaced Brandscape," in his *Service Scapes*, pp.109-146.

㉜ 在美國幾乎所有的購物中心，開發商都未能獲取在每天早上商店開門前出現的體驗收入，比如說老年顧客把該地作為散步的場所，實際上應當向他們收取門票，因為他們已經為這些特殊客人創造了逃避喧囂的價值。

㉝ 本書的兩位作者也是名列鑽石交易所的研究人員和訪問學者之列。

㉞ 鑽石交易所的許多發現，可參見鑽石交易所訪問學者 Larry Downes 和主管 Chunka Mui 所寫的引人深思的著作 *Unleashing the Killer App: Digital Strategies for Market Dominance*（Boston: Harvard Business School Press, 1998，中譯本《Killer App》天下出版）。

第4幕

❶ 關於大量客製化（mass customization）的更多資訊，可以查閱
Stanley M. Davis（他創造了這個詞），*Future Perfect*（Reading,
Mass.: Addison-Wesley, 1987，中譯本《量子管理》大塊出版），
也可以參見同一出版社出版的十週年紀念版。其他相關文章和書
籍包括：B. Joseph Pine II, *Mass Customization: The New Frontier in
Business Competition*（Boston: Harvard Business School Press,
1993，中譯本《大規模定制》中國人民大學出版社出版）；B.
Joseph Pine II, Bart Victor, and Andrew C. Boynton, "Making Mass
Customization Work," *Harvard Business Review* 71, no. 5,
September-October 1993, pp.108-119;（為製造業而寫的）David M.
Anderson, *Agile Product Development for Mass Customization*
(Chicago: Irwin Professional Publishing, 1997); and Bart Victor and
Andrew C. Boynton, *Invented Here: Maximizing Your Organization's
Internal Growth and Profitability* (Boston: Harvard Business School
Press, 1998)。

❷ 模組至少具有6種不同的類型（對於每一種類型還有相應的許多
操作方法，根據公司的不同環境狀況而定），參見 Pine, *Mass
Customization*, pp.196-212。關於該主題的其他資料還有：Karl T.
Ulrich and Steven D. Eppinger, *Product Design and Development*
（New York: McGraw-Hill, 1995，中譯本《產品設計與開發》麥格
羅希爾出版）；G. D. Galsworth, *Smart, Simple Design: Using Variety
Effectiveness to Reduce Total Cost and Maximize Customer Selection*
(Essex Junction, Vt.: Omneo, 1994); Toshio Suzue and Akira

Kohdate, *Variety Reduction Program: A Production Strategy for Product Diversification* (Cambridge, Mass.: Productivity Press, 1990); Ron Sanchez and Joseph T. Mahoney, "Modularity, Flexibility, and Knowledge Management in Product and Organization Design," *Strategic Management* 17, December 1996; Marc H. Meyer and Alvin P. Lehnerd, *The Power of Product Platforms: Building Value and Cost Leadership* (New York: Free Press, 1997); and Carliss Y. Baldwin and Kim B. Clark, "Managing in an Age of Modularity," *Harvard Business Review* 75, no. 5, September-October 1997, pp.84-93. *Mass Customization* 中提到的六種模組類型，是根據 Ulrich 和他的學生的早期著作。

❸ 在 *Customer-Responsive Management: The Flexible Advantage* (Cambridge, Mass.: Blackwell Business, 1996), pp.82-88 中，Frank W. Davis, Jr 和 Karl B. Manrodt 指出，透過大量客製化，資源不是被安排（scheduled）而是被加速處理（dispatched）。

❹ 引自 Clayton Collins, "Five Minutes with J. D. Power III," *Profiles*, October 1996, p.23。

❺ 將這些損失加在一起——每一種都假設為平均水平——人們就可以理解為什麼航空公司提供的是如此不愉快的服務。最差勁的莫過於一名要回家或到旅館的旅客被載到其他地點去。損失是不可能消除的。維京航空公司（Virgin Airways）採取諸如用轎車接送高級旅客的做法解決了一些問題。在今後的航空公司發展中，要採取好像客人已經到達目的地的服務方式——提供在機場的租車服務，以及將行李直接送到最終目的地。

第5幕

❶ "Customer Service Takes Off at British Airways," *Demand Logistics: The Magazine of Industri-Matematik International*, Spring 1997，無頁碼。同樣可以參見Colleen Frye, "The Supply Chain's Missing Link," *Software Magazine*, October 1997, pp.8-9。

❷ Dorothy Leonard and Jeffrey F. Rayport, "Spark Innovation through Empathic Design," *Harvard Business Review* 75, no. 6, November-December 1997, p.104.

❸ 關於羅斯控制公司的更多資訊，可以參見Steven W. Demster and Henry F. Duignan, "Subjective Value Manufacturing at Ross Controls," *Agility and Global Competition* 2, no. 2, Spring 1998: pp.58-65。

❹ 客戶體驗的第三種損失，發生在他們迷失在興趣範圍之外的太多文章時，因為他們無法享受自己所需的讀物。資訊提供商可以採用「意外發現」（serendipity）的辦法解決這類問題。舉例來說，今天發送一篇有趣的文章——關於藝術、科學、建築或其他的主題——這些文章透過昨天相同領域的文章的回饋情況而決定。麻省理工學院的媒體實驗室（Media Lab）主任Nicholas Negroponte在*Being Digital*（New York: Alfred A. Knopf, 1995，中譯本《數位革命》天下出版），pp.152-154討論了這個主題。

❺ 關於學習關係的更多資訊可以參見B. Joseph Pine II, Don Peppers, and Martha Rogers, "Do You Want to Keep Your Customers Forever?" *Harvard Business Review* 73, no. 2, March-April 1995, pp.103-114. 一對一行銷的詳細資料可參見Peppers和Rogers的傑作：*The One to One Future: Building Relationships One Customer at a Time*（New York: Currency Doubleday, 1993，中譯本《1:1行銷》時報出版），和 *Enterprise One-to-One: Tools for Competing in the Interactive Age* (New York: Currency Doubleday, 1997)。所有的市場從業者，和關注公司如何在互動技術日益發展的今天生存和發展的人，都應該讀讀這些書。

❻ 當然，和舊的學習關係一樣，實際情況不會像本圖所描述的那樣平滑。

❼ 關於這四類途徑的更多資訊，可以參見此一部分的出處文章：James H. Gilmore and B. Joseph Pine II, "The Four Faces of Mass Customization," *Harvard Business Review* 75, no. 1, January-February 1997, pp.91-101。

❽ 關於朗臣公司的更多資訊和關於適應性客製化的詳細內容，可以參見Joel S. Spira and B. Joseph Pine II, "Mass Customization," *Chief Executive*, no. 83 (March 1993): pp.26-29, and Michael W. Pessina and James R. Renner, "Mass Customization at Lutron Electronics—A Total Company Process," *Agility and Global Competition* 2, no. 2 (Spring 1998): pp.50-57。

❾ 關於適應性客製化優點的討論，可以參見Eric von Hippel, "Economics of Product Development by Users: The Impact of 'Sticky' Local Information," *Management Science* 44, no. 5 (May 1998): pp.629-644.

中場休息

❶ 引自 Steven E. Prokesch, "Competing on Customer Service: An

Interview with British Airways' Sir Colin Marshall," *Harvard Business Review* 73, no. 6, November-December 1995, p.106。

❷ T. Scott Gross, *Positively Outrageous Service: New and Easy Ways to Win Customers for Life*（New York: MasterMedia Limited, 1991，中譯本《驚讚服務》智庫出版）, pp.5-6。Gross 定義這種「積極大膽的服務」為「隨機而不可預見的服務……這是一系列難忘的事件，同時因為這些經歷非常地不尋常，客戶深深受到吸引。」也可以參見 Gross, *Positively Outrageous Service and Showmanship: Industrial Strength Fun Makes Sales Sizzle!!!*（New York: MasterMedia, 1993，中譯本《賣場如秀場》智庫出版），主要討論了 signature showmanship 和 retail theater。關於 eatZi's 的更多資訊可見 Christopher Palmeri, "The Wow! Factor," *Forbes*, 18 May 1998, pp.156-160。很明顯地，馬克羅尼餐飲（Macaroni's）在發展成為遍及全義大利的連鎖飲食業的過程當中，失去了使客戶驚喜的精神。

❸ 或許大陸航空公司確實為它的金牌顧客提供了顧客驚喜，只是並未發表出來（因此，這種獎勵只對那些飛行里程還達不到標準的常客有點激勵作用），達美航空（Delta）的做法也類似。參見 Nancy Keates, "The Nine-Million-Mile Man," *The Wall Street Journal*, 24 July 1998。

第6幕

❶ Michael Shurtleff, *Audition: Everything an Actor Needs to Know to Get the Part* (New York: Walker and Company, 1978), pp.162-164.

❷ 克利夫蘭印第安人棒球隊公司1998年公開上市，其股票推薦書上說：「球迷被雅各球場的以客戶為中心的服務所深深吸引，他們感受到舒適的環境和訓練有素的工作人員。」（p.4）

❸ George F. Will, *Men at Work* (New York: Macmillan Publishing Co., 1990), p.6.

❹ 其他人根據莎士比亞的說法「全世界都是劇場」（All the world's a stage）而引申得更遠。比如在 *Performance: Revealing the Orpheus Within* (Longmead, England: Element Books, 1990), pp.2-3 中，音樂家兼雕刻家 Anthony Rooley 說：「從哲學的觀點來看，我們從出生到死亡這70多年根本什麼都不是，僅僅是一齣戲。我們每一個人都在扮演一個角色，或者一連串的角色，不管情不情願，有沒有意識到，能不能勝任。每一個動作，關係之間的互動都可以看作是戲劇。」

❺ Preston H. Epps, trans., *The Poetics of Aristotle* (1942; reprint, Chapel Hill, N.C.: University of North Carolina Press, 1970), pp.13-29.

❻ 解釋亞里斯多德的《詩學》的著作有許多，我們主要根據 Richard Hornby, *Script to Performance: A Structuralist Approach* (New York: Applause Books, 1995), pp.79-91。

❼ Peter Brook, *The Empty Space*（New York: Touchstone, 1968，中譯本《空的空間》北京：中國戲劇出版社），p.9.

❽ Brenda Laurel, *Computers as Theatre* (Reading, Mass.: Addison-Wesley, 1993), xviii.

❾ 同上，第32~33頁。

❿ Erving Goffman, *The Presentation of Self in Everyday Life*（New

York: Anchor Books, 1959，中譯本《日常生活中的自我表演》桂冠出版）, p.18.

⓫ 同上，第73~74頁。關於高夫曼的觀點應用於與顧客無關的勞資協商的討論，參見Raymond A. Friedman, *Front Stage, Backstage: The Dramatic Structure of Labor Negotiations* (Cambridge, Mass.: MIT Press, 1994)。

⓬ 用戲劇觀點來討論服務業的文章很多。儘管通常情況下，劇場是作為一個比喻而不是一個模型而存在，但是這樣的方式提供了更多的有用資訊。參見Stephen J. Grove, Raymond P. Fisk, and Mary Jo Bitner, "Dramatizing the Service Experience: A Managerial Approach," *Advances in Services Marketing and Management* 1 (1992): pp.91-121; S. Grove and R. Fisk, "Impression Management in Services Marketing: A Dramaturgical Perspective," *Impression Management in the Organization*, ed. R. Giacalone and P. Rosenfeld (Hillsdale, N.J.: Lawrence Erlbaum Associates, 1989), pp.427-438; J. Czepiel, M. Solomon, and C. Curprenant, eds., *The Service Encounter: Managing Employee/ Customer Interaction in Service Businesses* (Lexington, Mass.: Lexington Books, 1985); Christopher Lovelock, *Product Plus: How Product + Service = Competitive Advantage* (New York: McGraw-Hill, 1994), pp.86-96; Ron Zemke, "Service Quality Circa 1995: A Play with Many Acts," in *The Quality Yearbook 1995*, ed. James W. Cortada and John A. Woods (New York: McGraw-Hill, 1995), pp.119-126; Carl Sewell and Paul B. Brown, *Customers for Life: How to Turn That One-Time Buyer into a Lifetime*

Customer（New York: Pocket Books, 1990，中譯本《樂在服務》授學出版），pp.113-117; T. Scott Gross, *Positively Outrageous Service and Showmanship* (New York: MasterMedia Limited, 1993), pp.89-106; and Sam Geist, *Why Should Someone Do Business with You ... Rather than Someone Else?* (Toronto: Addington & Wentworth, 1997), pp.86-116。

❸ Richard Schechner, *Performance Theory* (New York: Routledge, 1988), p.30 n.10。當他將分析僅局限於劇場，而降低與宗教儀式、比賽、運動、遊戲、音樂和舞蹈（「人們的七種公開表演活動」，第10頁）的關聯時，Schechner引用高夫曼的話並承認「演出可以在任何情形下展開，而非一個不可侵犯的類型……或如同John Cage說的，只要把一項活動組織成『像是』演出——至少看起來是——就可以使它變成一個演出。」我們完全同意。

❹ 同上，第72頁。

❺ 同上。

❻ 同上，第70頁。

❼ 同上，第72頁。

❽ 了解到產品本身與其外在表現的重要性，是構成任何產物的基礎，也與我們第五幕討論的四種客製方式一致。

❾ Schechner, *Performance Theory*, p.72.

❿ 同上，第71頁。

❷ Michael Chekhov, *On the Technique of Acting* (New York: HarperPerennial, 1991), p.71.

❷ Eric Morris, *Acting from the Ultimate Consciousness: A Dynamic*

Exploration of the Actor's Inner Resources (Los Angeles: Ermor Enterprises, 1988), p.152.

㉓ 同上，第153頁。

㉔ Julius Fast在*Subtext: Making Body Language Work in the Workplace* (New York: Viking, 1991), pp.3-4，提供了更完整的描述：「互動的活動是許多因素組合的結果。具體來說是由每個人的身體語言、姿勢、手勢、眼神等組成，他如何有效地運用空間，以及在合適的時候運用合適的動作的能力。我們的語調也會影響到我們表達的效果。」

㉕ 迪士尼專案*Inside the Mouse* (Durham, N.C.: Duke University Press, 1995), pp.110-111，增加了一些強調。儘管是用左派的政治觀點來審視迪士尼提供的各種商品，該書作者Karen Klugman, Jane Kuenz, Shelton Waldrep和Susan Willis提供了迪士尼內部的許多詳實資料。

㉖ 關於她的「行動的框架」，包括「Magic If」，參見Sonia Moore, *The Stanislavski System* (New York: Penguin Books, 1984), pp.25-45。

㉗ Michael Kearns, *Acting = Life: An Actor's Life Lessons* (Portsmouth, N.H.: Heinemann, 1996), p.75.

㉘ Moore, *Stanislavski Revealed*, p.30.

㉙ 同上，第83頁。

㉚ Kearns, *Acting = Life*, p.42.

㉛ 同上，第45頁。儘管關於演出的課程都強調要有意圖地演出，我們特別喜歡Kearns在應用方面的直接、簡潔的描述。

㉜ Laura Johannes, "Where a Woman Lives Influences Her Choice for

Cancer Treatment," *The Wall Street Journal*, 24 February 1997.

❸❸ 使患者正確考慮各種方案，是醫師的職責所在，而不是讓患者去選特定的一個。正如 Kearns 在 *Acting = Life* 第43頁中提到的，「許多演員都把意圖和結果混為一談。當我要他們說說意圖的時候，答案全都是關於結果的一些東西：歡樂、憂傷、悲憤、狂喜、嫉妒、憤怒。這些是運用意圖之後的情感結果，而不是意圖本身……當一個演員企圖表演後悔、受傷害、狂喜時，他是在表演一個情感結果，那是糟糕的表演，而且通常太用力（情境喜劇裏經常看得到）。一個有表演意圖的演員應該讓這些情感油然而生，才能得到精湛的演出。」

❸❹ 引自 Edward Felsenthal, "Lawyers Learn How to Walk the Walk, Talk the Talk," *The Wall Street Journal*, 3 January 1996。

❸❺ Richard B. Schmitt, "Judges Try Curbing Lawyers' Body-Language Antics," *The Wall Street Journal*, 11 September 1997.

❸❻ Barb Myers 在 1997 年退休，取代她的並不是機器，而是她以前的替補者 Joyce Lewis。後者將為新一代賓州學生提供回憶。

第7幕

❶ 雖然在文中並沒有清晰說明，但是對於工作中的表演者的描寫，實際上反映了劇場的以下要素：

• 就好像（As If）

• 製圖

• 服裝

• 削減95%

- 拖延
- 從所有的路徑退出
- 意圖
- 進入角色
- 道具
- 角色與性格特徵
- 潛台詞：身體語言、道具和服裝

注意：有一些技巧（比如道具）多次出現，如果你是先閱讀這個註解的話，我們建議你仔細分辨正文中琳達是如何使用這些要素的。

❷ Anthony Rooley 在 *Performance: Revealing the Orpheus Within* (Longmead, England: Element Books, 1990), p.50 中，力勸表演者在開始演出前使用這樣的技巧：

> 另一種過程就是使用眼睛。將你的視線擴展到遠方的角落，用你的視線掃遍觀眾。進一步地注視某一個或某一群觀眾。也許有的觀眾已經準備好和你在眼神交會時微笑，也許有的演員需要藉著這時候放鬆自己，這一步驟非常重要。然後注視前排的觀眾，因為他們是刻意選擇坐前面的，需要特別的關注──可能還需要一個微笑（這當然比嚴肅以對的效果好）。

❸ John Rudin, *Commedia dell'Arte: An Actor's Handbook* (London: Routledge, 1994), p.51。也可以參見 *Scenarios of the Commedia dell'Arte: Flaminio Scala's Il Teatro delle favole rappresentative,* trans. Henry F. Salerno (New York: Limelight Editions, 1996)。

❹ 特別參見Edward de Bono, *Serious Creativity: Using the Power of Lateral Thinking to Create New Ideas*（New York: HarperBusiness, 1992，中譯本《嚴肅思考》長河出版）。

❺ 關於即興演出技巧的介紹，可以參見Brie Jones, *Improve with Improv: A Guide to Improvisation and Character Development* (Colorado Springs: Meriwether Publishing, 1993)。

❻ commedia dell'arte也有在（戶外）舞台式劇場的應用，區別是劇本的詳細程度略低。

❼ 最優秀的有關舞台式劇場的著作之一是導演和劇作家大衛‧馬密（David Mamet）的著作 *True and False: Heresy and Common Sense for the Actor* (New York: Pantheon Books, 1997)。

❽ "Prepping the Chief for the Annual Meeting or Other Event Can Mean Practice," *The Wall Street Journal*, 20 March 1997。也可以參見Quentin Hardy, "Meet Jerry Weisman, Acting Coach to CEOs," *The Wall Street Journal*, 21 April 1998。

❾ William Grimes, "Audio Books Open Up a New World for Actors," *Cleveland Plain Dealer*, 9 January 1996。也可以參見Rodney Ho, "King of Audio-Book Narrators Makes 'Readers' Swoon," *The Wall Street Journal*, 10 April 1998。

❿ "California Dream$," *Forbes*, 16 December 1996, p.114。該文注意到大多數電視和廣播節目依賴搭配式劇場，而在工廠則是純粹的舞台式劇場。

⓫ 術語「跳接」（jumpcut）在娛樂業已經變成帶有某種貶低的含

義，因為許多導演過度採用剪接來掩飾劇中的不足之處。

❶ Richard Dyer MacCann, ed., *Film: A Montage of Theories*（New York: E. Dutton & Co., 1966，中譯本《電影：理論蒙太奇》聯經出版）, p.23.

❸ 引自 Jeffrey M. Laderman, "Remaking Schwab," *Business Week*, 25 May 1998, p.128。

❹ Thomas W. Babson, *The Actor's Choice: The Transition from Stage to Screen* (Portsmouth, N.H.: Heinemann, 1996).

❺ Sally Harrison-Pepper, *Drawing a Circle in the Square: Street Performing in New York's Washington Square Park* (Jackson: University Press of Mississippi, 1990), p.140.

❻ Bim Mason 在 *Street Theatre and Other Outdoor Performances* (London: Routledge, 1992) 中提到，「本書的一個重要目的就是指出在這一類演出中的高超演技」（第4頁），他同時也指出（第5頁）街頭式劇場在現實生活中的表現，「如果人們認識到他們是在演出的話，那麼就會發現許許多多的表演存在。比如在巴塞隆納的拆房子事件，因為圍觀者甚眾，推土機司機表現得異常冷酷無情」。工作確實就是劇場。

❼ 更多關於銷售的指引，參見 Don Peppers, *Life's a Pitch: Then You Buy* (New York: Currency Doubleday, 1995)。

❽ Rudin, *Commedia dell'Arte*, p.23.

❾ Mel Gordon, *Lazzi: The Comic Routines of the Commedia Dell'Arte* (New York: Performing Arts Journal Publications, 1983), p.29, 43, 18, 23 和 18。有趣的是，這些經過排練的招數現在被稱為 comic stage business（第4頁）。

❷⓪ Tony Vera, 引自 Harrison-Pepper, *Drawing a Circle*, xiii.

❷① Carl Asche, 引自 Harrison-Pepper, *Drawing a Circle*, p.114.

❷② 關於 Hartford's PLIC 客服中心的更多資訊，參見 B. Joseph Pine II and Hugh Martin, "Winning Strategies for New Realities," *Executive Excellence* 10, no. 6 (June 1993): p.20。

❷③ 對於環境「感知以及反應」的能力，參見 Stephan H. Haeckel and Richard L. Nolan, "Managing by Wire," *Harvard Business Review* 71, no. 5, September-October 1993, pp.122-132。也可以參見 Stephen P. Bradley and Richard L. Nolan, eds., *Sense and Respond: Capturing Value in the Network Era* (Boston: Harvard Business School Press, 1998)。

❷④ 劇場模式的四種形式衍生自大量客製化模式的前置作業，也就是「產品－流程矩陣」（Product-Process Matrix）。在此矩陣中，坐標軸分別代表產品〔＝表演〕變化和流程〔＝腳本〕變化。於是，四個象限成為任何公司都可以擁有的四種商業模式，具體來說就是：

〔發明＝即興式劇場〕

〔大量生產＝舞台式劇場〕

〔持續改善＝搭配式劇場〕

〔大量客製化＝街頭表演〕

正如工作的表演者必須在每一個連續的劇場形式之間循環，才能達到街頭式劇場，公司必須從發明轉換到大量生產（透過開發活動），然後再到持續改善（透過連接活動），再到達大量客製化

（透過模組化的活動）。當大量客製者面臨「能力失靈」（capability failures）——公司不擁有顧客需要的能力——時，他們必須轉向發明——透過更新活動——創造一種新的能力，正如街頭表演者透過現場即興發揮更新他們的能力一樣。當大量客製化提供最高水準的顧客價

圖N-1　產品—流程矩陣

資料來源：Bart Victor, Andrew C. Boynton, and B. Joseph Pine II.

值時，它並非在所有地方都是適宜的，就像街道表演並非在所有情況下都是適宜的劇場形式。

這裏顯示的產品—流程矩陣（圖N-1），最初是由北卡羅來納大學的兩位教授Bart Victor和Andy Boynton開發出來的（在本書寫作時他們正在瑞士的國際管理發展學院訪問研究），並且進一步與Joe Pine合作，如今已經主要透過Jim Gilmore的努力得到提升並應用到劇場中。它在相當長的時間裏慢慢演化成一種審視商業世界的非常有力的手段。

想追溯這一演化，可以參見Andrew C. Boynton and Bart Victor, "Beyond Flexibility: Building and Managing the Dynamically Stable Organization," *California Management Review* 34, no. 1 (Fall 1991): pp.53-66; B. Joseph Pine II, *Mass Customization: The New Frontier in*

Business Competition (Boston: Harvard Business School Press, 1993), pp.215-221; Andrew C. Boynton, Bart Victor, and B. Joseph Pine II, "New Competitive Strategies: Challenges to Organizations and Information Technology," *IBM Systems Journal* 32, no. 1 (1993): pp.40-64; B. Joseph Pine II, Bart Victor, and Andrew C. Boynton, "Making Mass Customization Work," *Harvard Business Review* 71, no. 5, September-October 1993, pp.108-119; B. Joseph Pine II, Bart Victor, and Andrew C. Boynton, "Aligning IT with New Competitive Strategies," in *Competing in the Information Age: Strategic Alignment in Practice*, ed. Jerry N. Luftman (New York: Oxford University Press, 1996), pp.73-96; James H. Gilmore and B. Joseph Pine II, "Beyond Goods and Services: Staging Experiences and Guiding Transformations," *Strategy and Leadership*, May/June 1997, pp.10-18; B. Joseph Pine II, "You're Only as Agile as Your Customers Think," *Agility and Global Competition* 2, no. 2 (Spring 1998): pp.24-35; and, finally, Bart Victor and Andrew C. Boynton, *Invented Here: Maximizing Your Organization's Internal Growth and Profitability* (Boston: Harvard Business School Press, 1998)。Victor和Boynton 的書中，在好奇地消除該框架之座標軸的同時，為一個組織如何學習和借用知識槓桿達成向下一個商業模式的轉型，提供了有力的視角。

❷ 在 *Drawing a Circle* 一書中，Harrison-Pepper評論說那些街頭表演者透過「修正、提煉、個性化的過程」來完成新的演出（第80頁）——從即興式到舞台式（修正），再到搭配式（提煉），最後到街

頭式（個性化）。

❷❻ 同上，第117頁。

第8幕

❶ 我們同意我們的朋友 Stan Davis 和 Bill Davidson 的說法，參見
2020 Vision (New York: Simon & Schuster, 1991), p.113。他們在該
書中提到：「最佳的尋找組織變革基礎的地方就是未來的商務，
而最糟糕的地方就是現今的組織。然而現在的組織可以讓你看
到，是什麼阻礙你的組織向你希望的方向發展。」

❷ 正如 James A. Ogilvy 在 *The Experience Industry: A Leading Edge
Report from the Values and Lifestyles Program* (SRI International,
Business Intelligence Program, Report no. 724, Fall 1985), p.22 指出
的，「壞消息是，邊際效用不是唯一不能從產業經濟學帶入到體
驗產業經濟學的概念。其他的概念類型也可能誤導⋯⋯比如存貨
和資本等概念都會充滿矛盾。就像他們在好萊塢說的，『你在這
部電影中並沒有進步』。如果在體驗經濟中這種說法是一個能準
確表達價值是否產生的指標，那麼像固定資產這類絕對概念就必
須大幅修改。」

❸ Edward Felsenthal, "Lawyers Learn How to Walk the Walk, Talk the
Talk," *The Wall Street Journal*, 3 January 1996.

❹ Jonnie Patricia Mobley, *NTC's Dictionary of Theatre and Drama
Terms* (Lincolnwood, Ill.: National Textbook Co., 1992), p.49。對於
理解戲劇的術語，該書提供了豐富的資源。

❺ 這和工業的發展導致人與人的服務關係的發展是類似的。

❻ 根據Charles Marowitz, *Directing the Action: Acting and Directing in the Contemporary Theatre* (New York: Applause Theatre Books, 1991)，導演的角色直到19世紀才開始在表演藝術中出現。最初，這個職位包含了協調配角，簡單地控制上台和下台的活動，他的地位和其他夥伴是一樣的。漸漸地，導演開始指導演員塑造他們的角色。我們今天所熟知的導演，「在工具上使力和在演員身上使力一樣多」（第2頁），要到1920-30年代才在法國和俄國出現。有趣的是，在這兩個國家，導演在表演藝術裏成為一種專業，與在英國、德國和美國等工業國家的專業管理者的出現，在時間上恰巧重疊。這已經由Alfred D. Chandler, Jr.證明，參見 *Scale and Scope: The Dynamics of Industrial Capitalism* (Cambridge, Mass.: Belknap Press of Harvard University Press, 1990)。從此導演進入了劇場世界──只是他們各自選擇了不同的舞台系統。今天的體驗經濟，需要商務與表演藝術的結合。

❼ 如同Marowitz在 *Directing the Action*, p.6指出的，「我們太少去意識到『那個人』的最重要功能，應該是對他周遭材料的重新思考與重新創造。如果導演不能將材料轉化為演出，那麼就應該為他找另外的頭銜。可以當一個協調者、控制者、領班或交通警察，就是不能將他和劇場的藝術家混為一談。」

❽ Elizabeth Weil, "Report from the Future: Every Leader Tells a Story," *Fast Company*, June-July 1998, p.38。關於這個主題的另外文章，可以參見Harriet Rubin, "The Hitchhiker's Guide to the New Economy," 該文支持Douglas Adams的觀點，認為「說故事者的藝術就是新經濟的藝術。」

❾ David Kahn and Donna Breed, *Scriptwork: A Director's Approach to New Play Development* (Carbondale, Ill.: Southern Illinois University Press, 1995), p.20.

❿ Gordon Shaw, Robert Brown, and Philip Bromiley, "Strategic Stories: How 3M Is Rewriting Business Planning," *Harvard Business Review* 76, no. 3, May-June 1998, p.44, 47。也可以參見Thomas A. Stewart, "The Cunning Plots of Leadership," *Fortune*, 7 September 1998, pp.165-166，還有Rob Wilkens, "Strategic Storytelling," *Lifework*, 1, no. 5 (October 1998): pp.23-25。

⓫ 關於編劇的有用資料是J. Michael Straczynski, *The Complete Book of Scriptwriting* (Cincinnati: Writer's Digest Books, 1996), and Syd Field, *Screenplay: The Foundations of Screenwriting* (New York: MJF Books, 1994)。關於如何將腳本作為文學來閱讀並轉化為演出，可以參見Richard Hornby, *Script to Performance: A Structuralist Approach* (New York: Applause Books, 1995)。有趣的是，Hornby 並不喜歡雀奇納的表演理論，因為「結構不能和內容脫離」。他進一步說雀奇納的作品有時很有見地，有時卻很虛偽。我們要說的是，我們只採用了那些很有見地的地方。

⓬ Michael Hammer, "Reengineering Work: Don't Automate, Obliterate," *Harvard Business Review* 68, no. 4, July-August 1990, pp.104-112.

⓭ 也可以參見James H. Gilmore, "Reengineering for Mass Customization," *Journal of Cost Management* 7, no. 3 (Fall 1993): pp.22-29，以及 "How to Make Reengineering Truly Effective," *Planning Review* 23, no. 3 (May/June 1995): p39，和 B. Joseph Pine II, "Serve Each Customer Efficiently and Uniquely," *Network Transformation: Individualizing Your Customer Approach,* supplement to *Business Communications Review* 68, no. 4 (January 1996): pp.2-5。

❹ Gary Hamel and C. K. Prahalad, *Competing for the Future: Breakthrough Strategies for Seizing Control of Your Industry and Creating the Markets of Tomorrow*（Boston: Harvard Business School Press, 1994，中譯本《競爭大未來》智庫出版）.

❺ Andy Serwer, "Michael Dell Rocks," *Fortune*, May 11, 1998, p.62。也可以參見 Joan Magretta, "The Power of Virtual Integration: An Interview with Dell Computer's Michael Dell," *Harvard Business Review* 76, no. 2, March-April 1998, pp.72-84。

❻ 關於加拉丁鋼鐵是如何大量客製化鋼鐵的——一種相似但是並不相同的商品，可以參見 David H. Freeman, "Steel Edge," *Forbes ASAP*, 6 October 1997, pp.46-53。關於比爾金頓兄弟公司的更多資訊，可以參見 James M. Utterback, *Mastering the Dynamics of Innovation: How Companies Can Seize Opportunities in the Face of Technological Change* (Boston: Harvard Business School Press, 1994), pp.104-120。所有的流程和產品開發者都應該閱讀此書。

❼ Bob Thomas, *Walt Disney: An American Original* (New York: Hyperion, 1994), p.264.

❽ Francis Reid, *Designing for the Theatre* (New York: Theatre Art Books/Routledge, 1996), p.19.

❾ Felsenthal, "Lawyers Learn".

❷⓪ Angie Michael, *Best Impressions in Hospitality: Your Professional Image for Excellence* (Manassas Park, Va.: Impact Publications, 1995)，該書提供了很好的資源。

❷① 在Michael Holt, *Costume and Make-Up* (New York: Schirmer Books Theatre Manuals, 1988), p.7中，關於一些經典的概念有這樣的詮釋：「戲服是演員的一部分，幫助他們塑造角色。每一類的戲服都給予觀眾一些資訊。當演員出現的時候，即使是在開始說話之前，觀眾已經獲得很多資訊。他們可以透過戲服的顏色、款式來判斷角色是讓人歡迎的或是恐懼的。整個畫面由他們意識到或沒意識到的資訊所組成。」

❷② Charles Goldsmith, "British Air's New No-Frills Carrier, Go, to Battle Its Discount Rivals," *The Wall Street Journal*, 22 May 1998.

❷③ 引用Toni Mack, "High Finance with a Touch of Theater," *Forbes*, 18 May 1998, p.146。

❷④ Erik Hedegaard, "Fools' Paradise," *Worth*, June 1998, p.76.

❷⑤ 同上。

❷⑥ Pauline Menear and Terry Hawkins, *Stage Management and Theatre Administration* (New York: Schirmer Books Theatre Manuals, 1988), p.7.

❷⑦ Julian Fast, *Subtext: Making Body Language Work in the Workplace* (New York: Viking, 1991), p.13.

❷⑧ Leonard A. Schlesinger and James L. Heskett, "Breaking the Cycle of Failure in Services," *Sloan Management Review* 32, no. 3 (Spring 1991): p.26.

❷ 這部分是從面試者的角度來寫的。參見 Michael Shurtleff, *Audition: Everything an Actor Needs to Know to Get the Part* (New York: Bantam Books, 1978)。我們引用了該書中野心勃勃的演員想在試鏡中一舉成功的例子。

❸ 迪士尼專案 *Inside the Mouse* (Durham, N.C.: Duke University Press, 1995), pp.214-215。

❸ Mark Winegardner, *Prophet of the Sandlots: Journeys with a Major League Scout* (New York: Prentice Hall Press, 1990), p.97.

❸ Robert L. Benedetti, *The Director at Work* (Englewood Cliffs, N.J.: Prentice-Hall, 1985), p.87.

❸ Mobley, *NTC's Dictionary of Theatre and Drama Terms*, p.4.

❸ Philip Kotler and Joanne Scheff, *Standing Room Only: Strategies for Marketing the Performing Arts*（Boston: Harvard Business School Press, 1997，中譯本《票房行銷》遠流出版）.

❸ 同上,第13頁。

第9幕

❶ 根據 Lisa Miller 在《華爾街日報》上發表的關於心靈導師的報導:「在美國,雇用別人來看管小孩、他們的身體和財務,已有很長一段歷史了,現在他們開始雇用別人來當他們靈魂的訓練師。」引自 "After Their Checkup for the Body, Some Get One for the Soul," 20 July 1998。

❷ 有趣的是,露營、飛行模擬、商務模擬遊戲和其他的虛擬培訓工具,都是刻意將體驗商品化,來改變人們。透過一次又一次對於

現實世界體驗的模擬，他們對於變化的快速反應以及對於生活中壓力的應對能力都得到提升。如同Tom Orton（位於亞歷桑納州Mesa的Modis Training Technologies的創始人之一）對*Industry Week*提到的，使用該公司半導體工廠之模擬訓練裝置的使用者「感覺好像他們已經『順利完成任務』一樣」（"25 Winning Technologies," 15 December 1997, p.52）。

❸ 我們期待聯邦快遞的包裹、傳真和電子郵件，有一天也能夠成為值得記憶的體驗，更像是一趟農場之旅一樣。

❹ David Bacon引用Susan Warren, "Parents Are on a Kick for Tae Kwon Do as a Disciplinary Art," *The Wall Street Journal*, 3 October 1997。

❺ Tim W. Ferguson, "Let's Talk to the Master," *Forbes*, 23 October 1995, p.142.

❻ Mark Wolfenberger，引用Nikhil Hutheesing, "Reducing Sticker Shock," *Forbes*, 3 November 1997, p.151。

❼ 引自David Kirkpatrick, "This Tough Guy Wants to Give You a Hug," *Fortune*, 14 October 1996, p.178。

❽ 引自J. P. Donlon, "The P&G of Prisons," *Chief Executive*, May 1998, pp.28-29。

❾ Kairos，佛羅里達州奧蘭多的一個非營利組織，專門負責改造監獄犯人的內心世界，而且從犯人裏的「老大」開始。因為了解到這件事的難度，Kairos引用舞台式劇場，把三天內要說的每一句話都排練過。

❿ Donlon, "The P&G of Prisons," p.29.

⓫ 引自 Sara Terry, "Genius at Work," *Fast Company*, September 1998, p.176。

⓬ 在 4S 模型中，原來的 3S 理論體系仍然適用（見第 4 幕及中場休息）。第一，與顧客期望有關的顧客滿意：轉型誘導者實現顧客渴望的程度；第二，顧客犧牲：顧客希望得到的和他能夠得到的之間的差距；第三，顧客驚喜：將顧客的渴望透過引導的效果來提升，達到他們想像不到的程度。最後，顧客懸念：激發顧客的好奇心，使他不斷猜測什麼樣的產品和服務會有助於他們的下一次轉型。

⓭ 參見 Leif Edvinsson and Michael S. Malone, *Intellectual Capital: Realizing Your Company's True Value by Finding Its Hidden Brainpower* (New York: HarperBusiness, 1997)。

⓮ Skandia, *A Proposal for a Competence Insurance Plan* (Stockholm, Sweden: Skandia, 1996), p.6.

⓯ 當有事件發生，使得病患可能提起訴訟時，MMI 的一個做法就是鼓勵醫療服務的提供者與病患家屬實際進行會晤（這是有些律師極力反對的事情），並不是就發生的事情道歉，而是把事情解釋清楚。這種「淨化」的體驗時常獲得病患家屬的諒解，使醫療機構或個人免於被訴。

⓰ 如同在第 6 幕所指出的，Brenda Laurel 在 *Computers as Theatre* (Reading, Mass.: Addison-Wesley, 1993), xviii 提過，人機介面應當是「經過設計的體驗」。在 "Interface Design: Diversity in Your Audience," *Interactivity*, February 1997, p.69，身為 MONKEY media（一家互動介面設計與製作工作室）負責人的 Eric Justin

Gould，更進一步鼓勵互動介面的設計者思考技術的轉型力量：
「當你把新技術帶入某人的生活時（無論是最先進的硬體或只是
一種新的互動模式），你就不由自主地對他們產生影響。要尊重
一種文化，就是要在設計的過程中考慮到，你的產品對於與它互
動的人會產生什麼影響。」的確如此。

⓱ 出現於Jim Mateja在《芝加哥論壇報》的專欄，以同時供稿的方
式，用"OnStar Diagnostic System Brings Aid with a Call" 的標題發
表於 *St. Paul Pioneer Press*, 25 October 1997。文中OnStar的首席
工程師Walt Dorfstatter指出：「我們認為遠端診斷系統可以給駕
駛者帶來即刻的平靜。」

⓲ Stan Davis和Bill Davidson在 *2020 Vision* (New York: Simon &
Schuster, 1991)一書中，提出一種「生物經濟」（bio-economy），
描述公司如何專注發展生物工程技術來改變人類。他們預見（第
195頁），根據這項技術的發展趨勢，「食物、衣服、機械以及任
何有形的商品都會因生物技術而改變改善」。在生物經濟到來時，
冰箱製造商會更願意被歸為食品儲存和保鮮業，而不是冷凍業。

⓳ Yumiko Ono, "Marketers Walk Thin Line, Selling Food Products with
Medicinal Lure," *The Wall Street Journal*, 23 September 1996。也可
以參見Joseph Weber, "Now, Campbell's Makes House Calls,"
Business Week, 16 June 1997, pp.144-146。

⓴ Associated Press, "New Margarine May Spur Healing-Food Trend,"
St. Paul Pioneer Press, 22 July 1998.

㉑ Björn Wolrath, "Competence Insurance--An Insurance Innovation in
Its Time," in *A Proposal for a Competence Insurance Plan*, p.10.

❷❷ Hillel M. Finestone and David B. Conter, "Acting in Medical Practice," *The Lancet* 344, no. 8925 (17 September 1994): p.801.

❷❸ Mark DePaolis, "Doctors Can Act as If All the World's a Stage," *Minneapolis Star-Tribune*, 27 January 1995.

❷❹ 例如,Gregory W. Lester and Susan G. Smith, "Listening and Talking to Patients: A Remedy for Malpractice Suits?" *The Western Journal of Medicine*, March 1993; Jerry E. Bishop, "Studies Conclude Doctors' Manner, Not Ability, Results in More Lawsuits," *The Wall Street Journal*, 23 November 1994; Daniel Goleman, "All Too Often, The Doctor Isn't Listening, Studies Show," *The New York Times*, 13 November 1991。

❷❺ Milton Mayeroff, *On Caring* (New York: HarperPerennial, 1971), pp.1-2.

❷❻ C. William Pollard, "The Leader Who Serves," *Strategy & Leadership*, 25, no. 5 (September/October 1997): p.50.

❷❼ C. William Pollard, *The Soul of the Firm* (New York: HarperBusiness and Grand Rapids, Mich.: ZondervanPublishingHouse, 1996), p.130。Pollard的21條領導原則的最後一條(p.166),證明了服務態度的重要性:「我們都是在主的形象中被創造的,領導能力的衡量要在超越工作的地方進行。故事將從人們改變的生活中展開。」別搞錯了:這講的就是一種關懷的轉型,而不是單純的服務。

第10幕

❶ Jeremy Rifkin, *The End of Work: The Decline of the Global Labor*

Force and the Dawn of the Post-Market Era (New York: G. Putnam's Sons, 1995), xvi.

❷ 同上，xvii。Rifkin的「解決方案」之一是針對「娛樂休閒產業」（這些產業是經濟中成長最快的部門）課徵加值稅。理由是：「一個國家中沒有幾個窮人能夠付得起家用電腦、行動電話以及到主題公園、度假勝地和賭場的昂貴費用」（第271頁）。當然，你對什麼部門徵稅，那麼由該部門產出的經濟收益也會減少。這將會顧此失彼──當體驗經濟創造新的工作機會時卻對其增加稅收負擔。同樣可能的是，不信任市場機制的人將會盯著這一快速成長的經濟部門，將它視為更多的政府計畫和管制的收益來源。

❸ 同上，第247頁。

❹ 關於GDP的資料，可以從服務部門資料中區分出來的轉型經濟有醫療、法律和社會服務。對於就業資料來說，這三類再加上工程、管理顧問業都可以包括到轉型經濟產業。有些體驗產業，其實具有轉型的性質（健身中心、一些教育課程、訓練課程等等），但還是被歸為服務業。同樣地，我們注意到由於轉型產業的數量很少，因此它的量比服務業小很多。例如在1996年，能夠被清楚歸為體驗或轉型產業的約占GDP的10％以及就業的20％。這些部分已經構成經濟體的一大部分，同時轉型經濟（因為包括醫療業）所占的比例甚至超過體驗經濟。

❺ 實際上，在1994年因政治壓力而暫緩發展之前，醫療支出一直都是以兩位數的速度成長，比其他產業高出很多，而且這種態勢曾保持了整整十年。如今政治方面的壓力已經緩和，這一行業的發展速度又恢復到驚人的水平。

❻ *The Digest of Education Statistics 1996*, (Jessup, Md.: National Center for Education Statistics, 1997), Table 309 (http://nces.ed.gov/pubs/ d96/D96T309.html)。隨著近幾年醫療服務的價格成長速度放慢，教育統計數字也受到政治的影響。特別是，來自政府部門的各種助學金數額的增加，使得大學院校的學費隨之上漲。

❼ Virginia I. Postrel, "It's All in the Head," *Forbes ASAP*, 26 February 1996, p.118。為了表明她的全部觀點，Postrel進一步說：「漸漸地，人們購買的不再只是單純的商品和服務，他們購買體驗」。

❽ *The New Shorter Oxford English Dictionary*, vol. 2, N-Z, ed., s.v. "Wisdom."

❾ 關於這一類的智慧進步有其他的觀點，比如海科爾的科層（Haeckel's Hierarchy），因IBM的Advanced Business Institute的Stephan H. Haeckel而得名。在這種觀點當中，Haeckel將智慧理解為資訊和知識之間的一個層次。參見Vincent P. Barabba and Gerald Zaltman, *Hearing the Voice of the Market: Competitive Advantage through Creative Use of Market Information* (Boston: Harvard Business School Press, 1990), pp.37-58。

❿「電腦」（computer）這個詞，原本是指那些在第二次世界大戰中進行武器射程計算的人員。

⓫ 舉例來說，關於「知識與企業」的特殊問題，曾發表於*California Management Review* 40, no. 3 (Spring 1998)。

⓬ Diane Senese在 "The Information Experience," *Information Outlook*, October 1997, pp.29-33中，討論了「資訊人員」如何能夠「在公司進入體驗經濟時發揮獨特的作用」，他們應重新想像自己的角

色，幫助顧客「體驗知識」。

❸ Michael Schrage 在 *No More Teams! Mastering the Dynamics of Creative Collaboration* (New York: Currency Doubleday, 1995) 一書中說，科技和資訊不同，有必要從科技對關係的可能影響的觀點來看待它。

❹ John Dalla Costa, *Working Wisdom: The Ultimate Value in the New Economy* (Toronto: Stoddart Publishing Co., 1995), p.24.

❺ Taichi Sakaiya, *The Knowledge-Value Revolution, or A History of the Future*（Tokyo: Kodansha International, 1991，中譯本《智價革命》遠流出版）, pp.20-21.

❻ 同上，第235頁。

❼ 同上，第57~58頁。

❽ 正如顧問兼作家 Robert H. Schaffer 說的，「對於一個成功的顧問專案，給出一個『提供正確解決方案』的報告或安裝一個新的系統其實遠遠不夠，該專案必須為客戶帶來經濟效益。」參見 Ian White-Thomson and Robert H. Schaffer, "Getting Your Money's Worth," *Chief Executive*, November 1997, p.41. 也可參見 Robert H. Schaffer, *High-Impact Consulting: How Clients and Consultants Can Leverage Rapid Results into Long-Term Gains* (San Francisco: Jossey-Bass Publishers, 1997)。

❾ 引自 Thor Valdmanis, "Consultants Opt for Stakes in Clients' Firms," *USA Today*, 21 April 1998。

⓴ Erving Goffman, *The Presentation of Self in Everyday Life* (New York: Anchor Books, 1959), p.20.

❷❶ Harold Clurman, *On Directing* (New York: Collier Books, 1972), pp.154-155.

❷❷ Samuel Hughes, "Lucid Observations," *The Pennsylvania Gazette*, October 1996。Lucid博士提到的供學生演員排練的場所之一就是 Hill House Pit Stop，一家由學生經營的便利商店，它的競爭對手包括WaWa食品超市，坐落於 Hill House，由當時還年輕的一位作者經營。

❷❸ 這一部分是基於下面這篇文章：James H. Gilmore and B. Joseph Pine II, "Beyond Goods and Services: Staging Experiences and Guiding Transformations," *Strategy & Leadership* 25, no. 3 (May/June 1997): p.18。這四個共通要素——開始、執行、修正和應用——從圖7-1「劇場的四種形式」的架構中衍生出來，以產品—流程矩陣（見第7幕註釋）為人所知。這一架構中的「雙四」模式（指四要素及四形式）是一個在任何分析階段均為不規則的、可偵測的模式。這裏所說的分析階段是最廣義的。

❷❹ Henry Petroski, *The Evolution of Useful Things*（New York: Vintage Books, 1992，中譯本《利器》時報出版），p.86.

❷❺ Gary Hamel and C. K. Prahalad, *Competing for the Future* (Boston: Harvard Business School Press, 1994), pp.133-134。注意他們在其中所引用的耶穌的話不在基督教《聖經・新約全書》第1：8節那一段，而是在《馬可福音》中的16：15那一節。

謝幕

❶ Peter Haynes and Dolly Setton, "McKinsey 101," *Forbes*, 4 May

1998, pp.130-135.

❷ 這一「經濟價值遞進」的表達是受到James Brian Quinn的 *Intelligent Enterprise: A Knowledge and Service Based Paradigm for Industry*（New York: Free Press, 1992）一書的啟發，作者在該書第7頁使用了與此處商品（goods）的陳述相同的東西，除了在用詞上的差異（他用的是product）。

❸ 已經有關於人們尋求永生的案例，參見Andrew Kimbrell, *The Human Body Shop: The Engineering and Marketing of Life*（New York: HarperCollins, 1993，中譯本《器官量販店》新新聞出版）, and Margaret Jane Radin, *Contested Commodities: The Trouble with Trade in Sex, Children, Body Parts, and Other Things* (Cambridge, Mass.: Harvard University Press, 1996)，這些著作預見了一些可能會出現的情形。我們必須指出，他們討論的是什麼東西「應該」被允許買賣，而不是「可以」買賣。即使政府和其他的非市場力量會限制這類交易的供給面，但唯有心靈提升和人心轉變才可能消除這類需求。

❹ 以弗所書Ephesians 2: 8 (King James Version).

編後記

感謝機械工業出版社提供譯稿。

繁體中文版的審校、潤飾工作，由經濟新潮社編輯部負責，特此說明。感謝陳錦輝先生在初期編輯工作上的協助。

往後，經濟新潮社將陸續出版經營管理、經濟學相關書籍，以饗讀者。希望您喜歡，並歡迎批評指教。

經濟新潮社　　　〈經濟趨勢系列〉

書　號	書　　　名	作　　　者	定價
QA2001	經濟史入門： 馬克思經濟學歷史理論概述	鹽澤君夫等	280
QC1001	全球經濟常識100	日本經濟新聞社編	260
QC1002	個性理財方程式： 量身訂做你的投資計畫	彼得・塔諾斯	280
QC1003X	資本的祕密： 為什麼資本主義在西方成功，在其他地方失敗	赫南多・德・索托	300
QC1004	愛上經濟： 一個談經濟學的愛情故事	羅素・羅伯茲	280
QC1005	國際財經輕鬆學： 掌握經濟趨勢，81個必備的財經觀念	藍迪・查爾斯・艾平	280
QC1006	抉擇： 自由貿易vs.保護主義的寓言	羅素・羅伯茲	260
QC1007	現代經濟史的基礎： 資本主義的生成、發展與危機	後藤靖等	300
QC1008	百辯經濟學： 為娼妓、皮條客、毒販、吸毒者、誹謗者、 偽造貨幣者、高利貸業者、為富不仁的資 本家……這些「背德者」辯護	瓦特・布拉克	280
QC1009	當企業購併國家： 全球資本主義與民主之死	諾瑞娜・赫茲	320
QC1010	中國經濟的危機： 了解中國經濟發展9大關鍵	小林熙直等	350
QC1011	經略中國，布局大亞洲	木村福成、丸屋豐二 郎、石川幸一	380
QC1012	發現亞當斯密： 一個關於財富、轉型與道德的故事	強納森・懷特	350
QC1013	為什麼我們的錢變薄了？： 1. 政府一手主導通貨膨脹的真相 2. 你不可不知的貨幣觀念	莫瑞・羅斯巴德	220
QC1014C	一課經濟學（50週年紀念版）	亨利・赫茲利特	300
QC1015	葛林斯班的騙局	拉斐・巴特拉	420
QC1016	致命的均衡：哈佛經濟學家推理系列	馬歇爾・傑逢斯	280

書　號	書　　　名	作　　者	定價
QC1017	經濟大師談市場	詹姆斯・多蒂 德威特・李	600
QC1018	人口減少經濟時代	松谷明彥	320
QC1019	邊際謀殺：哈佛經濟學家推理系列	馬歇爾・傑逢斯	280
QC1020	奪命曲線：哈佛經濟學家推理系列	馬歇爾・傑逢斯	280
QC1021	不公平的市場	亞瑟・歐肯	240
QC1022	快樂經濟學：一門新興科學的誕生	理查・萊亞德	320
QC1023	投資銀行青春白皮書	保田隆明	280
QC1024	常識經濟學：人人都該知道的經濟常識	詹姆斯・格瓦特尼 理查・史托普 德威特・李	320
QC1025	公平賽局：經濟學家與女兒互談經濟學、 　　　價值，以及人生意義	史帝文・藍思博	320

書　號	書　　　名	作　　者	定價
QA1001	勇於負責： 重建個人與組織責任感的神奇法則	羅傑・康納斯等	280
QA1005	職場魅力高手： 塑造權力與影響力的10大祕訣	蘇珊・馬歇爾	280
QA1006	生態經濟大未來	艾瑞克・戴維森	260
QA1007	i-mode贏的策略： 開啟行動商務的新大陸	夏野 剛	280
QA1008	資訊致富： 從資訊演化看未來商機	麥肯納利等	200
QA1009	體驗品牌： 如何建立顧客忠誠度優勢	戴洛・崔維斯	320
QA1010	我懂了！六標準差： 邁向高獲利的新境界	舒伯・喬賀瑞	180
QB1007	危機就是轉機：自己創造奇蹟的 50個法則	弘兼憲史	220
QB1008	殺手級品牌戰略： 高科技公司如何克敵致勝	保羅・泰伯勒等	280
QB1010	高科技就業聖經： 不是理工科的你，也可以做到！	威廉・夏佛	300
QB1011	為什麼我討厭搭飛機： 管理大師笑談管理	亨利・明茲柏格	240
QB1012	IT韓潮： 不容忽視的韓國IT競爭力	韓國IT研究會編	250
QB1013	活力客服： 打造人性化的客服中心	羅珊・德西羅博士	280
QB1014	中國製造： 揭開「世界工廠」的真相	黑田篤郎	280
QB1015	六標準差設計： 打造完美的產品與流程	舒伯・喬賀瑞	280
QB1016	我懂了！六標準差2： 產品和流程設計一次OK！	舒伯・喬賀瑞	200
QB1017X	企業文化獲利報告： 什麼樣的企業文化最有競爭力	大衛・麥斯特	320

經濟新潮社　　〈經營管理系列〉

經濟新潮社　〈經營管理系列〉

書　號	書　　　名	作　　者	定價
QB1018	創造客戶價值的10堂課	彼得‧杜雀西	280
QB1019X	體驗經濟時代	約瑟夫‧派恩、 詹姆斯‧吉爾摩	380
QB1020	我懂了！專案管理	詹姆斯‧路易斯	280
QB1021	最後期限： 專案管理101個成功法則	Tom DeMarco	350
QB1022	困難的事，我來做！： 以小搏大的技術力、成功學	岡野雅行	260
QB1023	人月神話： 軟體專案管理之道（20週年紀念版）	Frederick P. Brooks, Jr.	480
QB1024	精實革命： 消除浪費、創造獲利的有效方法	詹姆斯‧沃馬克、 丹尼爾‧瓊斯	480
QB1025	如何訓練一隻兔子： 促進溝通、激發潛力的53堂課	伊藤守	240
QB1026	與熊共舞： 軟體專案的風險管理	Tom DeMarco & Timothy Lister	380
QB1027	顧問成功的祕密： 有效建議、促成改變的工作智慧	Gerald M. Weinberg	380
QB1028	豐田智慧： 充分發揮人的力量	若松義人、近藤哲夫	280
QB1029	你想通了嗎？： 如何靈活思考，解決問題	Donald C. Gause、 Gerald M. Weinberg	260
QB1030	業務，這樣做就對了！： 要業績，也要完善的業務生涯規畫	克里斯‧萊托	280
QB1031	我要唸MBA！： MBA學位完全攻略指南	羅伯‧米勒、 凱瑟琳‧柯格勒	320
QB1032	品牌，原來如此！	黃文博	280
QB1033	別為數字抓狂： 會計，一學就上手	傑佛瑞‧哈柏	260
QB1034	人本教練模式： 激發你的潛能與領導力	黃榮華、梁立邦	280
QB1035	專案管理，現在就做： 4大步驟，7大成功要素，要你成為專案 管理高手！	寶拉‧馬丁、 凱倫‧泰特	350

經濟新潮社　　〈經營管理系列〉

書　號	書　名	作　者	定價
QB1036	A級人生： 打破成規、發揮潛能的12堂課	羅莎姆・史東・山德爾 班傑明・山德爾	280
QB1037	公關行銷聖經	Rich Jernstedt 等 十一位執行長	299
QB1038	經理人的第一本領導書	鈴木義幸	220
QB1039	委外革命：全世界都是你的生產力！	麥可・考貝特	350
QB1040	領導的技術：如何成為問題解決型領導者	Gerald M. Weinberg	380
QB1041	要理財，先理債：快速擺脫財務困境、 重建信用紀錄最佳指南	霍華德・德佛金	280
QB1042	溫伯格的軟體管理學：系統化思考（第1卷）	Gerald M. Weinberg	650
QB1043	3秒成交	馬克・喬那	280
QB1044	邏輯思考的技術： 寫作、簡報、解決問題的有效方法	照屋華子、岡田惠子	300
QB1045	豐田成功學：從工作中培育一流人才！	若松義人	300
QB1046	你想要什麼？： 56個教練智慧，把握目標迎向成功	黃俊華著、曹國軒繪圖	220
QB1047	精實服務：生產、服務、消費端全面消除 浪費，創造獲利	詹姆斯・沃馬克、 丹尼爾・瓊斯	380
QB1048	好價錢讓你賺翻天：你不可不知的定價策略	拉斐・穆罕默德	320
QB1049	改變才有救！： 培養成功態度的57個教練智慧	黃俊華著、曹國軒繪圖	220
QB1050	教練，幫助你成功！： 幫助別人也提升自己的55個教練智慧	黃俊華著、曹國軒繪圖	220
QB1051	從需求到設計： 如何設計出客戶想要的產品	Donald C. Gause 、 Gerald M. Weinberg	550
QB1052C	金字塔原理： 思考、寫作、解決問題的邏輯方法	芭芭拉・明托	480
QB1053	圖解豐田生產方式	豐田生產方式研究會	280
QB1054	Peopleware：腦力密集產業的人才管理之道	Tom DeMarco & Timothy Lister	380
QB1055	感動力：人際互動、商業經營的最高境界	平野秀典	250

國家圖書館出版品預行編目資料

體驗經濟時代／約瑟夫‧派恩（B. Joseph Pine II）、
詹姆斯‧吉爾摩（James H. Gilmore）著；夏業
良、魯煒譯. -- 二版. -- 臺北市：經濟新潮社出
版：家庭傳媒城邦分公司發行, 2008.01
　　面；　公分. --（經營管理；19）
譯自：The Experience Economy: work is theatre &
every business a stage
　ISBN 978-986-7889-66-9（平裝）
　1. 行銷學　2. 消費心理學　3. 顧客關係管理

496　　　　　　　　　　　　　　　　　97000714

經濟新潮社

英屬蓋曼群島商家庭傳媒股份有限公司城邦分公司
104台北市民生東路二段141號2樓

請沿虛線折下裝訂，謝謝！

經濟新潮社

經營管理・經濟趨勢・投資理財・經濟學譯叢

編號：QB1019X　書名：體驗經濟時代

cité 城邦 讀者回函卡

謝謝您購買我們出版的書。請將讀者回函卡填好寄回,我們將不定期寄上城邦集團最新的出版資訊。

姓名:＿＿＿＿＿＿＿＿＿＿＿ 電子信箱:＿＿＿＿＿＿＿＿＿＿＿

聯絡地址:□□□＿＿＿＿＿＿＿＿＿＿＿＿＿＿＿＿＿＿＿＿＿

＿＿＿＿＿＿＿＿＿＿＿＿＿＿＿＿＿＿＿＿＿＿＿＿＿＿＿＿＿＿＿

電話:(公)＿＿＿＿＿＿＿＿＿ (宅)＿＿＿＿＿＿＿＿＿

身分證字號:＿＿＿＿＿＿＿＿＿ (此即您的讀者編號)

生日:＿＿＿年＿＿＿月＿＿＿日 性別:□男 □女

職業:□軍警 □公教 □學生 □傳播業 □製造業 □金融業 □資訊業
　　　□銷售業 □其他＿＿＿＿＿＿＿＿＿＿＿＿＿＿＿＿

教育程度:□碩士及以上 □大學 □專科 □高中 □國中及以下

購買方式:□書店 □郵購 □其他＿＿＿＿＿＿＿＿＿＿＿＿

喜歡閱讀的種類:＿＿＿＿＿＿＿＿＿＿＿＿＿＿＿＿＿＿＿＿

□文學 □商業 □軍事 □歷史 □旅遊 □藝術 □科學 □推理

□傳記□生活、勵志 □教育、心理 □其他＿＿＿＿＿＿＿＿＿

您從何處得知本書的消息?(可複選)

□書店 □報章雜誌 □廣播 □電視 □書訊 □親友 □其他＿＿＿＿

本書優點:(可複選)□內容符合期待 □文筆流暢 □具實用性
　　　　　　　　　□版面、圖片、字體安排適當 □其他＿＿＿＿＿＿

本書缺點:(可複選)□內容不符合期待 □文筆欠佳 □內容保守
　　　　　　　　　□版面、圖片、字體安排不易閱讀 □價格偏高 □其他

您對我們的建議:＿＿＿＿＿＿＿＿＿＿＿＿＿＿＿＿＿＿＿＿

＿＿＿＿＿＿＿＿＿＿＿＿＿＿＿＿＿＿＿＿＿＿＿＿＿＿＿＿＿＿＿

＿＿＿＿＿＿＿＿＿＿＿＿＿＿＿＿＿＿＿＿＿＿＿＿＿＿＿＿＿＿＿

＿＿＿＿＿＿＿＿＿＿＿＿＿＿＿＿＿＿＿＿＿＿＿＿＿＿＿＿＿＿＿